महाश्वेता देवी

महाश्वेता देवी का जन्म 14 जनवरी, 1926 को ढाका, बांग्लादेश में हुआ। उनके पिता श्री मनीष घटक सुप्रसिद्ध लेखक थे। महाश्वेता की प्रारंभिक पढ़ाई शांतिनिकेतन में हुई। कलकत्ता विश्वविद्यालय से अंग्रेजी साहित्य में एम.ए. किया। अरसे तक अंग्रेजी का अध्यापन।

हिन्दी में अनूदित उनकी प्रमुख कृतियाँ हैं–'चोट्टि मुण्डा और उसका तीर', 'जंगल के दावेदार', 'अग्निगर्भ', 'अक्लांत कौरव', '1084वें की माँ', 'श्री श्रीगणेश महिमा', 'टेरोडैक्टिल', 'दौलति', 'अमृत संचय', 'ग्राम बांग्ला', 'शाल-गिरह की पुकार पर', 'भूख', 'झाँसी की रानी', 'आंधारमानिक', 'उन्तीसवीं धारा का आरोपी', 'मातृछवि', 'सच-झूठ', 'जली थी अग्निशिखा', 'नील छवि', 'कवि वन्द्यघटी गाईं का जीवन और मृत्यु', 'बनिया-बहू', 'नटी' (उपन्यास); 'कृष्णद्वादशी', 'घहराती घटाएँ', 'ईंट के ऊपर ईंट', 'मूर्ति', 'पचास कहानियाँ', (कहानी-संग्रह); 'भारत में बँधुआ मजदूर' (विमर्श)।

'जंगल के दावेदार' पुस्तक के लिए 'साहित्य अकादेमी पुरस्कार' से पुरस्कृत। 'मैगसेसे अवार्ड' तथा 'ज्ञानपीठ पुरस्कार' से सम्मानित। 'पद्म श्री' और 'पद्म विभूषण' से अलंकृत।

निधन : 28 जुलाई, 2016

अग्निगर्भ

महाश्वेता देवी

अनुवादक
जगत शंखधर

राधाकृष्ण पेपरबैक्स

राधाकृष्ण पेपरबैक्स में
पहला संस्करण : 2001
नौवाँ संस्करण : 2025

राधाकृष्ण पेपरबैक्स : उत्कृष्ट साहित्य के जनसुलभ संस्करण

राधाकृष्ण प्रकाशन प्राइवेट लिमिटेड
जी-17, जगतपुरी, दिल्ली-110 051
द्वारा प्रकाशित

शाखाएँ : अशोक राजपथ, साइंस कॉलेज के सामने, पटना-800 006
पहली मंज़िल, दरबारी बिल्डिंग, महात्मा गांधी मार्ग, प्रयागराज-211 001
1, अनमोल सोराबजी सन्तुक लेन, धोबी तलाव, मरीन लाइंस, मुम्बई-400 002

वेबसाइट : www.radhakrishnaprakashan.com
ई-मेल : info@radhakrishnaprakashan.com

बी.के. ऑफसेट
नवीन शाहदरा, दिल्ली-110 032
द्वारा मुद्रित

मूल्य : 350

AGNIGARBH
Novel by Mahashweta Devi
Translated by Jagat Shankhdhar

ISBN : 978-81-8361-220-3

श्री ओंप्रकाश की स्मृति को

जिन्हें मैंने कभी नहीं देखा किन्तु जो फिर भी मेरे अत्यन्त निकट थे क्योंकि हमारी आस्थाएँ और मूल्य समान थे, और जिन्होंने मुझे हिन्दी पाठकों से परिचित कराया।

—**महाश्वेता देवी**

भूमिका

पश्चिमी बंगाल में और भारतवर्ष में कृषक वर्ग के (मुख्य रूप से भूमिहीन किसानों के, जिनकी संख्या आजकल प्रायः पाँच करोड़ है और सारे श्रमजीवी मनुष्यों के अनुपात में सौ में 26.33 भाग है) असन्तोष और विद्रोह का इतिहास समकालीन घटना-मात्र नहीं है। आधुनिक इतिहास के हर पर्व में विद्रोह का प्रयास, उनके प्रति दूसरे वर्ग के शोषण के चरित्र को प्रगट करता है, कालान्तर में भी अब तक वह प्रायः अपरिवर्तनीय बना है। संन्यासी विद्रोह, वहाबी आन्दोलन, नील विद्रोह, एक समय से दूसरे समय तक और-और विद्रोहों से आरम्भ कर आज के नक्सलबाड़ी आन्दोलन ने प्रायः एक ही मौलिक अधिकार को जोरों से ऐतिहासिक मर्यादा दी है।

1967 के मई-जून में नक्सलबाड़ी अंचल में संगठित आन्दोलन की पृष्ठभूमि विषय की पुनः-आलोचना में सहायक होगी। दार्जिलिंग जिले के नक्सलबाड़ी, खड़ीबाड़ी और फाँसी लगनेवाले अंचल के अधिकांश भाग के रहनेवाले आदिवासी भूमिहीन किसान हैं। उनमें मेदी, लेप्चा, भोटिया, सन्थाल, ओराँव, राजबंसी और गोरखा सम्प्रदाय के लोग हैं। स्थानीय जमींदारों ने बहुत दिनों से चली आ रही 'अधिया' की व्यवस्था में उन पर अपना शोषण जारी रखा। इस व्यवस्था के नियम के अनुसार जमींदार भूमिहीन किसानों को बीज के लिए धान, हल-बैल, खाना और मामूली पैसे देकर अपने खेत में काम पर लगाते, उपज का अधिकांश भाग जमींदार के घर जाता। इसके विरोध में ही किसानों का असन्तोष और विद्रोह है। उपज का बड़ा भाग जमींदार के घर जाना, मामूली बात पर राजी-नाराजी के आधार पर किसान को जमीन से अलग कर देना, और सबसे अधिक जमीन के लिए किसान की आदिम भूख है। इस तरह असन्तोष और संघर्ष के दृष्टिकोण से ही 1954 में सरकार ने 'एस्टेट एक्वीजिशन एक्ट' पास किया। इस कानून की खास बात थी कि कोई व्यक्ति कुल मिलाकर 25 एकड़ से अधिक जमीन न रख

सकेगा। इस कानून के बनाने के पीछे अच्छी नीयत में शक नहीं, लेकिन क्रियान्वित करने में जमीन के मालिकों की मामूली-सी जमीनें ही गईं। बेनामी सारी जमीनें उनके पास रह गईं। 1971 में परिवार के आधार पर कृषि भूमि की उच्चतम सीमा निश्चित कर जो कानून (संशोधित) पास किया गया, उससे भी कोई लाभ नहीं हुआ। सबको पता है, कानून में मछलियों को पालने के बाड़े, चाय के बाग, औद्योगिक कारखाने इत्यादि नामों की ओट में हजारों एकड़ खेती की जमीन छिपा रखने के विरुद्ध कोई बात ही नहीं।

असन्तोष का अन्यतम कारण, इस इलाके के चाय-बागानों की मिल्कियत की जमीनें थीं। यहाँ काम करनेवाले मजदूर प्रमुखतः बागान-मालिकों के लाए हुए थे। वंश-परम्परा में रहते हुए वे स्थानीय निवासी हो गए थे। अमानवीय शोषण के दबाव से ये सदा ही असन्तुष्ट रहते और इनके बारे में 1967 के 6 जून के द *स्टेट्समैन* अखबार में लिखा गया था : 'ऑलमोस्ट ए स्टेट ऑफ क्रूअल स्लेव्री।' इन चाय-बागानों के मालिकों के कब्जे में जो अतिरिक्त जमीन थी, उसे उन्होंने अपने आश्रित श्रमिकों में बाँट दिया। सरकार ने इस बन्दोबस्त की जमीन को अपने अधिकार में लेने की सोची, किन्तु बाद में योजना छोड़ दी गई। इससे श्रमिकों के मन में असन्तोष की गाँठ पड़ गई। सन् पचास के मध्य भाग में चाय-बागान अंचल के अधियावालों ने मालिकों के विरुद्ध आन्दोलन आरम्भ किया। उनकी मूल माँग थी कि चाय-बागान की अतिरिक्त भूमि सरकारी अधिकार के आश्रय में लानी होगी और उन लोगों में उसे बाँट देनी होगी। 1956 में इस आन्दोलन ने एक भयंकर रूप धारण कर लिया। परिणामस्वरूप बागानों के मालिकों ने जमीनों से अधिकारियों को उखाड़ फेंका, उनके घर-द्वार हाथियों के पैरों के नीचे कुचलकर तहस-नहस करवा दिए। इस प्रकार के अत्याचार और अन्याय के विरुद्ध नक्सलबाड़ी के किसान एक दिन संगठित शक्ति लेकर विद्रोह के पथ पर उतर पड़े। उस आन्दोलन ने एक ही तरह से वंचित-शोषित किसानों को आन्ध्र में, केरल में, तमिलनाडु में, बिहार में और उड़ीसा में प्रेरणा दी। जिसे नक्सलबाड़ी आन्दोलन नाम दिया गया है, उसे बहुत-से नाम दिए गए हैं। सारे काम का मुकाबला किस तरह किया गया, यह सभी जानते हैं। घटनाओं से चरम वामपन्थी पतन, किताबी और बहुत जोशीले युवकों का फ्रस्टेशन, अन्य शक्तियों और कृपाओं पर पली संस्थाओं के क्रियाकलाप, जो भी क्यों न कहा जाए, कुछ तो सचमुच बाकी रह ही जाता है। जिन-जिन कारणों से यह आन्दोलन उत्पन्न हुआ वे अक्षुण्ण और अप्रतिबन्धित हैं। इस मत के अनुयायी युवक ही अहिंसक भारत में पहले-पहल हिंसा की राजनीति लाए। यह होने पर भी भारत के नक्शे से

कुछ-कुछ चिह्न पोंछकर मिटाए नहीं जा सकते। भूखे किसानों का शोषण बेरोक-टोक चल रहा है। जमींदारों ने बेनामी, देश की प्रायः सारी खेती-योग्य भूमि कुछ हजार परिवारों की मिल्कियत में कर ली है। दूसरे नाम से चक्रवृद्धि ब्याज से पीसना और बेगार लेना चल रहे हैं। ग्राम्य भारत का स्वरूप श्मशान की तरह है। सूखे में और गरमी में आदिवासी और अन्यान्य तथाकथित अवर्ण हिन्दू जाति सूखी नदी का कलेजा खोदकर पानी तलाश करते हैं, भात का फेन और आमानी[1] बिकते हैं। पलामू के आदिवासी लोगों को चीना घास के बीज के सिवा और कोई चीज खाने को प्रायः नहीं मिलती। आन्ध्र में कांग्रेस की विजय के अर्थ निश्चय ही यह नहीं कि वहाँ बहुत दिनों में नक्सल-दमन के नाम से अवर्णनीय अत्याचार नहीं हुए। जिन-जिन कारणों से आन्दोलन भड़का, वे कारण अभी मौजूद हैं। हर जन-आन्दोलन के पीछे के उनके कारणों की विवरण-संख्या बाद के खोज करनेवालों ने जमा की। यह देखा गया कि आन्दोलन का स्वरूप और प्रवृत्ति लेकर जितनी गड़बड़ रही, दमन में उतनी ही दक्षता रही। क्षणिक होते हुए भी किन-किन कारणों से तृणभूमि में आग लगी, इस बारे में सब मौन हैं। किन्तु प्रशासन के मौन रहने से ही क्या सचाई समाप्त हो जाती है?

मेरी कहानियों की पृष्ठभूमि का उद्देश्य प्रमुखतः नक्सलबाड़ी घटनावली और उसकी पृष्ठभूमि का उल्लेख प्रधानतः होने पर भी यह मानना होगा कि इस देश के कई दशकों की जीवन-यात्रा में वही सबसे अधिक उल्लेखनीय और अनुप्राणित होने योग्य घटना है। बसाई टूडू-द्रौपदी की ये सारी घटनाएँ ही तात्कालिक परिणाम हैं, यद्यपि संग्राम में उन्होंने ही समाज में परिवर्तन किया और परिणाम में नाम और स्थानीय अवस्थिति के सिवा काल और देश के प्रतीक बन गए। अवश्य ही किसी भी आन्दोलन का शायद साधन-मार्ग और परिणाम सच नहीं होता, एकमात्र इतिहास ही उनके मूल्य का निर्णायक होता है। और वर्तमान युद्धरत मनुष्य इसीलिए सब देशों में अपना बनाया सारा मार्ग तोड़कर नया पथ निर्मित करने का स्वप्न-देखता है और प्रतिज्ञा करता है। इतिहास के द्वन्द्वपूर्ण मार्ग पर इसी कारण से निरन्तर गंतव्य स्थान का सत्य ही सत्य के नाम से चित्रित होता है।

किन्तु, सब जगह समस्या केवल भूमि की नहीं है। खेतमजूर के हिसाब से किसान अपने उचित प्राप्य से वंचित हैं। पानी, बीज के धान, खाद के लिए उनकी निरन्तर लड़ाई, अनाहार और गरीबी में उनके दिन कटते हैं। स्वतन्त्रता के बाद इस देश में जो आर्थिक प्रगति हुई है, उसका फल किसी मध्यवर्गीय-मजदूर-खेतमजूर को नहीं मिला। एक ओर, धनी-वर्ग और अधिक धनी हो गए हैं, एक आत्मतुष्ट,

1. पानी, जिसमें रात को भात भिगोकर रखा जाता है

अशिक्षित, असभ्य नया धनिक-वर्ग उत्पन्न हुआ है। दूसरी ओर, सामान्य मध्यवित्त लोगों के पास जो कुछ था उसे खोकर वे अधिक गरीब बन गए। निम्नवित्त एवं मध्यवित्त वर्ग आज सम्पूर्ण रूप से क्षय होने की ओर बढ़ रहे हैं। धनी किसान और अधिक धनी हो गए हैं, मामूली जमीनों के मालिक अपने अन्तिम सहारे धरती को जमींदार-महाजन को देकर खेतमजूरों की संख्या बढ़ा रहे हैं। इसके अलावा जीवित रहने का मौलिक अधिकार भी जहाँ उनके लिए निषिद्ध है, वहीं शहरी धनी मध्यवर्ग और उच्चवर्ग के किराएदार साहित्य के नाम से अपने-अपने आत्मानुशीलन में लगे हैं। रोम जलने के बाद नीरो ने वायलिन बजाया तो था, उसे उसका अधिकार भी था, क्योंकि जिन कारणों से रोम जल रहा था, उनको भूलकर अपने वायलिन का गुंजन ही उसे अच्छा लग रहा था। लेकिन उसके परिणामस्वरूप उसे भी मिट जाना पड़ा। बंगला साहित्य में बहुत दिनों तक विवेकहीन वास्तविकता से विमुख साधना चली। लेखक लोग प्रत्यक्ष को देखकर भी नहीं देख रहे हैं। इसका नतीजा हुआ है, अच्छे पाठकों के मन में उनका भी परित्याग हो गया है। तमाम समस्याओं, तमाम अन्याय, बहुतेरी जातियों, तमाम लोकाचारों से युक्त देश के लेखकों की सामग्री देश और उसके मनुष्यों से नहीं मिलती, इससे अधिक आश्चर्य की बात और क्या हो सकती है? मनुष्य के प्रति इस प्रकार का यह नकचढ़ापन सम्भवतः भारतवर्ष की तरह के आधे औपनिवेशिक, आधे सामन्तवादी, विदेशी शोषण के अभ्यस्त देश के लिए ही सम्भव है। शहरों में ही क्या आजादी है? बेकारी की समस्या बराबर बढ़ रही है, चीजों के दाम आकाश छू रहे हैं, शिक्षा में हद की अराजकता है, इससे मध्यवित्त सन्तुलन खोकर रेले में दूसरे वर्ग की ओर बढ़े जा रहे हैं। वर्ग-संघर्ष का क्षेत्र अधिक साफ होता जा रहा है। इतिहास के इस सन्धि-काल में एक जिम्मेदार लेखक को शोषितों के लिए कलम उठाने पर बाध्य होना पड़ता है। अन्यथा इतिहास उसे माफ नहीं करेगा।

लिखने की जरूरत क्यों हुई, यह बता दिया गया है। सम्भवतः, अब कुछ घर की बात भी बताने की जरूरत है। मेरी रचना में निर्देशित राजनीति खोजना व्यर्थ है। शोषित और पीड़ित मानव के प्रति संवेदनशील मानव ही मेरे लेखन की प्रधान भूमिका है। 'जल' कहानी का मास्टर भला और विवेकवान कांग्रेसी है। 'एम. डब्ल्यू. बनाम लखिन्द' गल्प का खेतमजूर-आन्दोलन सी.पी.आई. के खेतमजूर यूनियन का नेतृत्व प्रदान किया आन्दोलन है। 'ऑपरेशन बसाई टूडू' कहानी का काली साँतरा सी.पी.एम. दल में रहा और बसाई टूडू ने स्वयं नक्सल-आन्दोलन को भी छोड़ दिया था। और 'द्रौपदी' गल्प की नायिका आदिवासी नक्सल-कार्यकर्त्री थी। मानसिकता में और कहीं एक ओर वहीं एकीभूत होना मेरे निकट

परस्पर-विरोधी नहीं हैं। जीवन गणित नहीं है और राजनीति के लिए मनुष्य नहीं, मनुष्य के स्वाधिकार को जीवित रखने के अधिकार को सार्थक करना ही समस्त राजनीति का लक्ष्य होना उचित है, यह मेरा विश्वास है। मुझे वर्तमान समाज-व्यवस्था को बदलने की आकांक्षा है। मैं शुद्ध दलगत राजनीति में विश्वास नहीं रखती। स्वतन्त्रता के इकत्तीस बरस में मैंने अन्न, जल, जमीन, कर्ज, बेगार–किसी से भी देश के मनुष्य को मुक्ति पाते नहीं देखा। जिस व्यवस्था ने यह मुक्ति नहीं दी उसके विरुद्ध शुभ्र, शुद्ध और सूर्य के समान क्रोध ही मेरे समस्त लेखन की प्रेरणा है। दक्षिण-वाम–सभी दल सामान्य मनुष्य से किए हुए वायदों को पूरा करने में असफल रहे हैं, ऐसा मेरा विश्वास है। मेरे जीवन-काल में इस विश्वास को बदलने का कोई कारण होगा, ऐसी आशा नहीं है, इसी से सामर्थ्य के अनुसार मानव की कथा ही लिखी, जिससे कि सामना होने पर उसके लिए लज्जित न होना पड़े, क्योंकि लेखक को जीवन-काल में ही अन्तिम न्याय के लिए उपस्थित होना पड़ता है और जवाबदेही की जिम्मेदारी रह जाती है।

–महाश्वेता देवी

अग्निगर्भ

थाने में अचानक खबर आई। चील ने जैसे कौवों के बीच मांस का टुकड़ा फेंक दिया हो और उसके बाद काँव- काँव मच गई हो। खबर लाया था एक लड़का। जमाने का एक रँगरूट। जमाना भला नहीं था। सत्तर के साल से जमाने के कलेजे पर आग बुझानेवाला इंजन ही घंटा बजाता आया था। इसी से सारे दुकानदार, बोझा ढोनेवाले, वकील, व्यापारी, साइकिल-रिक्शावाले जमीन के रँगरूट बन गए थे। उनका काम मतलब की खबर जुटाकर थाने पर पहुँचाना था। 'आर्मी मस्ट ओबे'[1]। वेतन के रूप में इनको मिलती थी थाने की सुरक्षा। नौलखा हार! थाने की सुरक्षा न मिलने से भद्दी-बदशक्ल परोपकारी महिलाओं को धर्मराजा के मेले में कैम्प लगाने पर डाँट पड़ी। रँगरूटों को सुरक्षा मिलती है और वे इस बाजार में अपने-अपने ढंग से कमाते-खाते हैं।

खबर लाया था एक लड़का–मातो डोम। रँगरूट बनने के बाद से लड़का चरसा गाँव से भगा दिया गया था, या अपनी तबीयत से प्रवासी बना हुआ था। बीच-बीच में वह गाँव जाता और 'बॉबी' छपी बनियान और रंगीन छींट की लुंगी दिखा डोमिनियों को लुभाकर चला आता।

उसने बताया, "बसाई मर गया।"

"कौन?"

"बसाई, बसाई टूडू[2]।"

"मर गया? तूने देखा?"

"मैंने नहीं देखा। बाप ने बताया।"

एस.आई.[3] उस पर भी नहीं घबराया। पर थाने का मुंशी देउकी मिसिर पुराना

1. सेना को हुक्म मानना होगा
2. सन्थालों में एक जाति
3. सब इंस्पेक्टर, नायब दारोगा

घाघ था। सारी हुकूमतों के अमल में बाबुओं की सुरक्षा पानेवाला था। वह बोला, "उसका बाप है रतन। वही रतन। जब रतन ने कहा है तो खबर छूँछी न होगी। आप जाएँ।"

"रतन डोम?"

"हाँ, मशाई। रतन नाचता फिरता था। बच्चू ने इससे भी कुछ नहीं सीखा।"

"बच्चू जेल में नहीं है?"

"हजार वोट कण्ट्रोल[1] करता है। उसे जेहल में कौन रखेगा? सामन्त की ओट[2] क्या आप देंगे?"

वोट-कण्ट्रोल सुनकर एस.आई. चुप हो गए और रतन डोम को जेल की कोठरी में देखने की इच्छा के लिए अपने को धिक्कारने लगे। लड़के से बोले, "तेरा बाप क्या कहता था? वह कहाँ है?"

देउकी मिसिर ने फिर टोका, "रतन डोम थाने आएगा? थाना उसकी जगह है?"

एस. आई. ने पूछा, "तेरा बाप कहता था?"

"ना! बाप ने मुझे नहीं देखा। बात नहीं हुई। माँ मेले में आई थी। माँ कहती थी, मेरे बाप ने देखा, वह मर गया। बसाई मर गया, उसे देखने भागा। मैंने पूछा, कहाँ? वह बोली—चरसा के पास जंगल में।"

बात सुनकर एस.आई. के शरीर में भूचाल आ गया। जंगल को कूम[3] करने की उनकी बात थी। बरसात बीतने पर जाएँगे। चरसा के जंगल का ध्यान कर उनका कलेजा काँप उठता था। वह साल के पेड़ों से जंगल की तरह नहीं था। पेड़ों के बीच से आँखें चलती थीं। चरसा में साल-पियासाल-केन्दू-आँवला-बहेड़ा का घना जंगल था। बरसात में चरसा नदी किनारे तोड़कर बहती थी। उस पानी को पाकर बड़ी-बड़ी लताएँ, हंसपदी लता और उलट कम्बल के पेड़ जंगली हो जाते। ऐसे जंगल को 'कम' कराना बहुत मुश्किल था। बीमारी का बहाना बनाकर वे चैन की बंसी बजा रहे थे। अब अगर उस जंगल में बसाई टूडू मरता है, तो उनकी नौकरी पर मुसीबत है। सामन्त उसे कच्चा ही चबा जाएगा। सामन्त की पार्टी के कम लड़कों को उसने वैनिश[4] नहीं किया। जेल से निकलकर वे उसका क्या करेंगे, यह सोचकर ही उसकी नींद उड़ जाती थी।

अब देउकी मिसिर ने सब समझ लिया और बोला, "मातो, तू बाहर जा। बस

---

1. हाथ में रखता है।
2. वोट
3. छानना
4. सफाया

का कंडक्टर है न?"

"नहीं, बेकार हूँ।"

"मैं कह दूँगा।"

मातो चला गया। मन-ही-मन बहुत गुस्सा आया। कह दूँगा। होः। थाना बाबू के कहने पर क्या पाल बाबू की मजाल है कि उसे कंडक्ट्री न दे! अभी तो मातो बहुत धकियाता हुआ और लाचार है। जात गई, पेट भी नहीं भरता। बाप उससे घृणा करता है। गाँव में रहना उसके लिए खतरे से खाली नहीं है। बस की कंडक्ट्री मिल जाए तो मन में फिर भी सान्त्वना रहे। लेकिन बम्हनई की गर्मी में मिसिर बाबू उससे घृणा करते हैं। आजकल सिनेमा के आगे चिनिया बादाम बेचना उसकी रोजी है। उससे 'शहर में है' कहना तो चल जाता, पर यह कुछ जिन्दगी नहीं थी। जी-भर के सिनेमा देखना, छककर शराब पीना, गले में रूमाल बाँधकर शहर में घूमना राभी तो पहुँच के बाहर रह जाता है। बसाई की खबर बता दी है, इससे अब उसे डर लगने लगा है। बसाई धर्मराज की तरह ही अचूक और बदला लेनेवाला है। मातो को वह बहुत बड़ी सजा दे सकता है। डर के मारे विवश होकर मानो काली साँतरा के पास जाता है। काली साँतरा प्रौढ़ है, शासन का आदमी है, किसान आन्दोलन में कभी बसाई का साथी रह चुका था। 'जिला वार्ता' नाम के भद्दे छपे साप्ताहिक का सम्पादक है।

काली साँतरा बहुत समय से पार्टी का आदमी है और उपनगर-केन्द्रित कर्म-क्षेत्र उसका अपना चुना हुआ है। लेकिन परिणाम में शहरी बाबुओं की तरह उसकी उन्नति नहीं हुई। उसकी ईमानदारी पर किसी को शक नहीं है। राजनीति से दो पैसे न कमा पाने पर अपने बेटे के आगे ही वह बुद्धू है। लेकिन बस्ती में उसकी एक इमेज है। पुराने दिनों से पार्टी का आदमी है और बिना पैसे के आँखों का कैम्प न लगा तो मोतियाबिन्द न कटा पाया। ऐसे आदमी को चुनाव के समय या पार्टी का इमेज नष्ट होते समय नमूने की तरह दिखाने के काम में लाया जाता। काली साँतरा पिछले साल कलकत्ता जाकर हार्निया कटा आया था। उसके बाद से उसका शरीर कमजोर है। इस समय वह धान कटाने के आन्दोलन में गाँव गया हुआ था। किसानों को कृषि-ऋण देना होगा, इसके लिए प्रयत्न किया, 'जिला वार्ता' प्रकाशित की। बहुत जगह बुकपोस्ट भेजी। अभी भी वह स्कूल-कमेटी की मीटिंग में जाता है और शहीद दिवस के अनुष्ठान में जिले के हाकिम के पास बैठता है। लेकिन आजकल फूटे बर्तन में पानी भरने की तरह बेकारी की अनुभूति उसे खिन्न कर देती है। काली साँतरा समझता है कि उसकी बस छूट गई है। पार्टी ने उसका उपयोग किया। उसके उजले कपड़े पहनने पर पार्टी के सफल मेम्बरों को

जैसे दुःख होता और वे नीरव दृष्टि से तिरस्कार करते। सबका विश्वास था, पार्टी के बाहर सबके सबकुछ होने की बात थी—घर, नौकरी, प्रतिष्ठित अखबारों में खबर—अकेले काली साँतरा की छींट की कमीज, अधउजली धोती और बाटा का टिकाऊ जूता पहनकर अच्छे कार्यकर्ता की तरह लड़ते रहने की बात थी।

इस तरह के कारणों से आजकल क्रान्ति-दिवस पर भी काली साँतरा के कलेजे में आवेग नहीं नाच उठता था। क्रान्ति और समाजवाद लैम्पपोस्ट की ओट में खड़ा है, उसे पुकारकर लाने-भर की जरूरत है, इस बात पर वह अकेला विश्वास करता है, यह काली साँतरा को नहीं मालूम था। अब उसे अपना-आप बहुत अलग-थलग लगता। अकेलेपन का घूँघट वह हटा न पाता, और पार्टी की मीटिंगों में तो नहीं ही हटा सकता था। अब जो बातें अबेर-सवेर उसके मन में उठतीं, वे भले कार्यकर्ता के जीवन की गोधूलि वेला में बड़ी मर्मांतक होती हैं। ब्लॉक के कुएँ से डोम लोग पानी नहीं भर सकेंगे, यह देखकर, या विधवा साथिन से ब्याह करने के कारण गाँव के स्कूल से नित्य-जीवन दलूइ को हटाए जाते देखकर (विधवा ब्राह्मणी थी) काली साँतरा के मन में होता कि आरम्भ का संग्राम ही विफल हुआ है—इस देश में क्रान्ति बड़ी भारी किस्से की पोथी नहीं, पान का पत्ता मात्र है। इस तरह की नैतिक बातें उसके मन में उठती हैं, इससे उसे निराशा होती। वह क्रान्ति-दीक्षित है, उसके मन में क्या इस तरह की बातें उठना ठीक है?

काली साँतरा के जीवन में बसाई टूडू एक विशेष अनुभव था। कभी बसाई के साथ उसने किसान-आन्दोलन किया था। उसके बाद दोनों की राय और राह एक न रहे। लेकिन इकहत्तर में बसाई के लिए वही टेरामाइसिन के कैप्सूल लेकर भागा गया था। सम्पर्क के लोगों का विश्वास था कि बसाई के एक-एक काम-काज की खबर काली साँतरा को शुरू से थी, लेकिन वह बताता नहीं। बसाई टूडू के बारे में काली साँतरा की कमजोरी या लॉयलटी के कारण कलकत्ते के किसी दफ्तर में काली साँतरा के नाम पर लाल स्याही से निशान लगा हुआ है, इसका काली साँतरा को पता न था।

काली साँतरा को पता न था कि बसाई टूडू के चार बार मरने के बाद (1970 से 1976 तक बसाई चार बार मरा) चारों बार उसे शनाख्त करने के लिए औरों के साथ काली साँतरा को भी जाना पड़ा था, वह स्थानीय एस.आई. की इच्छा से नहीं था। चारों बार कलकत्ता से फोन आया था। फोन के निर्देश से काली साँतरा को जीप पर चढ़ना पड़ा था।

इस बार मातो डोम ने आकर काली साँतरा से कहा, "थाने में, बताया, तो किसी को विश्वास नहीं हुआ। इससे आपसे बताता हूँ, बसाई मर गया।"

"कहाँ?"

"चरसा के जंगल में।"

"तुम यहाँ क्यों आए, बाबू?"

"आप उसकी लाश पहचानें।"

"जाओ, अभी भाग जाओ।"

मातो डोम समझता है कि आज का दिन भी बरबाद हुआ। ऐसी खबर, पर उससे न तो होश में आए थाने के बाबू लोग और न चौंका काली साँतरा। लक्षण अच्छे नहीं हैं। बसाई की खबर उसे नहीं बताना था। माँ ने शराब के नशे में कहा था। कहा था मन के दुःख में। मातो के गाँव से निकाले जाने के बाद से उसकी माँ के मन में बहुत दुःख है। पुलिस गाँव में बराबर गड़बड़ किया करती है। सत्तर-इकहत्तर में मदद देने के लिए गाँव सरकार की आँखों में सौतेला बेटा था। वस्तुतः गाँव का स्वरूप श्मशान-सा हो गया है। 'चरसा' नाम सुनकर बी.डी.ओ. बीज नहीं देता, रिलीफ, सूखे में, अकाल में गाँव में नहीं घुसता। गाँव के आदमियों को अँगूठा दिखाकर खेत काटनेवाले आकर जोतदार के धान काटते और मजदूरी लेते। 'चरसा' नाम के चारों ओर से रिलीफ की बाढ़ आती। सत्तर-इकहत्तर में मदद देने के परिणामस्वरूप चरसा का यह हाल हुआ। रतन की पत्नी, मातो की माँ ने पति से कहा था, "वह मरे तो मरे। उसके लिए ऐसी मुसीबत!" यह बात सुनकर रतन ने पत्नी की कमर में डंडा मारा। उसी दुःख से मातो की माँ ने मेले में आकर बाँस की टोकरियाँ बेचकर शराब पी, मन के दुःख से लाचार हो गई और मातो से सब बताया।

मातो को लगा कि अब शनि उसके सिर पर नाच रहा है। डर से काँपकर उसने सिनेमा-हाउस की राह पकड़ी।

काली साँतरा ने प्रेस बन्द कर साइकिल ली, धुँधली नजर से अँधेरा काटते-काटते महादेव साउ की आढ़त पर गया। महादेव से बोला, "चावलों की लॉरी से सदर जाना है। सो, लॉरी कब जाएगी?"

"यही ग्यारह बजे।"

"हूँ, कौन-सी जाएगी?"

"बाबा तारकनाथ।"

'बाबा तारकनाथ' लिखी हुई लॉरी पर जाकर काली साँतरा बैठ गया। उमर इकसठ थी, काली साँतरा बहुत ही अकेला-अकेला, दुबला भी था। मोतियाबिन्द का ऑपरेशन वैसा कुछ न हुआ। बाईं आँख धुँधली-सी थी। दोनों आँखों को ग्रहण लग गया था। हमेशा यही लगता कि सूर्य-ग्रहण की रोशनी का धुँधलापन हो। इकसठ बरस की उमर में मोतियाबिन्द की आँखें लेकर, टेंट में सात रुपए और शरीर

में सारी अशान्ति लिये, बेटे के पास भोजन न मिलने का दुःख मन में लिये, छाती में प्रेस के कम्पोजीटरों के रुपयों के लिए अपमानित होने की ज्वाला लिए, प्रशासन से लड़ाई करना बहुत कष्ट की बात है। इतना कुछ क्यों सहा जाए? जिसके लिए वह 'कॉज'[1] को नहीं पाते, वह गोली-सा लगता। लगता, जाति-भेद और छूत-अछूत की मौलिक समस्या का समाधान ही जब नहीं हुआ, तो क्रान्ति और समाजवाद बहुत बड़ी बातें हैं, बहुत दूर का स्वप्न है, उसे अपने जिले में सब जातियों के लिए बहुत-से कुएँ देख पाना शान्ति होती। जब मन की यह अवस्था हो, तो काली साँतरा अकेला कुम्भ बनकर नकली किले की रक्षा करने के लिए कैसे लड़े? लेकिन 'नकली किला? अगर वैसा ही होगा, तो बसाई टूडू के पास जाने के लिए प्रशासन को टोपी पहनाकर[2] 'बाबा तारकनाथ' पकड़कर जाना किसलिए? प्रशासन को टोपी! टोपी ही तो है। अकड़ने की सामर्थ्य कैसी होती है? काली साँतरा ने मन-ही-मन सोचा कि प्रशासन को 'टोपी' पहना रहा है। पर पट्टी पढ़ा रहा है, अँगूठा दिखा रहा है, यह भी तो सोच सकता था? लेकिन अब वह चारों ओर से फँसकर बहुत परेशान था। अब अकड़ने के लिए अकल लड़ाना सम्भव नहीं था। एक जीवन में बहुत तमाशे हो चुके हैं। काली साँतरा को पता था कि जीप और एस.आई. आएँगे और उसे ले जाएँगे। शनाख्त करो। 'शनाख्त' शब्द के पहले थका मन बार-बार 'लाश' क्यों जोड़ देता है? काली साँतरा चार बार जा चुका है। हुक्म पर। इस बार वह स्वयं जाएगा। इसीलिए यह प्रतारणा है। चौथी बार बसाई ने कहा था, ''लहास हो गया हूँ, उसी से शनाक्त करने आए हो, कमरेट?''

काली साँतरा ने सीट से टिककर आँखें मूँद लीं। सदर। वह सदर जाएगा। लॉरी चल दी।

[2]

रात के नौ बजकर सत्तावन पर मातो डोम थाने से निकला और काली साँतरा के पास आया। दस बजकर तीन मिनट पर प्रकृतिस्थ एस.आई. ने कलकत्ते को ट्रंक बुक की और जल्दी ही लाइन मिल गई। केवल चरसा गाँव के लिए नगण्य जागुला से सीधी लाइन खींची गई है। जागुला आजकल कई ऐस्फाल्ट की सड़कों का केन्द्र है। सत्तर-इकहत्तर में बसाई आदि के लिए परगना धधक रहा था और उस समय

1. उद्देश्य, लक्ष्य
2. सम्मान दे रहा है

बिना अन्न-वस्त्र के प्रशासन की लड़ाई में गए जवान लोग सदा पराजित हुए। उनके मनोरंजन में रेवती और बेदाना समर्थ न हुए। जमाना खराब था। उस दशक की नसों में ज्वर की आग थी। बेदानावालों में भी उस ज्वर का संचार था। वे भी भागे हुए लोगों को न जाने क्यों आश्रय देते और जिरह में बीड़ी पीने से बिना दाँत के पोपले मुँह से खनकती आवाज में कहते, 'आश्रय नहीं देंगे, तो बिना बिस के ढेमना साँपों को क्या पता चलेगा? कांग्रेस-अँग्रेज में जब लड़ाई होती; तब नक्षत्र भूयाँ क्या मेरे घर में नहीं छिपा था?'

इस बात पर सरकार बिलकुल चुप हो जाती और इसके बाद इस जागुला में विलायती शराब की दुकान खोलकर लड़नेवाले सैनिकों की खातिर की जाती।

वे दिन बीत गए। फिर भी चरसा नाम प्रशासन के शरीर पर दुष्ट व्रण[1] है। सर्च एण्ड डेस्ट्रॉय–'ऐप्रिहेंशन एण्ड इलिमिनेशन–शूट टू किल'[2] इत्यादि मतलब के इलाज से भी प्रशासन के शरीर से 'चरसा' रोग निर्मूल नहीं हो सका। एस.आई. सब जानते हैं। उचित तालीम पाकर ही वह जागुला आए हैं। अब वह फोन पर बोले, 'बसाई टूडू। चरसा में मरा।' तभी फोन पर कलकत्ते की ओर चरसा 'टॉप प्रॉयर्टी'[3] हो जाता है। आदेश आता है, 'गो टू साइट। इन्फार्मेंट फॉलोइंग।'[4] यह बात कइयों को दैवी आश्वासन होती है और एस.आई. को शान्त, साहसी, हिंस्र, कर्तव्यपरायण बना देती है। आदेश आता है, 'काली साँतरा।' और एस.आई. फोन रखकर बेल्ट कस लेते हैं और देउकी मिसिर की ओर देखते हैं। देउकी मिसिर कहता है, 'कांस्टेबल चला गया है।'

लेकिन 'जिला वार्ता' को अँधेरा कर काली गायब है। खबर लाया कांस्टेबल। देउकी मिसिर एस.आई. से बिलकुल तमककर बोले, "सामन्त बाबू की घरवाली की खाल खींच लूँगा। साँतरा बाबू नहीं है! घर जा! जाकर देख। जाएगा कहाँ? ऐं?"

लेकिन कहीं भी काली साँतरा को नहीं पाया। अब देउकी मिसिर मन की आँखों से एस.आई. का डिमोशन[5] देखकर और पाशवी आनन्द से बोले, "मैं घर जा रहा हूँ। ड्यूटी ओवर। उसे पहचानता है अकेले काली साँतरा। और कोई नहीं है जिसने उसे देखा है।"

एस.आई. समझते हैं, देउकी मिसिर इस तरह उसे नीचा दिखा रहा है। थाने

1. जहरबाद
2. खोजकर नाश कर दो–पकड़कर समाप्त कर दो–जान से मारने के लिए गोली चलाओ।
3. सबसे अधिक महत्त्वपूर्ण
4. मौके पर जाओ। पता देनेवाला जा रहा है।
5. पदावनति

में बाम्हन नाम से वह और मिसिर हैं। लेकिन उनके भाग्य से बड़ी लड़की इस समय मलया रुइदास है। दामाद आई.ए.एस. है, फिर भी वह चमार है और मिसिर उससे बहुत चिढ़ता है। उनकी समझ में नहीं आ रहा था कि क्या करें और कहें, 'आप चलें न? आपने भी तो उसे देखा है।'

"हँ! मैं जाऊँ, जाकर तीर खाऊँ!"

"देखिए मिसिर बाबू, अफसर हो। आप जानकर भी नहीं जा रहे हैं, इससे आपका रेकॅर्ड खराब हो जाएगा। यह अच्छा नहीं कर रहे हैं।"

"नहीं, नौकरी छोड़ दूँगा। जंगल में जाऊँगा बसाई के आमने-सामने? न मशाई, वह न कर सकूँगा।"

"मैं रिपोर्ट दूँगा।"

"आप एस.आई. हैं। बसाई ने डिप्टी-सुपर[1] के पेट में टेंटा[2] भोंक दिया था।"

लाचार एस.आई. बसाई के विवरण के कागज जेब में रखकर रवाना हो गए। घनघोर आषाढ़ की रात में उनकी जीप 303 की गोली थी। टार्गेट[3] था चरसा। दोनों ओर के धान के खेतों में लगता कि करोड़ों बसाई हैं। धान के खेत देखते ही उनके मन में बहुत अधिक असम्भव-सा डर लगता। धान माने धान की रोपाई। उसके बाद वर्षा के नए जल में नन्हे धान के पौधों को काट फेंकना। 'धान' का काम कितने मातृभाव से भरा हुआ होता है। भारतवर्ष की धात्री मानो धान हो। लेकिन धान के अर्थ ही होते हैं जमींदार की जमीन। अगहन में धान की कटाई होती है। तीसरी बार मृत्यु के बाद बसाई की दर्पसहित घोषणा थी : "धान काटूँगा। उसकी सरकारी मंजूरी नहीं दी—उससे जमींदार सूर्य साड की लहास गिद्धों को खिलाऊँगा।" थाने में तसवीर थी, काग हाँकने की जगह बिना सिर के सूर्य साउ थे। बसाई टूडू ने धान की कल्पना के 'धान' शब्द को होमीसाइड[4] कर लाल-लाल कर दिया था।

अब उन्हें सहसा खयाल आया कि पुलिस के प्रशासन में बहुत-से छिद्रपथ हैं। अभी तक यह बात उनके ध्यान में नहीं आई थी। जीप भाग चली। एस. आई. के मन में हो रहा था कि बसाई को आँखों से देखा नहीं जेब के कागज पढ़कर क्या पहचानेंगे? उम्र इक्यावन, ऊँचाई पाँच फुट सात इंच? उनके भान्जे की ऊँचाई भी तो पाँच-सात है। इसी से नौकरी नहीं मिली। उम्र इक्यावन? उनकी गैरसरकारी उम्र भी तो इक्यावन है। रंग काला? किसका रंग काला नहीं

---

1. डिप्टी-सुपरिंटेंडेंट
2. मछली मारने की बर्छी
3. लक्ष्य
4. नरहत्या

है? उनका अपना रंग तो...। माथे पर चोट का निशान है। वह तो हर किसी के हो सकता है। बरस में छह लाख रुपए 'ऑपरेशन-टूडू' में खर्च होते हैं। लेकिन कोई एक तस्वीर नहीं खींच सका। आखिरी बात सबसे भयंकर थी। फेवरिट मुद्रा-दोष है, बहुत खफा होने या विचलित होने पर बसाई टूडू हाथ मरोड़कर हवा का गला दबाने की भंगिमा करता है। एस.आई. ने अपने गले पर हाथ फेरा। अहा, अपना गला खुद को इतना अच्छा लगेगा, यह किसे पता है? बहुत अधिक मानसिक यन्त्रणा से एस.आई. ने सन्तोषी माँ को पुकारा और अन्तर के अन्तस्तल में उषा मंगेशकर के गले से सन्तोषी माँ का गाना सुना। चार बार बसाई टूडू, आमने-सामने की लड़ाई में मारा गया। चारों बार मरने के बाद फिर किसी-न-किसी 'एक्शन-ऑपरेशन' में बसाई टूडू ने दर्प सहित अपने को प्रगट किया। इस रक्त-बीज के वंशधर को वह सत्यसखा कोमल-मुख किस प्रकार समाप्त करेंगे? वह तो माँ दुर्गा? यह सबकुछ न होता। हुआ खजूर के गुड़ के कारण। चले जाते पुरुलिया। घरवाली रूठकर बैठ गई, "जागुला में खजूर के बाग खरीदेंगे। हजार भेली गुड़ मिलेगा। अब तुम्हारा जाना न होगा।" तब हजार भेली खजूर के गुड़ का लालच छोड़ने में एस.आई. को तकलीफ हुई थी। खजूर का बाग, धान के खेत, दो बसें, जागुला में बाद में बसने की कितनी इच्छा थी, देश और घर के पास है, सुविधा की जगह है, लेकिन बसाई टूडू ने कारबार में गुड़-चींटे छोड़ दिए। बसाई! बसाई टूडू! उम्र इक्यावन, ऊँचाई पाँच फीट, सात इंच, रंग काला, माथे पर चोट का निशान—इस विवरण से कितने ही लोग पूरे-के-पूरे मिलते! फेवरिट मुद्रा-कोष बहुत भयंकर है। अत्यन्त क्रोध में, या विचलित होने पर बसाई दोनों हाथों से गला मरोड़ देता है। एस.आई. ने अपने गले पर हाथ फेरे। अच्छा नहीं है, यह सब अच्छा नहीं है। इतने समय के बाद उनके मन में उठ रहा है कि प्रशासन उनके साथ भला व्यवहार नहीं कर रहा है। जिस तरह के विवरण बहुत लोगों के होते हैं, उस तरह के विवरण देकर बसाई टूडू को पकड़ने के क्या अर्थ होते हैं? टूडू। सन्थाल। दिमाग बिगड़ जाए तो राक्षस बन जाता है। कैसा धनुक चलाते हैं! बसाई तो पहले नक्सली नहीं था। जब से बना तब से लीडर बन गया है। सोचने पर दिमाग चक्कर खा जाता है। लीडर बनकर भूमिहीनों के झुण्ड सन्थाल खेत-मजूरों और कर्जदारों को लेकर बच्चू ने फौज बनाई थी। नक्सली बाबुओं से कहा था, "पाइपगन करेंगे। गोली चलाएँगे। क्यों? कुछ नतीजा नहीं निकला। साँप नहीं। मैं तीर का फल बिस में बुझाऊँगा, उनको तालीम दूँगा। बाबू की शिक्षा पर सन्थाल मूतता है। बसाई दूसरी बार मरने के बाद बोला था। 'होः! बसाई टूडू मरा नहीं। अगर मर जाता

तो मैं किसे पकड़ने के लिए जंगल में घुसा था?' एस.आई. समझ गए कि वे बड़ी मुसीबत में हैं। जीप चली जा रही है। 303 की बुलेट। ट्रिगर[1] दबाने से गोली छूटेगी। कार्य-कारण नियम है! 'बसाई फिर मर रहा है'—यह खबर उँगली के दबाव में है। प्रशासन ट्रिगर दबा रहा है। गोली छूटेगी ही। लेकिन गोली और टार्गेट की दूरी जितनी कम होती जा रही है, एस.आई. उतना ही घबराते जा रहे हैं। अब लग रहा है कि काम में जाते में एस.आई. लोगों की लाश गिरती है, बसाई आदि कहते हैं 'लहास'—जिस काम के परिणाम में एस.आई. आदि की लाश गिरे, उस काम में फिर एस.आई. क्यों लगे हैं? तब क्या प्रशासन सोचता है कि बसाई के पकड़े जाने पर सुपर और डी.आई.जी.[2] का नाम हो, अखबार में इंटरव्यू दें, खिताब पाएँ? एस.आई. क्या सरकार की नजर में एक्सपेंडेबल[3] माल हैं? माल खो जाने से कुछ नहीं आता-जाता? प्रशासन के चरित्र की यही निर्मम दशा एस.आई. नहीं समझ पाते। जब समझे, उस समय वह उड़ी जा रही जीप पर थे, उसे लौटाने की राह नहीं थी। मन को चिन्ताओं से मुक्त कर लें? आहा, बड़े साढू आबकारी दारोगा हैं। तड़के दोनों पैरों को शून्य में उठाकर पाँवों के अँगूठों की ओर देखने से यौगिक नियम मन को शान्त कर दिन-भर के सागर को पार कर जाते हैं। एस.आई. वर्षा के अन्धकार में जीप में बैठे कमर का रिवॉल्वर हाथ में लिए किस तरह यौगिक क्रिया में शून्य में पाँव उठाकर अँगूठे देखे? सन्तोषी माँ! पत्नी के सन्तोषी माँ का व्रत शुरू करने से तो सब भला ही हुआ था। डॉक्टर ने बता दिया कि बड़ी लड़की जन्म से बाँझ हैं। बाम्हन की बेटी होकर मोची की घरवाली बनी, वह बदनामी एक पीढ़ी में ही खत्म हो गई। उनको लज्जित करने के लिए लड़की के घर में वंश-वृद्धि नहीं हुई। माँ की कृपा से खजूर का बगीचा मिला। गुड़ में सोलह आना लाभ है। लेकिन बसाई टूडू फिर क्यों मर रहा है? माँ की शक्ति उस बच्चू पर नहीं चलती?

बसाई टूडू। मन-ही-मन एस.आई. फिर पाठ रिवाइज करते रहे। मरकर भी नहीं मरता, प्रशासन का बैरी। बच्चू राक्षसों की हड्डियों का बना है। नहीं तो चार बार मरकर शनाख्त होती है, प्रशासन के खर्च से जलाया जाता है फिर जी उठता है—यह क्या सिनेमा की सम्पूर्ण रामायण है कि सारा असम्भव सम्भव हो? एस.आई. ने आँखें बन्द कीं। रिपोर्ट के माने अक्षर। बसाई माने बुरा-सा एक जीता-जागता आदमी। बसाई, तुम मरो!

---

1. बन्दूक-पिस्तौल का घोड़ा, लिबलिबी
2. सुपरिंटेंडेंट और डिप्टी इंस्पेक्टर जनरल
3. खर्च करने योग्य माल

[3]

जीवित अथवा मृत, अथवा मृत या जीवित और मरे बसाई टूडू की बात एक ही समय दो लोग सोच रहे थे। ठीक कहा जाए तो कहना होगा कि दोनों की स्मृति में बसाई टूडू आज की रात जीवित हो उठा था।

एस.आई. और काली साँतरा।

उनके आगे कहना अच्छा है, कह डालना ही अच्छा है, जागुला में उस समय क्या हो रहा था?

काली साँतरा गायब था। "जाओ, जाकर देखो," कहकर एस.आई. को जीप में बैठाने में बाद देउकी मिसिर का धूर्त दिमाग ऐक्टिवेटेड[1] हुआ। प्रशासन माँ है। माँ की दया से देउकी मिसिर जागुला के माने-जाने व्यक्ति हैं। जागुला से दूसरे थाने को उनकी बदली भी नहीं होती। सारे शासनकालों में चलनेवाले उन्होंने चार टिकिट बड़ी चालाकी से खरीद रखे थे। देश के जीवन में वह कौशल सबको अनिवार्य रूप से सिखाने पर कोई भूखा न मरता।

वह कौशल यों है—जब बसाई के साथ सामन्त का मनमुटाव हुआ तो देउकी ने सामन्त को मदद दी, बसाई के सौ में से नब्बे लोगों को या तो 'आर्म्ड एनकाउंटर'[2] या 'सर्च एण्ड डेस्ट्रॉय'[3] करा दिया। लेकिन सौ में से दस लोगों को इशारा कर दिया, "बचवा, सब लोग भाग जाओ," और उनके आगे देउकी की इमेज कैसी बनी? हाँ, हाँ, उसके खबर देने से कुछ ज्यादा लोग मरे जरूर, लेकिन वह प्रशासन के दबाव से। वह आदमी असल में सिम्पैथेटिक[4] है, नहीं तो इतने लोगों को क्यों बचा दिया? बस, यहीं उसका एक तरह से ठिकाना हो गया।

बाद में सामन्त आदि के साथ जब पाल बाबू आदि का झगड़ा हुआ तो एक ही तरह से नब्बे-दस का तरीका चालू हुआ।

अब फिर सामन्त के दिन हैं। देउकी को हर राज में ही काम के लोग मिल गए। नतीजा यह हुआ कि वह जागुला थाने में रह ही गया।

एस.आई. को विदा करने के बाद देउकी को ध्यान आया कि काली साँतरा कहाँ चला गया, यह जानने की जरूरत है। बसाई को शनाख्त करना पड़ेगा, इसलिए काली साँतरा भाग गया है, यह निश्चित रूप से जानना होगा। प्रशासन

---

1. चालू, सक्रिय
2. सशस्त्र मुठभेड़
3. खोजकर समाप्त कर दो।
4. सहानुभूति रखनेवाला

माँ बनकर भुलावे में रखता है और बाप बनकर डण्डा मारता है—इस दुहरी भूमिका में काम करता है। प्रशासन काली साँतरा से कहता है : "जाओ, टूडू की शनाख्त करो।" उसके बाद गुप्त रूप से फाइल में लिखता है : 'सन्देहजनक चरित्र। बसाई की शनाख्त करने गया था।' देउकी जानता है कि आज न हो तो कल काली साँतरा पर झाड़ पड़ेगी। उस समय देउकी को अगर पता चल सके कि काली साँतरा किसी प्रो-बसाई और एण्टी-प्रशासन काम में गया था तो देउकी का भला ही होगा, बुरा नहीं। एस.आई. के डिमोशन में भी इससे मदद मिलेगी।

इसलिए देउकी फौरन मातो डोम के पास गया। ज्योंही पता चला कि मातो ने काली साँतरा को सब बता दिया है, तभी वह समझ गया कि काली बसाई के पास जाएगा। सरकारी जीप पर नहीं जाएगा, अपने ढंग से लुक-छिपकर जाएगा। लुक-छिपकर चरसा जाने के लिए लॉरी चाहिए। लॉरी माने, महादेव साउ! महादेव साउ बोले, "बाबू ने सदर जाने को कहा था।"

"सदर?"

देउकी का मन प्रशंसा से भर उठा। बसाई के आस-पास भी नहीं जाएगा। बसाई सामन्त या पाल नहीं है। उसकी कोई सरकारी रेजीम[1] नहीं बनी। लेकिन सब सरकारों में ही वह अपनी रेजीम चलाए जाता है। उसने कह रखा है : "जिस दिन जागुला में घुसेगा, उस दिन देउकी मिसिर का सिर बर्छी की नोक पर नाचेगा।" न, देउकी बसाई के पास नहीं जाएगा। लेकिन अगर जाता, तो वह भी कहता, 'सदर जाऊँगा।'

यह 'सदर' जिले का सदर-शहर नहीं था। 'सदर' एक गाँव है। सदर उतरने पर चरसा नदी दूर नहीं रहती। बरसात में चरसा बाढ़ से उफन पड़ती है। लेकिन काली साँतरा के पुराने माहवारी कर्मचारी बेतूल काउरा[2] का घर सदर में है। रात पड़ने पर उसकी सहायता के लिए श्मशान की पतली धार के पास पुल से उस पार जाना होता है। उसके बाद तीन मील चलने पर जंगल है। वाह! काली साँतरा ने समझ से काम लिया है।

देउकी ने सोचकर देखा, सवेरा होने के पहले खबर सामन्त को दे देना ठीक रहेगा। काली साँतरा बहुत देर तक हाकिम के पास बैठकर फंक्शन देखता आया है। अब उसकी मरम्मत की जरूरत है। सामन्त की गुडबुक में रहने की जरूरत है। सभी कहते हैं कि सामन्त रहने आए हैं; जाने के लिए नहीं आए हैं।

---

1. प्रशासन
2. काउरा—एक तरह की नीच जाति।

[4]

देउकी मिसिर की विचार-पद्धति ने साइन्स-फिक्शन[1] का यन्त्र बनाकर काली साँतरा का शायद नियन्त्रण कर लिया है।

सदर में लॉरी रोककर काली साँतरा उतर पड़ा। एक तो अमावस्या, उस पर मेघावृत निशीथिनी के खप्पर में उसे डालकर 'बाबा तारकनाथ' और भी दूर, एक दूसरे सदर को रवाना हुई। काली साँतरा मोदी की दुकान से धुँधली लालटेन लेकर बेतूल काउरा के घर चला। बेतूल आजकल मजदूर नहीं है। काली साँतरा की पिता की दी हुई तीस बीघा जमीन थी। तैंतालीस में पार्टी में शामिल होने के समय काली साँतरा ने वह जमीन मजदूरों को दे दी थी। कारण दो तरह के थे। एक था : कम्युनिस्ट व्यक्तिगत मिल्कियत में विश्वास नहीं करते—यह आदर्श औरों के आगे रखना था। जागुला के दूसरे क्रान्तिकारी लोगों ने अपनी-अपनी जमीनें रखकर काली साँतरा को कासाबियान्का[2] बना दिया। दूसरा था : काली ने सपने में भी नहीं सोचा था कि धान और जमीन की जरूरत होगी। उसने विश्वास कर लिया था कि क्रान्ति हो रही है। जल्दी ही देश-भर में कम्यून स्थापित होंगे और काली साँतरा की खाने-रहने की समस्या मिट जाएगी। काली का और भी स्वप्न था, अपने छोटे भाई के साथ बेतूल काउरा की बहन का ब्याह कर देगा।

काली साँतरा का बाद का जीवन इससे विषैला हो गया। बेतूल सहित जिन दो आदमियों को उसने जमीन दी थी, वे उसे पागल सोचते। छोटे भाई ने छुटपन में स्कूल में 'मेरा आदर्श मानव' रचना में बड़े भाई की बात तो लिखी थी, लेकिन बड़े होकर उसी ने दादा पर दोष लगाया, "जमीन देनेवाले तुम कौन हो? दे दी, या बाद में रुपए ले लिए?" काली साँतरा कहने जाकर भी न कहता, "अरे, क्रान्ति आ रही थी, व्यक्तिगत मिल्कियत में क्या जमीन रह जाती?" कहता इसलिए नहीं कि क्रान्ति आ रही थी चालीस के दशक में। सत्तर के दशक में वह बात बकवास करनेवालों का प्रलाप थी। जो हो, उसके लिए जो कुछ किया गया, बेतूल काउरा और मयेश ढाली उस क्रान्ति की जमीन को पकड़कर रख न सके और जल्दी ही वह जमीन महाजन के रोजाना खाते में चली गई। काली साँतरा के जीवन की सुख-दुख की भागी गिनिमाला ने अभी तक जमीन के लिए मुँह नहीं खोला, लेकिन काली का बेटा अनिर्वाण म्यूनिसिपल ऑफिस में घुसने के बाद माँ से बोला, "माँ,

1. वैज्ञानिक कथा-कहानी
2. एक आज्ञाकारी पुत्र, जो पिता की आज्ञा से जलते जहाज पर जल मरा, पर अपने स्थान से हटा नहीं था।

तुम क्या चाहती हो?'' गिनिमाला तभी कहती, ''मेरे ससुर की जमीन का उद्धार करो, बेटा।'' महाजन का रोकड़ खाता अजगर की तरह है। निगलना जानता है, उगलना नहीं जानता। उस खाते से वह जमीन अब बाहर नहीं आती, क्योंकि टुकड़े हुई जमीन—ढालू जमीन—दो उपज की जमीन—सारी जमीन ही अभिमन्यु, या अजगर का भोजन है। रोकड़ खाते में हड़बड़ाकर घुस जाती हैं, निकलना नहीं जानतीं। रोकड़ खाते का भोज्य-भक्षक सम्बन्ध समुद्र-मन्थन या वेद के होम पक्षी से भी पुराने हैं, इसीलिए कण्ठमणि साँतरा की जमीन-वमीन का उद्धार नहीं होता। पर भीष्म की कठोरता से गिनिमाला धान की जमीन बीघे के बाद बीघा खरीदती रहती है, अपने नाम से। काली साँतरा के मन को इससे चोट लगती है। मानो, उसका एक किला और बेदखल हो रहा हो। अनिर्वाण कहता, ''इस जमीन का धान खाने में अगर घिन लगती हो, तो चावल खरीद दो, तुम्हारी रसोई अलग बन जाएगी। इस जमीन के लिए टें-पें करने से ठीक न होगा। कोर्ट में दर्खास्त देकर, तुम्हें पागल साबित कर छोड़ूँगा।'' काली साँतरा अब समझता है कि बहुत जमाने से गिनिमाला और बेटा उसके विरुद्ध प्रतिहिंसा पालते आए हैं। अब समझता है कि इसी कारण से अनिर्वाण बाप के दिए आदर के 'लेनिनचन्द्र साँतरा' नाम का व्यवहार नहीं करता। 'जीवन एक कठिन खेल है'—यह सिद्ध करने के लिए ही शायद बेतूल का बेटा आकर गिनिमाला की जमीन जोत देता है। बेतूल समझता है कि यह करने से काली बाबू के मन में कहीं भयानक 'साइल इरोजन'[1] हुआ, मन का धँसना हो सकता है। उनके मन में एक प्रकार की सहानुभूति होती है और 'जिला वार्ता' ऑफिस में जाकर वह कहते, ''औरतों-लड़कों की अकल! किस साले ने जमीन खरीदी? ऐं? बस झूठ-मूठ का बखेड़ा होगा तब पता चलेगा।'' काली साँतरा समझता है कि बेतूल इसी बात को कहने के लिए इतनी दूर आया, इसके पीछे पुरानी लॉयल्टी[2] नहीं है। बहुत दिन जागुला के बाजार में बेतूल काली को देखकर भी नहीं देखता। अब वह आया है, उसका सबब है। वह भी आदमी है, काली भी आदमी है। दोनों ही दो दशकों से विवाहित हैं। दोनों ही पत्नी के आगे झुके नहीं। परिणामस्वरूप काली बेतूल को बीड़ी देता है और बीड़ी सुलगाने के समय अग्नि को साक्षी कर दोनों के बीच एक मूल्यवान मैत्री स्थापित होती है।

इसके बाद सदर जाकर बेतूल के घर जाने की बात काली साँतरा के मन में उठी थी। लेकिन तमाम लोगों की तरह ही काली भी मन-मुताबिक सहज काम कर सकता था। इसीलिए वह जीवन में बहुत कुछ न कर सका। सदर-शहर गया था,

1. धरती का कटाव
2. निष्ठा, वफादारी

फंक्शन[1] हो रहा था, फिर भी कोशिश कर सुचित्रा मित्र का गाना नहीं सुना। बहुत तबीयत हुई थी, रियायती सप्ताह चल रहा था, फिर भी खद्दर की जवाहर बण्डी नहीं खरीदी। जेब में रुपया रहते हुए हावड़ा स्टेशन के स्टॉल से पेपरबैक में 'राइज एण्ड फॉल ऑफ थर्ड राइख' नहीं खरीदी। अब सबकुछ फेंककर जीवन के बस-स्टॉप पर पहुँचना हो गया है। तमाम स्टॉपों पर उतरना न हुआ, तो न हुआ। 'बस-स्टॉप' शब्द मन में कितनी स्मृतियाँ जगाता। गिनिमाला को बाप के घर पहुँचाकर लौटते समय बस से देखा था दिशाई गाँव। बहुत तबीयत हुई कि उतर पड़े। देख आए अपनी बहन की ननद रेवा को। इसी गाँव में वह रहती है। गिनिमाला के साथ ब्याह न होता तो काली रेवा से शादी करता। तबीयत थी। लेकिन उतरे या न उतरे, यह निश्चय करने में बस चल पड़ी। जीवन में कितनी छूटी हुई अपूर्ण इच्छाओं की बातें रहती हैं। बेतूल के पास जाने की बड़ी इच्छा थी। पूरी नहीं हुई। बेतूल एक दिन आया। बोला, "चरसा का पुल हिलता है। एक बार देखकर अखबार में लिख क्यों नहीं देते?" तब काली साँतरा सदर जाता है। बेतूल का घर-द्वार देखकर समझता है कि वह बहुत ही दुःख में है। सस्ती दाल और डेंग्ला-पोस्त के साग से काली ने बेतूल के घर भात खाया। बेतूल, उसका बड़ा बेटा, बेतूल की पत्नी—सभी में इस गृहस्थी में कैसा एक अण्डर-करेंट[2] चल रहा है, इस बात को काली समझ गया : करेंट[3] में बिजली थी। किसलिए, यह उसकी समझ में न आया। बाद में उसे बस में बैठाते समय बेतूल ने बताया, "नक्सली हंगामे में बिलकुल नहीं था, फिर भी पुलिस के कुत्तों ने हमला किया—छोटा लड़का चरित्तर जंगलवासी हो गया हे। उसकी माँ रोती रहती है। कहाँ से यह हंगामा आ गया?"

काली साँतरा बेतूल काउरा के घर बड़ी रात को पहुँचा। बेतूल जागा ही हुआ था। उसकी कमर में थोड़ा दर्द है, रात को आसानी से नींद नहीं आती। काली ने उसे धीरे से पुकारा। बेतूल ने दरवाजा खोलकर उसे भीतर कर लिया। काली ने गौर किया कि बेतूल को ताज्जुब नहीं हुआ। नक्सली कष्टों की जानकारी ने बेतूल में अर्बन सोफिस्टिकेशन[4], दार्शनिक अभिज्ञता ला दी है। बेतूल ने कोई प्रश्न नहीं किया। समझ लिया कि काली जब इतने निकट आ गया है, तो उसमें कोई बात है। बात का गोपनीय होना ही स्वाभाविक है। उसने काली से कहा, "आँगन में चलें।"

---

1. आयोजन
2. अन्तः प्रवाह
3. धाराप्रवाह
4. शहरी बनावट, नागरिक कृत्रिमता

काली बोला, "जंगल चलेंगे।"

"बसाई टूडू।"

"जानता है?"

"इस बार नहीं बचेगा।"

"कहाँ है, जानता है।"

"चलें। मैं चलता हूँ।"

"चलेगा। पुलिस आ रही है।"

"फिर पुलिस! उद्धव ने जीवन में पुलिस घुसा दी है। नक्सल कहकर पीछा करते-करते इधर-उधर भागते-भागते अन्त में लड़का नक्सल हो गया।"

"वह भी वहीं है?"

"होगा, काम देखिए। नक्सल खतम हो गया। जेहेल से खलास कराया, उसके बाद बसाई ने फिर नक्सल में लगा दिया। उद्धव उसका चेला हो गया। लस्कर को काटूँगा, साँपूए के ढेर में आग लगाऊँगा, महाजन किसी को न छोड़ेगा, मुझे उद्धव ने कसम दिलाई। वह उद्धव रोता-फिरता था। वह उद्धव... ।"

"चल।"

बेतूल ने बड़े लड़के को बुलाया और दरवाजा बन्द करने को कहा। उसके बाद फिर दरवाजा थोड़ा खोल काली के हाथ से लालटेन लेकर घर में रख दी। काली से बोला, "लालटेन नहीं लेंगे। पुल पर आज पुलिस रहेगी। वहाँ जाने से फायदा नहीं है।"

"तब?"

"चलें न?"

सदर, अहीर-प्रधान गाँव है। यहाँ से छेना बिकने के लिए सदर-शहर जाता है। बेतूल बोला, "पैदल चलना होगा। वहाँ कोस-भर चलकर नदी की तलहटी ऊँची है। वहाँ से पार करेंगे।"

"पैदल?"

"नाः! सुमुन्दी की भैंस लेते हैं।"

साले के गोठ से बेतूल ने भैंसा लिया। उसके बाद तरल अन्धकार में, तारों के प्रकाश में भैंसे को आगे-आगे हाँककर नदी का किनारा पकड़कर चला। बरसात में चरसा दोनों किनारे तोड़कर बहती है। रात में उसके मटमैले जल का स्वरूप बड़ा ही आदिम हो जाता है। मील-भर के लगभग चलकर बेतूल बोला, "यहाँ गहराई कुछ कम है। आप भैंसे की पीठ पकड़ लें, मैं उसकी पूँछ पकड़कर चला जाऊँगा।"

भैंसे की पीठ पर औंधे होकर काली साँतरा ने नदी पार की। बेतूल भैंसे की

पूँछ पकड़कर पार हुआ। पार आकर बेतूल ने भैंसे को छोड़ दिया और कमर में लपेटी रस्सी खोलकर उसे एक पेड़ से बाँध दिया। बोला, "दूर से आपको दिखाकर मैं चला आऊँगा। जंगल में आप बात नहीं करेंगे। जरा-सी आवाज पर पुलिस। रुक क्यों गए, दो डालें तोड़ लें। इस साले जंगल में पेड़-पेड़ पर लता हैं। बोड़ा, केउट[1]—कितने ही हैं!"

"ऐसा है?"

"नदी बाढ़ में है। सब भागे हुए हैं।"

"जंगल में पानी घुस गया है?"

"हाँ भाई, यह चरसा की पुरानी धारा है। यहाँ जल कैसा घुसता है। तमाम कीचड़-ही-कीचड़ कर दी है।"

"तू आ रहा है?"

"उद्धव है न?"

चलते-चलते पेड़ की डाल ठोंकते-ठोंकते बेतूल बोला, "कहते हो मर गया, पर वह मरेगा नहीं।"

"क्यों?"

ना। लस्कर भागा हुआ है बाँकुड़ा। घूमकर दुर्गापूर जाएगा। बसाई का नाम उन लोगों के लिए मौत है।

"क्या हुआ?"

"कहाँ खेतमजूरी के लिए लड़ने आया। पाँव में गोली लगी थी उससे सड़ने लगा।"

"मानुस ही है, किसी दिन मरेगा ही।"

"नाः।"

"कहता क्या है?"

"मानुस नहीं। मानुस होकर चार बार मरा मानुस जीता है? अभी सुना, बसाई मर गया, सबने लहास की पहचान कर ली। पुलिस ने लहास जलाई, फिर बसाई जी कर लड़ाई कर रहा है।"

"इसके पहले तो वे बसाई नहीं थे।"

"नहीं? आपने भी तो देखा था।"

किसे? किसे देखा था काली साँतरा ने? वे क्या बसाई टूडू थे? आइडेंटिफिकेशन परेड की लाश घूम रही थी। हाँ टूडू—बसाई इसलिए—जाना-पहचाना

---

1. साँपों की जातियाँ

चेहरा—बसाई टूडू—बसाई टूडू जिन्दा है? मर गया? काली साँतरा तब इस अँधेरे जंगल को पार कर कहाँ जा रहा है?

एक ध्यान आया, सामने दँक[1] है। बेतूल बोला, "देखकर चलें। गढ़ैया गहरी है, हाथी-डुबाऊ।"

[5]

'गढ़ैया गहरी है'—कुछ बातें सुनने के साथ-ही-साथ काली साँतरा के मन में एक आश्चर्यजनक दृश्य आया। उसका शरीर बड़ी तृप्ति के साथ अँधेरे जंगल में बेतूल के इशारे पर चल रहा है। शरीर से मन अलग हो गया। वर्तमान फेड आउट[2] हो गया, फेड इन[3] किया भीषण सूखे में जलते बाकुली गाँव ने—दूर पर, दिगन्त मरीचिका के समान काँपता रहा। काली चला जा रहा है, पहुँचा पल्ताकुड़ि, खोया हुआ खड़ा है, सिर पर ताड़ की बनी टोपी है। सिर पर ताड़ की टोपी पहने, शर्ट और धोती पहने, बसाई टूडू ने उसे उँगली से बाकुली दिखाई, दलदल दिखाई, बोला, "दलदल गहरी है, हाथी-डुबाऊ।"

"देख के लगता नहीं।"

"वहाँ पानी रहता है, नहीं तो वह जो कनाल[4] की सों-सों सुनते हो, वह जल हमें नहीं मिलता।"

पल्ताकुड़ि में जिस घर में वे ठहरते हैं, उस मुसई टूडू के मकान में बसाई टूडू का सम्मान देखकर काली अचम्भे में पड़ जाता है। यह देखकर और भी ताज्जुब में पड़ जाता है कि बसाई को छोटे-बड़े सभी 'कमरेट' कहते हैं। वे गढ़ैया में नहाते हैं। "उस दँक ने जिन्दा रखा है," गमछे से बदन रगड़ते-रगड़ते बसाई कहता है। गढ़ैया काफी बड़ी हैं। छोटे ताल की तरह। "यह कैसे हुआ?" काली पूछता है। उसका अपना रहना भी सूखे अंचल में है। जल देखकर बड़ा आनन्द होता हैं और रक्त की कोई एक तृष्णा जैसे मिट जाती है। किशोर वय में मित्र के साथ पबना जाकर चारों ओर नदी, नाले, ताल, तलैया, गढ़ैया देखकर आश्चर्य और खुशी हुई थी। इतना जल! इतना पानी होते हुए इस देश के लोगों का दारिद्रय नहीं मिटता, यह देखकर काली बड़े आश्चर्य में पड़ गया। उस समय भी काली नहीं जानता था कि प्रकृति की उदारता या कृपणता पर मनुष्य की दशा निर्भर नहीं करती। ईस्ट

---

1. गढ़ैया, 2. धुँधला पड़ गया, 3. धीरे-धीरे दूसरा दृश्य बदला, 4. कैनाल—नहर

बेंगाल लैण्ड ऑफ प्लेंटी और जागुला, क्रेड्ल लैण्ड ऑफ सूखा[1]—दोनों जगह ही मनुष्य ऐसे गरीब हो सकते हैं, क्योंकि गरीबी मानव द्वारा ही पैदा की हुई है।

दँक कैसे बना? इस प्रश्न के जवाब में बसाई कहता, "कुछ बरस पहले सब मिलकर धर्म-कुआँ खोदने लगे थे। उसमें पानी निकला था। मुझे लगा कि भूमि के नीचे जल है। नहीं तो कनाल खोदकर जल कैसे निकला?" दँक अगर वास्तव में असमाप्त कुआँ हो तो गहरा कुआँ है। उसके चारों ओर झाँवा पत्थर थे। दँक जैसे गहरा कुण्ड हो। काफी उतरने पर पानी था। बहुत गहरा, बहुत-सा पानी, निर्मल, ठण्डा। चारों ओर पहाड़ की-सी जगत की छाया से ढँका, सिर्फ पानी की छाती पर धूप से तपता आकाश जल रहा था।

खेसारी की दाल और भात खाने को मिला। खाने के बाद वृक्ष के नीचे बसाई और काली बैठे। काली एक विशेष मिशन पर आया था।

बीड़ी खींचकर बसाई बोला, "कहो काली बाबू, क्या कहते हो?"

"बसाई, तुमने पार्टी छोड़ दी?"

"कह लो, पहले पूछ लो।"

"तुम बीरू पाठक के दल में चले गए हो?"

"और कहो।"

"क्या कहूँ? इन पैंतालीस सालों से किसान-सभा का काम किया, पार्टी में आकर सूर्य साउ को लेकर मत बदला, उससे मन टूट गया! एक बार भी न आए, न आलोचना की। बताओ तो, यह क्या हुआ?"

"क्यों? बड़ा अच्छा काम हुआ।"

"तुम?"

"कौन कहता है कि मैं नक्सली हो गया?"

"नहीं हो गए? बीरू पाठक क्या है? नक्सल नहीं है?"

"यह उसे मालूम होगा।"

"तुमको नहीं मालूम?"

"नाः! मुझे दरकार नहीं है।"

"यह क्या कह रहे हो, बसाई?"

"समझ नहीं रहे हो?'

"हाँ!"

"तो अच्छी तरह खुलकर बात कहूँ, काली बाबू! बातें करने में टाइम लगेगा। आज रह सकोगे?"

1. पूर्वी बंगाल भरा-पूरा देश और जागुला सूखे का पालना

''रह सकूँगा।''

''एक बात है। बातें बहुत होंगी। उससे खफा नहीं होंगे, काली बाबू। क्यों, आँखें क्यों खराब कर रहे हो?''

''आँखें अजीब-सी हो रही हैं।''

''क्या जाली कटाई? काम नहीं हुआ?''

''नहीं!''

''तब कितना कहा, हकीमी कराओ, पद्मकाँटे से जाली दूर करा दूँगा, नहीं सुना।''

''आँखें अजीब हो रही हैं, बसाई।''

''अखबार लेकर मर रहे हो।''

''कुछ करना तो होगा!''

''अच्छी बात है, तुमको चुनाव में क्यों खड़ा नहीं किया?''

''क्यों खड़ा करें?''

''इससे तो तुम्हारा मरना अच्छा होगा। अब दुनिया में भले लोगों को भात मिलता नहीं। मैं अच्छा बनने नहीं चला। अब तो बहुत बुरा हो गया हूँ। उस पर तुम कहते हो, मैं नक्सली हो गया। यह तुम्हारी कैसी बात है? पार्टी ने मीटिंग नहीं बुलाई? सामन्त बाबू आराम से कुर्सी पर नहीं बैठे? चा-मूड़ी नहीं खाई? इतने ढोल पीटे बिना काली बाबू सान्थाल बसाई टूडू के पास क्यों आए?''

बातें सब सच थीं। बसाई हँस-हँसकर बातें कर रहा था और काली भी हँसे जा रहा था। ऐसे वक्त सहसा काली को एक बार पढ़ा हुआ याद आया 'धात्री देवता' उपन्यास की एक जगह की बात। सशस्त्र युद्ध करनेवाले अस्त्र त्यागकर अहिंसक बनने चले। मत क्यों बदला—यह जानने के लिए पार्टी के आदेश के अनुसार पूर्ण नाम के क्रान्तिकारी लड़के ने वृद्ध क्रान्तिकारी को गोली मार दी। उसके बाद चाँदनी रात, आदि। काली साँतरा बसाई के पास आया है। बसाई सशस्त्र युद्ध के मार्ग से अहिंसा के पथ पर नहीं गया है। काली भी उसे मारने नहीं आया है। बसाई और काली की पार्टी सशस्त्र युद्ध में, और भी बहुत तरह के युद्धों में विश्वास रखती है। बसाई किस विश्वास की राह जा रहा है? केवल सशस्त्र संग्राम के मार्ग पर? केवल सशस्त्र संग्राम? बन्दूक की नली?

बसाई ने उसकी परेशानी का उत्तर दिया। बोला; ''मैं ही बता रहा हूँ, काली बाबू! मैं एक नई राह सोच रहा हूँ। राह पुरानी होने पर भी नई है। पर जो तुम लोग सोच रहे हो, वह नहीं। नक्सल मैं नहीं बना हूँ। बीरू पाठक क्यों, जो मेरे काम में मदद देगा, मैं उसके साथी का साथी हूँ। अभी सुनो...।''

"कहो।"

बसाई काली को अचम्भे में डाल रहा है। बाघ की प्रकृति छोड़े जा रहा है। बसाई टूडू ने एक राह खोजी है? सशस्त्र युद्ध ही लग रहा है, पर नक्सल नहीं। बसाई ऐसा आत्मस्थ क्यों है? किस तरह?

बसाई बोला, "तुम बाबू लोग पार्टी में आते हो। और मैं क्या, काली बाबू? सान्थाल, खेतमजूर, मिशन का पढ़ा-लिखा, फिर खेतमजूर। तुम कहते हो पैंतालीस के साल से किसान-सभा कर रहे हो? तैंतालीस साल में जिला किसान-सभा के नकुल बाबू मुझे माइमानसिं[1] ले गए, नालिताबाड़ी कानफरेंस में। वहाँ पहली बार माँग हुई थी, खेतमजूर को एम.डब्लू.[2] देना होगा। पैंतालीस में तुम्हारे साथ पहचान हुई—याद है?"

"हाँ, बर्धमान[3] हाट गोबिन्दपुर कॉन्फेरेंस में।"

"वहाँ बात हुई, खेतमजूरों का अलग दल होगा। सो बाद में हुगली कानफरेंस हुई। बहुत भरोसा हुआ, काली बाबू। खेतमजूर किसान से अलग नहीं है। आज जो किसान है, महाजन को जमीन बन्धक देकर कल वह खेतमजूर हो जाता है। हाँ काली बाबू, उसके बाद वर्धमान में, मेदिनीपुर में खेतमजूर पार्टी हुई, किन्तु जब देखा किसान-सभा ने खेतमजूर दल को हराम की सन्तान की तरह छोड़ दिया... क्यों? उस समय मदत नहीं दी, तब से अपनी बात सोचने लगा।"

बसाई रुका। बीड़ी सुलगाई। काली ने चुपचाप बीड़ी ली और उसे बसाई की बीड़ी से सुलगाया।

"कैसा लगा? आज मेरी विवेचना करने आए हो? अपनी पार्टी के दादा लोगों से कह देना। अपनी बात सोचने लगा, इसके माने समझते हो? अपनी बात माने, खेतमजूर-समाज की बात। नकुल बाबू को तुम लोग जानते हो? उसका ताऊ पुराना कांग्रेसी था। गांधी के समय कलकत्ता देख आया था कि काउरा, तिउर[4] को मौका देकर उठाया गया था।

"उससे बिगड़कर चन्दर भुइयाँ, वहाँ के राजा ने उसके घर-द्वार, खलिहान में हाथी धँसा दिया। उसी से ये लोग जागुला आ गए।"

"चन्द्र भुइयाँ नहीं, उसके पिता महाचन्द्र भुइयाँ।"

"गोकुल बाबू मोकूचन्द्र भुइयाँ ही कहो।"

---

1. मैमनसिंह नगर
2. मिनिमम वेज, न्यूनतम मजदूरी
3. बर्दवान
4. छोटी जातियाँ

"गोकुल बाबू ने अच्छा-सा गाना बनाया था।"

"तुमने सुना है? अच्छा गाना है वह।"

"हरिजनों का गाना।"

"कहो तो।"

"सुर याद नहीं है, बोल भी क्या याद हैं? गांधी राजा ने कह दिया, तुम लोग हरिजन–आओ तो तुम सब तीन जन ले लें...।"

"हाँ, काली बाबू, तीन जन–भुइयाँ जमींदार, साउ महाजन, बाउरी[1] जोतदार। तीन यमदूतों के डण्डों से कब नहीं मार खाई, याद नहीं पड़ता। मुझे तुम जानते हो। बाप नहीं, माँ नहीं, बुआ मरी तो अकेले नंगा, छह बरस का बच्चा। मिशन में साहब ने ले लिया, वह भी गोकुल बाबू के कहने से। उसने अच्छा काम किया। किन्तु कांग्रेस की क्या पार्टी है! कोई छुआछूत नहीं भूलता। मिशन से आ गया, भाग आया, सो गोकुल बाबू ने कहा था–बसाई बाबू बन गया? ऐं? लँगोटी पहने, चूहे-मकड़ी खानेवाले समाज का सन्थाल, सो क्या कहता?"

"वे पुराने जमाने के आदमी थे।"

"नए जमाने में पार्टी के बाबू सान्ताल-काउरा-तिउरों को भाई-भांजा समझते हैं–ऐं? उससे सामन्त बाबू के डेरे पर तुम लोग पियाला में चा पीते, मैं मिट्टी के कुल्हड़ में?"

"वह खून का संस्कार है, बसाई, सहज नहीं जाता।"

"बाबू की एक जात है–काउरा की तरह एक जात। उसी में, इतने अच्छे आदमी हो तुम, तुम भी बाबू बनकर बाबुओं को मदत देते हो। और पढ़ाई-छर्किल में बैठकर कलास-लड़ाई समझाते हो। ना काली बाबू, मुझे टोपी नहीं पहना सकते हो।"

बसाई की बातें बहुत नापसन्द थीं, लेकिन नीम के रस की तरह कड़वी और सच्ची थीं। काली साँतरा को बड़े गुस्से से असन्तोष हो रहा था, लेकिन वह समझ रहा था कि बात सच है। सामन्त के बारे में उचित समालोचना करने पर काली साँतरा अपने वर्ग के एक छोटे असभ्य आचरण के समर्थन में तर्क खोजेगा।

"गुस्सा मत हो, काली बाबू, तुमारी तरह दो-चार लोग छोड़कर सब लोग कभी-न-कभी समझाकर छोड़ेंगे, कि तू बसाई, सान्ताल, तेरे समाज के मानुस लँगोटी पहनते हैं, अकाल में चूहा-साँप खाते हैं। जमीन हो, ऐसा सान्ताल नहीं। जो जात में ऊँचा हुआ हो, वह खेतमजूर है काली बाबू। बाम्हन-कायथ खेतमजूर नहीं होते। होते तो खेतमजूर समाज में भी छुआछूत होती। मेरा कपार बहुत अच्छा

1. जाति-विशेष

है कि नंगे, भूखे, साले—सब खेतमजूर हैं, और डण्डे खाकर भी सींक पर जात-पाँत का भाग नहीं होता। एक धर्म में हँड़िया से सभी भात खाते हैं।''

''बसाई, कोई भूलने नहीं देता, तुम साँउताल हो, इसी से क्या तुम पार्टी छोड़कर चले आए?''

''नाः, मैं क्या राँड़ का बेटा हूँ जो तुनकी मारने से रो दे? नाः काली बाबू। लेकिन हवा में लाठी चलाने की टूटी हुई बातों को लेकर धूल उड़ाने की शिक्षा हमारे बाबू कॉमरेडों के पास है। इसी से टूटी बातें पूछ रहा हूँ। क्या उसी कारण से हटा हूँ? कुछ बताओगे?''

''तो बताऊँगा, तुम किसी तरह भूल नहीं पाते कि तुम साँउताल हो। तिल का ताड़ बनाकर देखने से नासमझ की तरह खफा होते हो।''

''इस बात के दो जवाब हैं। क्यों भूलूँ? सान्तालों को भूल जाऊँ कि वे सान्ताल हैं, यह तुम लोग कैसे कर सकोगे? आज भी देश नहीं चीन्हते, मानुस नहीं चीन्हते हो। ऐसा देश गढ़ दो जिसमें सान्ताल-काउरा में, ऊँचे घर के कामरेटों में अन्तर न रहे। कर सकते हो? सभी पलेन पकड़कर दिल्ली-सोवियत-अमरीका घूमना चाहते हैं। गाड़ी चढ़ना, लाइलन[1] पहनना! कर सकोगे? सबके कमर में लँगोटी, सूर्य साउ की लात खाना, पके धान को दूसरे काटते हैं, देखकर छाती फटती है, कर सकते हो? कुछ करो, तभी सान्ताल भूलेगा कि वह सान्ताल है।''

''बसाई, तुम बहुत बदल गए हो।''

''और जवाब है काली बाबू, सान्ताल-काउरा-तिउर कैसे भूल जाएँ कि वे एक हैं? भूलने के काम थे तुम्हारे, है न? काम किए?''

''जवाब एक ही दिया, बसाई।''

''दिया? वह होगा। मिशन स्कूल में जाकर भी क्या सान्ताल शिक्षित हो जाता है, काली बाबू? वह बेकार की बात रहने दो, फायदा नहीं।''

काली ने पहले भी बसाई का सम्मान किया था। सालिहातू की चुनाव की मीटिंग में सामन्त को दस्त-कै और बुखार हो गया। बीमार, गू से भरे सामन्त को पीठ पर लादकर सिर्फ बसाई गया था। बस की एक पूरी सीट खाली कर बसाई ने ड्राइवर से कहा था : ''बड़ा कामरेट है। और मुसाफिर नहीं लेगा। सीधे मसूरगंज चलो, अस्पताल। बस में पसिंजर चढ़ाने में कामरेट को कुछ हो गया तो तुम्हारी लहास फेंक दूँगा। मैं बसाई टूडू हूँ।''

बसाई न होता तो सामन्त जिन्दा न बचता। इस समय काली को याद आया—'बड़ा कॉमरेड—लीडर है—श्रेष्ठ कॉमरेड—सोवियत भी उसे जानता है'—यह

1. नायलान

सब प्राप्य सम्मान बसाई टूडू ने बहुत बरसों तक तमाम लोगों को दिया? लगा, जिनको दिया, उन्हें वह न्यायतः प्राप्य था, एक बार अर्जित होने से ग्रहण कर लिया। 'बड़े कॉमरेड' बनने की मुश्किल हुई, एक बार जेल काटने का उदाहरण लेकर जिस तरह बाद में मन्त्री बनने से और बदमाशी नहीं चलती–उसी तरह एक बार अच्छा काम करने पर 'बड़ा कॉमरेड' होने से बाद में उसे भूलने से काम नहीं चलता। लेकिन 'बड़े कॉमरेड' भी आजकल उसे याद नहीं रखते। चुनाव के दिन छोड़कर दिखाई नहीं देते। बंगाल के देहात के बारे में दूर बैठकर उनकी भी सफाई, बंगाल की शकल उन्होंने देखी है, इसी से वे अब दुनिया की शकल देखने जाते हैं। उसका नतीजा होता है रक्तचाप, या हृदयरोग, या बहुमूत्र के धनी रोग से मृत्यु और बसाई टूडू को खो देना। तो क्या बसाई एक्सपेंडेबल था? ऐसा है तो वह पागलों के पागलपन की तरह पार्टी नहीं–नक्सली नहीं–अपनी सन्थाली बुद्धि से रणनीति बना रहा है, यह जानकर बाघ और सिंहों को चौकन्ना क्यों होना पड़ा?

बसाई बोला, "लो, बात में बात बढ़ती है, काली बाबू। लो, चा पियो। उसके बाद बात होगी। मुसाई के रुपए की चा आई है। देखो, यह भी मेरा कामरेट है।"

मुसाई टूडू का बेटा, सात बरस का गिधा चाय ले आया, मुसाई की पत्नी लाई ले आई।

बसाई बोला, "क्या खिलाएगी रे? बाबू कामरेट हैं, लेकिन टेढ़ापन, बेईमानी, हरामीपन नहीं जानते। काली बाबू, तुम भी सान्ताल बन सकते थे। तुम भी नंगे रह गए, मैं भी।"

आज उन्नीस सौ सतहत्तर की जुलाई में जंगल छानते-छानते काली साँतरा के मन में आया, अगर मर जाएँ तो बाकी समय का लेखा-जोखा करने पर पता चलेगा कि 'चलेगा' नहीं, अभी चल रहा है, जो बसाई ने कहा था, 'लेकिन टेढ़ापन, बेईमानी, हरामीपन नहीं जानते हैं'–इससे अधिक मूल्यवान ऐहिक पुरस्कार किसी लीडर को न मिला, न मिलेगा; बसाई ने सबको झूठा-निकम्मा समझकर छोड़ दिया है। पेड़ की डाल से गोयालकेंड़ा लताएँ हटाते-हटाते काली साँतरा का शरीर सुन्न लगने लगा था, जैसे कलेजे से खून निकला जा रहा हो, व्यर्थता की अनुभूति, काली अगर मरे तो बिस्तर पर लेटे-लेटे मरेगा, चाहे घर पर हो या अस्पताल में। गोली से नहीं मरेगा–बसाई की मौत पहले होगी–बुलेट से छिदी देह। बेनेट से नहीं मरेगा–बसाई की दूसरी मौत थी–बेनेट से छिन्न-भिन्न चेहरा और पेट। आमने-सामने से संघर्ष में नहीं मरेगा–पेड़ की टेक लगाए बसाई, तीसरी मौत में

हड्डियाँ पिसी हुई। ग्रैंगीन से नहीं मरेगा—ग्रैंगीन में बैंगनी रंग का होकर चौथी मौत में बसाई फूलकर चमकीला होगा। काली ने जो जीवन बिताया है उसमें भलमनसी है, पर काली ने कौन-सा पुण्य किया है कि बुलेट-बेनेट के आमने-सामने के संघर्ष में—एनकाण्टर में काली मरे?

"जरा रुको। दम ले लें।"

बेतूल रुक गया, आँखें तेज कर चारों ओर देखा। बोला, "अब बाएँ पकड़कर चलें। उफ्! गोयालकेंड़ा लता की क्या बाढ़ है? सालियों के झुण्ड वर्षा का पानी पाकर झाड़ी बन गए हैं।"

वे बाईं ओर पकड़कर चले।

मुसाई टूडू के घर पर उस रात को सुअर का मांस पका था। इतनी गरमी के बाद सन्ध्या के सात बजे से हवा ठण्डी हो गई थी। बसाई ने कहा था कि पानी पड़ेगा। "देख मुसाई, हवा ठण्डी चल रही है।"

"तुम देखो।"

"मुसाई हम लोगों के हवा-पानी का पण्डित है, काली बाबू। मुसाई, पानी कब होगा?"

"भुरका तारा नहीं देखेगा।"

"क्या कह रहे हो?"

"कुछ बाजी क्यों नहीं लगा लेते हो?"

सुअर का मांस और भात खाकर वे आँगन में लेटे थे। बसाई बोला, "सोओगे, या बातें करोगे?"

"बातें करो।"

"कल जाओगे?"

"हाँ।"

"बस मत पकड़ो, लॉरी से जाओ।"

"जाऊँगा।"

"रिपोट नहीं करोगे?"

"बताना पड़ेगा।"

"क्या कहोगे?"

"बताओ, तुम क्या कहते हो? मैं तो जो समझूँगा, कहूँगा।"

"सुनो! रात बीतने दो, काली बाबू।"

"जाने दो।"

रात क्रम से ठण्डे से और ठण्डी हो रही थी। मच्छर नहीं थे। इतनी गरमी में झाड़ियाँ और पौधे सूख जाते, पानी सूख जाता, मच्छर नहीं रहते। बखार में धान नहीं रहता। मुसई चिल्लाकर बोला, "बसाई, पानी बरसने पर जाना।"

बसाई ने मचान बना लिया है। यह बसाई की चौकी है क्या? बसाई का कार्य-क्षेत्र बहुत फैल गया है। फैल जाना ही स्वाभाविक है। इन पिछड़े हुए गाँवों में सूखे में, बाढ़ में, कॉलरा की महामारी में—महाजन के साथ लड़ाई में बहुत बरसों से एम.एल.ए. या एम.पी. नहीं देखे। अत्यन्त स्वाभाविक और गणित के हिसाब से बसाई उनका अपना हो गया है।

"बसाई, तुम जिला सेक्रेटरी क्यों नहीं हुए?"

"बाद में बताऊँगा। पहले सुनो!"

"कहो।"

वे बातें कर रहे थे। आकाश नीरव मेघों से आच्छादित था। हवा और भी ठण्डी थी। अकसर वैशाख में, चैत में, आँधी-पानी नहीं होते।

"मैं खेतमजूर हूँ। सोचकर देखा, चवालीस की उमर हो गई, मैं खेतमजूर ही रहा। तमाम मीटिंगें कीं, कानफरेंसों में गया, लेकिन खेतमजूर का आसन देखने को नहीं मिला। बत्तीस साल में किसान-संभा हुई। तब से आज तक नहीं समझा कि खेतमजूरों को किसान सभा ने मदत क्यों न दी? चौंसठ साल में पार्टी के भाग हो गए। भाग हो, जो हो, सभी कमनिस हैं। कमनिसों का किसान-फरण्ट तक मानना नहीं छूटा, खेतमजूर भी किसान हैं। गोकुल बाबू से सुना है, अड़तीस साल में कुमिल्ला की सभा में स्वामी सहजानन्द ने कहा था : 'खेतमजूर आन्दोलन किसान-सभा का आन्दोलन है। छोटा किसान किसान-सभा की जान है। आज जो छोटा किसान है, कल वह महाजन की जमीन पर खेतमजूर बनता है।' नहीं कहा था?"

"कहा था।"

"किन्तु खेतमजूर का हक कमनिस किसान-फरण्ट ने नहीं देखा। क्यों, काली बाबू? क्यों? कमनिस किसान-सभा जिनके लिए है, वे मँझोले किसान हैं, है न? वे भी खेतमजूर लगाते हैं, नहीं? उनके हक पर चोट लगती है, नहीं? और कमनिस दल जो समझता है, वोट—हाँ वोट! मँझोला किसान वोट कण्ट्रोल नहीं करता? तब समझ लो कि बसाई घास नहीं खाता, धान का भात खाता है—उससे हमने समझ लिया, कमनिस होकर काम कर सकते हैं। तुम्हारे कामरेट कहला सकते हैं, किन्तु जब हम खेतमजूर हैं तो तुम भी हमको ठोकर मारोगे। भूखे आदमी को लेकर खेल करना भला खेल नहीं है।"

"तुमने ठीक ही कहा।"

काली कह न सका कि यह बात उसकी भी है। के.एम. यूनियन[1], खेतमजूर यूनियन लेकर उनकी जानकारी भयंकर व्यर्थता-बोध से कटु है। बसाई का वक्तव्य के.एम. यूनियन में चला आया देखकर काली को सर्वनाश के गर्जन का बोध हुआ। कहाँ, क्या हुआ जा रहा है? न रोके जा सकनेवाले खिंचाव सृष्टि के आरम्भ से धरती टूटकर टुकड़े-टुकड़े हुई जा रही है। "महादेशों को मिलाकर देखोगे तो इस-उसकी खाई बनती जा रही है। कभी वे यहाँ तक जुड़े हुए थे।" महादेशों को किसी ने पाटकर जोड़ा नहीं, जोड़ा जा नहीं सकता। बसाई पुराने बन्धनों को तोड़कर निकल गया। फिर उस टूटे हुए में जोड़ नहीं लगेगा, वह बीच का हिंस्र अपरिचय का सागर किसी सेतु से जोड़ा नहीं जा सकेगा। इस समय बसाई अपरिचित महादेश है। किन्तु उस महादेश पर आक्रमण—एक्सप्लोरेशन—कॉलोनाइजेशन[2] सम्भव नहीं है। सबकुछ का स्व-स्वार्थ में या दलगत स्वार्थ में उपयोग या त्याग सम्भव नहीं है, बसाई टूडू भी नहीं।

"काली बाबू! मैं खेतमजूर हूँ। खेतमजूरों के हक में किसी भी किसान-सभा ने मदत नहीं दी। कमनिस किसान-सभा, ब्बाप रे! कमनिस नाम लेते लहू जल उठता है, काली बाबू। कमनिस किसान-फरण्ट की गोद में बड़ा हुआ, जब से गोकुल बाबू का कागज बाँटा, इश्तहार के हरफों को टटोला, एक-एक अक्षर जैसे मुर्दा चीज हो, रंग फेरने से हरफ जी उठते हों, कलेजे में लहू गरज उठता हो। काली बाबू! तुम्हें ऐसा नहीं हुआ?"

"हुआ बसाई, हुआ था। सबको ही हुआ।"

"एक दिन होता है, बाद में नहीं होता। होने पर यह क्या देखा, काली बाबू? तुम-मैं रोजगार करने नहीं आए, किन्तु सामन्त?" लक्ष्मण बाबू? तारक बाबू? मुझ पर रेड कामरेट हँसते हैं? कमनिस पार्टी में सभी जमींदार रोजगार कर डालते हैं? घर हुआ, सामन्त के गाड़ी भी हुई, लड़के की नौकरी लगी, साहे बड़े लीडर, कलकत्ता पहचानते हैं। 'कमनिस?' नाम सुनाकर सब जमा कर लिया! सूर्य साउ का कारबार है। जमींदारी में जान है? तुम मर जाओ, मैं बड़ा बन जाऊँ। ना काली बाबू, बसाई का कलेजा टूट गया है।"

"कहते चलो बसाई, रुको मत!"

चूँकि काली साँतरा जानता था कि वह फिर बसाई टूडू के पास नहीं आएगा, बैठकर इतनी बातें नहीं करेगा। काली बसाई नहीं है, वह कुछ दाँव पर नहीं लगा

1. किसान मजदूर यूनेयन
2. खोजना—उपनिवेशन

सकता है, जो दल केवल उसका उपयोग ही करता हो, उसको भी नहीं छोड़ सकता है। उस पार्टी की मदद खो नहीं सकता। परिणाम : पत्नी-पुत्र पराए हो गए, 'जिला-वार्ता' अखबार का भद्दा शीर्षक एकमात्र अपना है, फिर भी काली साँतरा का खून मध्यवित्त खून है। उस रक्त में अपने लेनिन—पत्नी के साईं बाबा—बेटे के राजेश-धर्मेन्द्र-हेमा प्रेम से एक जगह रहते हैं। वह रक्त कुछ भी नहीं देता, सबकुछ लेता है और मिल-जुलकर पँचमेल गीत बनाता चलता है। ना, अब काली नहीं आएगा। कमनिसों में वर्ग-अनुसरण बहुत प्रबल है। उससे अच्छा है, बसाई बात करे। काली बड़ा प्यासा है। मुसई ने कहा था, आज वर्षा होगी। धरती बड़ी प्यासी और बाट जोहते-जोहते थक गई है।

"काली बाबू! कभी किसान-सभा ने फिर भी काम किया था। उस समय भी खेतमजूरों का अधिकार नहीं देखा। खेतमजूरों को उसमें बहुत कम फायदा हुआ था। सूर्य साउ के घर गणेश-पूजा हुई—लँगड़े—भिखारी, दोनों पैरवालों के ढंग की। वर्धमान में 'कनाल कर आन्दोलन' हुआ? सभा के शोरगुल में रेट उतरा। सो बाद में उत्तर में 'हाट तोला' आन्दोलन, अधिया की लड़ाई, जमींदारी का साथ। हाँ, कुछ हुआ था। जलपाईगुड़ी में पुलिस ने आन्दोलन तोड़ दिया, दिनाजपुर में नहीं तोड़ सकी, उसी में सभा की माँग, हमारे पास प्रमाण है, हम गरीब किसानों के अधिकार देखते हैं। उसके बाद मायमनसिं में हाजंग[1] आन्दोलन। गर्व से किसान-सभा की छाती फूल गई, किसान-सभा ने वह गर्व क्यों किया, काली बाबू?"

काली कह सकता था : 'किसान-सभा और कमनिस पार्टी इस भारत की धरती पर एक विशेष भारतीय स्वरूप से, सीढ़ी के नियम से चलती हैं। सीढ़ी के नीचे के बाँस पर पाँव रखकर ऊपर चढ़ना पड़ता है और नीचे की लकड़ी को भूल जाना पड़ता है। भारत में धर्म में, राजनीति में, रोजगार में, शिक्षा के क्षेत्र में, संस्कृति के क्षेत्र में, व्यक्तिगत जीवन में—ऊपर उठने का एक ही नियम है—सीढ़ी का नियम! इस परम्परा का नाम ही भारतवर्ष है। गोली खाते हैं सामान्य कार्यकर्ता, नाम होता है जेल में आराम से बैठे प्रथम श्रेणी में बन्दी लीडरों का—यह भारतीय ऐतिहासिकता है।' काली क्या कहे? क्यों कहे? एक आदिवासी के आगे अपने मध्यवर्ग के विश्वासघात की बात क्यों स्वीकार करे? वर्गहीनता में विश्वास रखनेवालों का वर्ग-अनुसरण क्या कम है? उसके सिवा लीडर लोग क्या मध्यवित्त नहीं हैं?

"उसके बाद आया ति—हा—ई।"

बसाई के गले में शब्द डूबकर वर्षा आ गई। ठण्डी हवा में, आँधी में, धूल के झपेटों में, बादल उड़कर वर्षा आई। बसाई बोला, 'मुसाई तो पानी और हवा का

1. एक आदिवासी जाति

पण्डित हो गया है—ऐं? आकाश हम भी देखते हैं, लेकिन समझते नहीं।''

वे चटाइयाँ लेकर बखार में चले आए। बसाई ने कुप्पी जलाई। काली ने देखा, बखार बहुत साफ-सुथरा है। ऐसे गरीब सन्थाल लोग इतने साफ कैसे रहते हैं? जो लोग सन्थाल नहीं हैं, वे क्यों साफ नहीं रह सकते? बखार लिपा-पुता साफ है। चबूतरे पर चटाई, कोने में पानी की कलसी, अलमूनियम का लोटा। मिट्टी से पुती दीवारों पर बाँसों में खोंसा हुआ बसाई का गमछा, पत्तों की बनी टोपी थे।

''यह तुम्हारा एक अड्डा है?''

''मेरे अड्डे बहुत हैं। तुमको क्यों बताऊँ, तुम बाद में जाकर पुलिस को बता दो। जागुला थाने का देउकी मिसिर तो मुझे बहुत चाहता है।''

''ना बसाई, बताऊँगा नहीं।''

''सो पता है। नहीं तो नवीन बाबू, मोती बाबू को भगा क्यों दिया? तुम चोट करनेवाले होते, तो क्या समझते हो कि तुम्हें जिन्दा छोड़ देता?''

''कैसे मारोगे?''

''तभी देखा जाएगा।''

''हटाओ, बातें करो।''

''ठहरो, पानी का बाजा सुन लूँ। ओह, तीन दिन साला पानी बरसे, गड्ढे-गुड्ढे भर जाएँ, धरती हल चलाने लायक हो जाए। जमीन सूखकर धूल हो गई है।''

''बोलो, बसाई।''

''बोलता हूँ। बीड़ी सुलगा लूँ।'' बसाई ने बीड़ी सुलगाई।

''तिहाई। धान पर कितने गीत कितने दिनों तक होते रहे, याद है?''

''याद है।''

''धान तो गान नहीं होते, काली बाबू। हम लोगों की जहान[1] है। खेती प्रधान देश हमारा है न? बीज छोड़ेंगे, पौधे रोपेंगे, खेत निराएँगे, धान काटेंगे, दूसरे के बखार में उठाकर रखेंगे, सो मूल गीत जो गाते हैं—उन लोगों ने कोई भी सभा नहीं देखी। ति—हा—ई! बहुत बड़ा आन्दोलन था। जलपाईगुड़ी, रंगपुर, दिनाजपुर, चौबीस परगना लाल-लाल हो रहे थे! किसान-सभा ने बटाई के किसानों को मदत दी। किन्तु काली बाबू, बटाई के मजूरों को किसने मदत दी? खेतमजूर बटाई के किसान नहीं। किन्तु खेतमजूर जाते नहीं? गोली से नहीं मरते? बटाई के किसानों ने दो भाग की माँग की थी, वह मिला नहीं। किन्तु कुछ भाग बढ़ गया। काली बाबू, जो बढ़ा, उसका कुछ खेतमजूरों को किसान-सभा नहीं दिला सकती थी।

1. जान

नाः! कुछ नहीं दिया। खेतमजूरों की बात नहीं सोची। घमण्ड से किसान-सभा मोटी हो गई। लड़ाई की, लड़ाई! बताओ, खेतमजूरों का खून अगर किसान-सभा से मुँह फेर ले, तो क्या कहते हो?"

"कुछ कहने को नहीं है।"

"क्यों? नहीं क्यों? बाबू लोगों के साथ मेरी और बात नहीं होगी, यही अन्तिम है। पर तुमने कुछ क्यों नहीं कहा? कहने को नहीं है। हाय रे, बेईमानी!"

"तुम कहे जाओ।"

"दिन बीते, दिन बीते, स्वाधीनता। उतने दिन मैं किन्तु कटु नहीं हुआ। जितनी बातें कहीं, उतनी बातें एक बरस से सोच रहा हूँ। मत सोचो, काली बाबू, कि कुछ पढ़ा नहीं। वह रसूल की किताब भी नित्य बाबू को पकड़कर पढ़ा ली।"

"पता है। नित्य ने बताया था।"

"पार्टी में सब लोग मुझे बेईमान कहते हैं।"

"मेरे रहते? हसन की बात याद नहीं है?"

"खूब याद है। उसने मुझसे कहा—कामरेट, खेतमजूरों का अधिकार देखने जाकर तुमने किसान सभा की पीठ में छुरी भोंक दी। उस पर तुमने उसकी शर्ट पकड़कर मुझसे माफी मँगवाई थी।"

"फिर?"

"पगला सिरफिरा हूँ, इसी से तुम्हें इतना चाहता हूँ। लेकिन तुम्हारे सामनें नहीं, पीछे।"

"ना, कोई बेईमान नहीं कहता, पर समझ तो सकते हो, और सब जानते हो। सेल की मीटिंग हुई थी, सब लोगों को होश आया। अच्छी बात है, तुम क्या रजनीपाल को डाँट आए थे? सब लोग कह रहे थे।"

"ना। वह नक्सली हो सकता है।"

"किसने मारा?"

"वाह, काली बाबू, वाह! सभी जानते हैं कि उसे मारा उसकी ब्याहता बहन के लफंगे ने। उससे तुम भी पुलिस के फूफा बन गए। मरा एक गू का कीड़ा, उसका दोष मढ़ दो बसाई टूडू की गरदन पर, नक्सलियों की गरदन पर, कि बाद में चार गोलियाँ चला सको—ऐं?"

"ना, ना। पुलिस उस आदमी को पकड़ेगी।"

"तुमने भी क्या किसी गुरु को पकड़ लिया है, काली बाबू? सब जीवों में भला-ही-भला देखते हो, पुलिस में भी—ऐं? यह तुम्हारा गुरु है कौन? मुझे दिखा तो दो। गुरु पाकर मेरी साध मिटे। फिर जीवों पर दया लौट आए। पार्टी की ओर

मन लौटे। पुलिस में विश्वास आए।''

काली हँसने लगा, बोला, ''खूब पानी पड़ रहा है, बसाई, सवेरे वर्षा होगी?''

''अरे ठहरता क्यों नहीं? कल कनाल से माछ चोरी करूँगा, तुझे खिलाऊँगा।''

''नहीं रे, नहीं, लौटना होगा।''

''पता है काली बाबू, पता है।''

''कहो, बातें करो।''

''देखो, स्वाधीनता के बाद से सभा की शकल बदल गई। नदिया में सभा ने प्रेम की बाढ़ ला दी। बटाई के किसान, खेतमजूर, बड़े किसान, मध्यम खेतिहर, शहरी बाबू–सबको सभा ने एक नजर से देखा। मरा छोटा खेतिहर, मरा खेतमजूर।''

''हाँ।''

''मेरे मन में अड़सठ साल से एक बात बैठ गई।''

''कौन-सी बात?''

''यह किसान-सभा पुलिस से भी बुरी है, काली बाबू। यह कांग्रेस की बाप है।''

''क्यों?''

''तिरेपन साल से खेतमजूर के लिए एम.डब्लू. कानून बना, दार्जिलिंग जिले, जलपाईगुड़ी जिले में। फिर भी खेतमजूर की पार्टी नहीं बनी। किन्तु हम लोगों की कमनिस किसान-सभा को यह नहीं मालूम था?''

''मालूम था।''

''क्यों नहीं बताया? क्यों उसके लिए आग नहीं फूँक दी? क्यों सारे जिलों में एम.डब्लू. की माँग नहीं उठाई? क्यों?''

''लीडरशिप का निकम्मापन था।''

''नाः, लीडरशिप बहुत अच्छी है। बड़ा अच्छा काम कर रहे हो, हे लीडरशिप! सरीफ लोग, बाबू लोग लीडर हैं। सरीफों-बाबू लोगों की बात सोची है, काली बाबू! सरीफों का हक, बड़े किसान व मँझोले खेतिहर का हक, बाबू लीडर देखेंगे, इसीलिए तो आज तक बाबू खानदान के सिवा लीडर नहीं आते? कमनिस लीडर भी बाबू, कांग्रेस लीडर भी बाबू! हम बसाई टूडू जब पार्टी छोड़ें, ऐसा समझा तो उन्होंने जिला सेकेटरी बनाना चाहा। उसके पहले प्यार नहीं था। किस बात का जिला सेकेटरी? खेतमजूर यूनियन का। वह कौन-सी यूनियन है? अड़सठ साल से पंजाब में मोगा कॉन्फरेंस में जो यूनियन बनी, उसका मददगार कौन? सी.पी. आई.? दिल्ली से लाए गाय–पीछे बछड़ा था सी.पी.आई.। इस यूनियन का जिला सेकेटरी बसाई क्यों?

उससे पार्टी का जोर बढ़ता था। इस यूनियन को मदत देने को कोई नई, लड़खड़ाती यूनियन थी? बसाई, इस यूनियन को हाथ में लो। क्यों? किसान-सभा के जिला सेकेटरी बनाने के समय बसाई की बात किसी ने नहीं सोची?

"कहा था। चुनाव में हार गया।"

"ई.एम.डब्लू. को लेकर लड़ाई में उतरते देखा था? लेबर डिपाट ने बरस-के-बरस एम.डब्लू. बढ़ा दिया। कानून बना, कानून हुआ सरकारी रिपोट में। किन्तु मेरे हाथ में एक पैसा भी नहीं आया।"

बसाई चुप हो गया। उसकी आँखें लाल हो गई थीं। मुँह फेरकर उसने बीड़ी सुलगाई। काली समझ गया कि अब काली के मर्मस्थल पर चोट पड़ी है। बसाई की सारी निराशा का कारण खेतमजूरों पर अन्याय था। समझता है, काली सब समझता है। लेकिन जब लौटकर जाएगा तब सामन्त को कुछ भी समझा न सकेगा, यह भी मालूम है। राजनीतिक पार्टी करने से मानवीय समस्या कैसी विदेह एब्स्ट्रैक्शन[1] में समाप्त हो जाती है! लेकिन वामपन्थी राजनीति में इस तरह होना उचित नहीं था। वामपन्थी राजनीति में बसाई टूडू को भी स्नेह करने की बात थी। 'स्नेह करने' की बात में बड़ी जिम्मेदारी रहती है। व्यक्तिगत सम्बन्ध में प्यार करने पर मनुष्य सदा सब अवस्थाओं में दायित्व स्वीकार कर चलता है। वामपन्थी राजनीति है कमनिस–माने, प्यार करना। कमनिस माने, किसी के लिए दूध-बताशा, किसी के भाग्य में साग-भात भी नहीं–ऐसा नहीं है। लेकिन वही हुआ। असल में सब अगर मध्यवर्ग में केन्द्रित हो जाए, तो यही होता है। काली समझता है, सामन्त नहीं समझता। सामन्त के पास जाने के पहले तक बसाई टूडू इनसान रहेगा। जो इनसान भला कम्युनिस्ट है, विश्वस्त कार्यकर्ता है, यन्त्रणा से जीर्ण पड़ गया है, आशाएँ टूटने पर नया संकल्प करना कठिन है, ऐसा एक सम्पूर्ण मानव है। सामन्त अपनी कट्टर राजनीतिक थ्योरी बसाई पर अप्लाई कर बसाई को गणित के एब्सट्रैक्शन में ले जाकर छोड़ देगा। सामन्त के निकट ही बसाई यदि अंकगणित और एब्सट्रैक्शन बन जाए, तो औरों के निकट? बसाई ने इसी सामन्त के एक बार प्राण बचाए थे। एक बार और सामन्त को बम्बई जाना था, जागुला के पार्टी फण्ड में उस समय इतना रुपया नहीं था। बसाई ने तीसरे पहर पचास रुपए ला दिए। बोला, "साले का साला महादेव साउ! साइकिल बेच दी, उसके पचास रुपए से ज्यादा नहीं दिए। उसकी लॉरी का टायर केनाराम ने फँसा देने को कहा था। दिया साले गुनहगार ने।" साइकिल कई गाँवों के खेतमजूरों और छोटे किसानों ने रुपए जमाकर बसाई को खरीद दी थी। बसाई उन लागों के सुख-दुख का साथी

1. अमूर्त

था। "जिन्होंने आँखों से ऐसा कामरेट देखा। कागज पर लिखा कामरेट मालूम है, आँखों से देखा ऐसा कामरेट नहीं है। इसी से तुमको दिया। पाँव-पाँव कब से पैदल फिर रहे हो।" बसाई बोला था, "तुम सालों के पास बहुत-सा रुपया हो गया है।" पहनने के कपड़ों का किनारा खोलकर वह साइकिल पोंछता था।

बात की याद दिलाने से सामन्त सुपीरियर हँसी हँसेगा। हँसी की सुपीरियर और इन्फीरियर डिग्री में अन्तर है। काली को यह बात पहले नहीं मालूम थी। वह अपने स्वभाव से अत्यन्त नम्र, दीन था—पहले का जमाना होता तो उसे शायद असली वैष्णव कहा जाता। आजकल देखा कि वोट के वक्त या मीटिंग आर्गनाइज करने में शरीर को कष्ट होता है, यह बात कहने पर सामन्त और दूसरे लोग सुपीरियर हँसी हँसते और काली के कलेजे में हँफनी हो जाती। यह बात न मानकर अपने त्याग और आत्मदान की बात इस तरह कहते कि काली को केंचुआ बना देते। उनका शरीर मूल्यवान, आराम-विश्राम का शरीर था—काली पार्टी का सामान्य कार्यकर्ता था। उसके शरीर की हानि कोई बात नहीं। उसका त्याग, त्याग नहीं था। उसका सर्वस्व-दान कुछ न था।

काली एक्सपेंडेबल था। उसे उड़ा देने से चलता था। यथार्थ में पार्टी लेबुल से बहुत लोगों की सुपीरियर हँसी देखते-देखते आजकल काली के मन में अकेले 'जिला वार्ता' ऑफिस में एक अद्भुत व्यर्थता का बोध होगा। वह पार्टी के लिए जान दे रहा है, लेकिन पार्टी सदा उसे समझा देती है कि वह एक्सपेंडेबल है। ऐसी दशा में काली क्या सोचे? कार्यकर्ता के प्रति एटिच्यूड, पार्टी का स्वभाव क्या इस्टेब्लिशमेण्ट की तरह नहीं है? पार्टी और इस्टेब्लिशमेण्ट तो विरोधी पक्ष हैं। कार्यकर्ताओं के प्रति व्यवहार में क्या दोनों एक-से हैं? युद्ध। मरेंगे सामान्य सैनिक, नाम होगा जनरलों का। 'व्हॅट पासिंग बेल्स फॉर दोज हू डाई ऐज कैट्ल?"[1] ऐसा क्यों हुआ? इस्टेब्लिशमेण्ट को तो मनुष्य को प्यार करने का 'कॉज' नहीं था। पार्टी के लिए वह 'कॉज' था। जिसका 'कॉज' रहता है और जिसका नहीं रहता, कार्यकर्ता के प्रति व्यवहार में दोनों एक-से क्यों हैं? जो द्वैत है, वही अद्वैत है? भारत का ट्रेडिशन! काली साँतरा की हालत एक-सी क्यों रह जाती है? इस्टेब्लिशमेण्ट की सरकार में सारी बदजात नीतियों के हाथों मनुष्य लांछित होता है, पार्टी की सरकार में भी क्यों वे ही रह जाते हैं? प्रबल और हिंस्र कम्युनिस्ट-विरोध, घूसखोर, चोर-स्वभाव साधारण मनुष्य को कष्ट देने में आनन्द देता है?

उसके बाद व्यर्थता का बोध। न, न, इस तरह सोचने का अधिकार उसे नहीं है। काली साँतरा की तरह हजारों कार्यकर्ता कुछ मैटर नहीं करते। सभी कमनिस

1. जो पशुओं की मौत मरते हैं, उनके लिए घण्टे क्यों बजाए जाएँ?

पार्टियाँ ही काली साँतरा की उपेक्षा कर सकती हैं। वे पार्टी को कुछ नहीं देते। गृहस्थी का सुख, व्यक्तिगत जीवन, संसार में सम्मान के प्रलोभन का त्याग—कुछ नहीं देते। सारा त्याग, क्षमाशीलता, निष्ठा लीडरों के लिए है। ब्रूटस की तरह वे सब ऑनरेबल मेन[1] हैं। एक बार वे भी विरोधियों की तरह व्यक्तिगत स्वार्थ के लिए संग्राम का टिकिट भुनाते हैं। दल का अपने स्वार्थ के लिए उपयोग करते हैं। एक दूसरी ओर वे विरोधियों के पिता और भारतीयों में भारतीय हैं। प्राचीन भारत के आदर्श में तरुण लोगों के लिए जगह नहीं है। सारे स्थान वृद्धों के ही लिए हैं। विरोधी पक्ष 'कॉज के लिए समर्पित फाख्ता' छोकरों को ऊपर उठाता है और उन्हें नाम देता है 'तरुण तुर्क'। पार्टी वह भूल नहीं करती। मैदान में और मेनीफेस्टो में वे युवकों से डबल जोर से पुकारकर कहते हैं, 'रक्त दो।' किन्तु कार्यकाल में किसी तरह गद्दी नहीं छोड़ते। एक भी नया काडर[2] तैयार नहीं करते। एक बार जो लीडर बन गया, आज भी वही लीडर है—सिर्फ वामपन्थ में! ब्लडप्रेशर, रक्त में शर्करा, हृद्चाप—सब लेकर आज भी वे नकली दाँत और लटकती खाल लिए पद सँभाले हुए हैं। ब्रूटस की तरह ये ऑनरेबल मेन हैं।

हजारों कार्यकर्ताओं की हालत काली की तरह है। ये सब प्रश्न कलेजे में लिए तमाम लोगों को आउट ऑफ लॉयल्टी चुप रहना पड़ता है। पार्टी इमेज को रिइटरेट करके चलना पड़ता है। परिणामस्वरूप पत्नी-पुत्र-परिवार एक छत के नीचे रहते हुए भी दूर हो जाते हैं। होंठों के कोने लटक जाते हैं, चेहरे पर रेखाएँ पड़ जाती हैं, भयंकर रूप से आशाएँ टूट जाती हैं, मन का सन्ताप कलेजे में दबाकर बढ़ते रहना पड़ता है।

यह प्रक्रिया नाशकारी है। पार्टी के पक्ष में। अच्छा काडर वह मिट्टी है जिस पर पार्टी खड़ी है। काडर के मन में प्रश्न उठते रहते हैं। उस मिट्टी का कटाव होता रहता है। थोड़े-थोड़े कटाव से धरती उर्वरता खोकर नष्ट हो जाती है। निचली मिट्टी में निरन्तर मृदा का क्षरण होते रहने से पार्टी में धँसाव नहीं होगा? यह सोचकर ही काली साँतरा का मन बैठ जाता। उसके पहले काली मरना चाहता है। कार्यकर्ता के प्रति पार्टी के अन्यायी मनोभाव के फलस्वरूप खिसकाव होने से पार्टी नहीं रहेगी? पार्टी नहीं रहेगी? पार्टी न रहे, ऐसे दिन की बात काली साँतरा सोच नहीं सकता है। पार्टी सदा रहे, तुम रहो। तुम्हारे लिए मैंने अपने को कब का उजाड़ कर दिया है। वह 'सोने का बंगाल श्मशान बन गया' उसी 'जनयुद्ध' अखबार के जमाने से। मैन-मेड फेमिन इन बेंगाल। मैन मेड फेमिन। फेमिन या दुर्भिक्ष इस तरह

1. सम्मानीय व्यक्ति
2. कार्यकर्ता

का नहीं होता है। आदमी आदमी को नहीं समझता, पार्टी मनुष्य की समस्त सत्ता को लील जाती है और बदले में प्रयोजनीय स्नेह और अंडरस्टैंडिंग देना भूल जाती है। परिणामस्वरूप मानव मनुष्यों के मन में एक और ही किस्म का अकाल तैयार करता है। मिट्टी का कटाव होने से आजकल पौधे बौने रह जाते हैं।

"क्या सोच रहे हो, काली बाबू?"

"उँ...?"

"क्या सोच रहे हो?"

"अपनी बात तुमसे कहने को।"

"कहोगे?"

"ना बसाई, तुम ही बातें करो। अपनी बातें शुरू करने पर शायद बहुत-सी बातें कहूँ। कहना ठीक न होगा।"

"नाः! पहले तो तुम सच्चे कामरेट हो, उस पर बसाई ने अब दल छोड़ दिया है, बेईमान हो गया है।"

"ठहरो, अभी आया।"

"पानी पड़ रहा है, दरवाजे के उधर बैठ जाओ।"

[6]

जरूरी काम करने के बाद काली दरवाजा पकड़कर खड़ा हो गया था। आसमान में झीना अँधेरा था। शुक्ल पक्ष की रात थी। यह रात कब से काली के मन को पकड़े थी। पलताकड़ि गाँव बिजली की चमक से प्रकाशित हो रहा था। बहुत दूर तक दिखाई पड़ रहा था। गाँव के पार का सपाट मैदान। सूखे मैदान का समुद्र। पलताकुड़ि और बाकुली दो द्वीप-मात्र थे। कनाल का गर्जन था। पुराने कॉमरेड बसाई टूडू ने दल छोड़ दिया है, इसलिए उसका वक्तव्य सुनने लायक है, उसे समझाने की बात लेकर न आता तो काली साँतरा ऐसी रात न देख पाता। नवीन गड़ाई, मोतीदास—इन दो पुराने पार्टी-कार्यकर्ताओं को पहले भेजा गया था। बसाई ने साफ कह दिया, 'कोई बात ही नहीं।' इससे नवीन और मोती बहुत घबरा गए और जल्दी जागुला लौटकर सामन्त को रिपोर्ट दी। तब सामन्त काली के पास आया और बोला, "कॉमरेड! बसाई के पास चले जाओ। बसाई नक्सल हो गया है, यह खुद कहे।" अगर कहे, तो क्या करना होगा—काली के इस परेशानी-भरे सवाल के जवाब में सामन्त सुपीरियर आवाज में बोला, "तब पार्टी जो समझेगी वही करेगी।"

इस तरह 'पार्टी' शब्द उच्चारण करने से लगता कि पार्टी शब्द के अर्थ होते हैं 'अदालत'। 'कोर्ट विल डिसाइड'[1] –बसाई अपराधी है या निरपराध? दण्डनीय है या नहीं? इस तरह 'पार्टी' कहने से लगता जैसे कि पार्टी इनसानों से नहीं बनी है। सामन्त बसाई, काली–हर-एक, हर-एक को मानो पहचानते न हों। लेकिन आज की रात बहुत सुन्दर है। याद रखने लायक है। वर्षा। मिट्टी सोंधी हो रही है। रजस्वला। जेठ में गर्भ में आमन[2] का बीज धारण कर सकेगी। बसाई अगर पार्टी में लौट आता! सब गलतियों की सफाई हो जाती! बसाई पार्टी में वापस आता! लेकिन बसाई अब न आएगा। स्टैट्यूटरी मिनिमम वेज फॉर एग्रीकल्चरल लेबर[3] के छह शब्दों की प्रशासन और पार्टी उपेक्षा कर रहे हैं। लेकिन ताज्जुब हुआ कि बसाई नक्सलवादी नहीं हुआ। सामन्त को विश्वास नहीं कराना पड़ेगा। जो जानता है, उसके सिवा भी कुछ हो सकता है, इसे सामन्त सोच भी नहीं सकता। सोचना नहीं चाहता। जो सोचने से सुविधा हो, सामन्त वही सोचता है। बहुत लोगों की राय। जो सोचने से मन नामक पृथ्वी की परत पर तोड़-फोड़ हो और नया स्तरचित्र बनाना पड़े, वह सब सोचने को सारे इनसानों की तरह सामन्त भी अलग रहता है। बसाई ने जब पार्टी छोड़ी थी, तो सुना जाता है कि बीरू पाठक के साथ उसकी मुलाकात हुई थी। बीरू जब नक्सलवादी है, बसाई बहुत ही जरूरी काम से खेतमजूरवाले गाँवों में घूम रहा है, तो बसाई निश्चय ही नक्सलवादी हो गया है। काली समझता है कि बसाई नक्सलवादी नहीं हुआ। जमींदारों के धान काटकर न्यूनतम मजदूरी नहीं मिलती, मजदूरी माँगने पर जमींदार काटनेवालों को लाकर सरकारी मदद से धान कटा लेता। यही यन्त्रणा और अन्याय बसाई का महाविश्व था। चीन का मार्ग और चेयरमैन का पथ, उसका चेयरमैन न था। बाहरी आइडिया उसने जो सीखा था वह समझता है, उसका वह त्याग करना चाहता है। नक्सलवादियों की मदद से उसका काम होने से वह मदद लेगा। लेकिन उसका अपना संग्राम जितनी दूर कहेगा, उतनी दूर रखेगा, उससे अधिक नहीं। इस बात का सामन्त को विश्वास नहीं कराया जा सकता। सामन्त को ये सब बातें समझाना सम्भव नहीं है। दीर्घ पार्टी-राजनीतिक जीवन ने सामन्त आदि के मन में इम्यूनिटी[4] की दीवार बना दी है। वह दीवार चीन की दीवार की बाप है। वह दीवार मन में रहती है। है, इसी से सामन्त किसी भी तरह दूसरों का स्वतन्त्र मतवाद मन में घुसने नहीं देगा। कहेगा, 'बसाई नक्सलवादी है।'

---

1. अदालत फैसला करेगी
2. हेमन्त की फसल
3. कृषि-मजदूरों के लिए कानूनन न्यूनतम मजदूरी
4. प्रतिरोध

बस, बसाई को तब अलग कर देना होगा और नक्सलवादियों के लिए जो व्यवस्था है, बसाई के लिए भी उस एक ही व्यवस्था का सहारा लेना पड़ेगा—सोचने पर भी काली को बहुत खिन्नता हुई। सामन्त कहेगा कि बसाई नक्सलवादी है। केवल बसाई और काली असली बात जानते हैं। और किसी को मालूम न होगा। इस प्रकार का अन्याय शायद प्रायः ही होता रहता है। काली को बहुत खिन्नता हुई।

बहुत, बहुत-सी विरोधी-शक्तियाँ हैं। काली साँतरा इतने लोगों से कैसे लड़ सकेगा? बसाई के-से लोग क्या गलत समझे जाने के लिए ही पैदा होते हैं? किन्तु बसाई की बात बिना सुने-समझे उसे खोना होगा। उसके बाद उसे बिना समझे, वह जो नहीं है, वह कहकर, उसका प्रचार कर, सुविधा के अनुसार व्याख्या रेकॉर्ड कर रखने से किसका नुकसान है? बसाई टूडू का? या व्याख्या करनेवालों का? कहाँ मिलेगा भविष्य का रिसर्च अनालिस्ट[1], जो मिथ्या को हटाकर सत्य को रेकॉर्ड करेगा? दुनिया में कितने सत्य इसी तरह प्रशासन की चेष्टा से मिथ्या रेकॉर्ड होकर बने रहते हैं? प्रतिदिन क्या ट्रुथ-असैसिनेशन[2] नहीं चलता रहता है? दुर्घटना, जुलूस पर गोलियाँ, आन्दोलन-दमन—सब बातों में क्या हर रोज झूठ को सच कहकर रेकॉर्ड नहीं किया जा रहा है? उसके लिए कौन क्या कर सकता है? न, न, काली ये सब बातें क्यों सोच रहा है? बसाई क्या 'अतीत' हो गया है? बसाई तो सामने है। काली के सामने।

बसाई ने दोनों हाथों से हवा का गला मरोड़ा। काली, पुष्ट, छोटी-छोटी उँगलियाँ मुड़ गईं। बार-बार। मुद्रा-दोष देखने लायक था। काली साँतरा समझ गया कि रात धीरे-धीरे उसके जीवन की सबसे मूल्यवान रात हो गई है।

बसाई बोला, "मेरा मन टूट गया। फिर भी कहूँगा—खेतमजूरों को कमनिस पार्टी, सी.पी.आई. ने कुछ मदत दी। तुम सोचो, काली बाबू। सच्चे कमरेट तुम हो। और कोई नहीं। नाः। उनके भी हो। उन्होंने खूब, खूब भारी मदत दी। हुगली में हरिपाल का नाम जानते हो?"

"पहचानता हूँ।"

"कैसा आदमी है, काली बाबू?"

"कैसा माने?"

"तुम-सा क्या वह आधा-सान्ताल है? खेतमजूरों की लड़ाई में कितनी बार जेहेल गया, कितने फौजदारी मुकदमे पुलिस ने उसके नाम लगाए। लेकिन पीछे नहीं हटा।"

---

1. छान-बीन कर विश्लेषण करनेवाला
2. सत्य की हत्या

"वह तो कानून के पथ पर लड़ता है, बसाई।"

"क्या बूझे? मैं कानून से अलग पथ पर गया?"

"तुम क्या करोगे, वह तो मैं नहीं जानता।"

"तभी तो कहता हूँ, हरिपाल आधा सान्ताल है। आईन के पथ पर चला, पुलुस लेकर धान कटाए, जमींदार की बात पर विश्वास किया, फिर जेल काटी—ऐसे काम नहीं होगा।"

"तुम बताओ।"

"चलो, बाहर चलो। पानी रुक गया है। वह देखो, चाँद दिखाई दिया, चलो। तुम्हें कनाल दिखा लाऊँ।"

"चलो।"

"अब रात कितनी रह गई?"

"चार बज रहे हैं।"

"चलो।"

वे लोग कोठरी से निकले। मुसई की कोठरी में आदमियों की सुगबुग थी। बसाई ने पुकारकर कहा, "विहान हो रहा है, माझिन। उठ पड़ो। हम कनाल की ओर घूमकर आते हैं, आकर चा पिएँगे। मूड़ी है, या ले आएँ?"

"है।"

मुसई की पत्नी ने जोरों से कहा। काली को फिर भी लगा, मुसई टूडू की माझिन की आवाज बड़ी मीठी है। तमाम औरतों की-सी बड़ी मीठी। मुसई का आँगन पार कर उन्होंने गाँव की राह पर पाँव बढ़ाए। आँगन में पानी, राह में पानी था। बसाई बोला, "जितना पानी देख रहे हो, सब बह जाएगा। तब और भी पानी होगा। बादल उमड़ रहे हैं। हो, पानी हो। सूखा, अकाल, बाढ़—ये तीन चोटें हर बरस मिलती रहती हैं। पर सूखा इस साल से तीन साल पहले हुआ था। हमारी माझिनें पानी के लिए नदी की बालू में थोड़ा टेढ़ा कर उँगली धँसाती हैं।"

"कनाल है न?"

"यहाँ है। चरसा में? जागुला में? बनाटी में? कदमकुआँ में? कहाँ जल नहीं है? चरसा नदी आसरा है।"

भोर का प्रकाश फूट रहा था। चराचर तर हो रहे थे। वर्षा और धरती के आकुल और भूखे मिलन के बाद भोर की शीतलता में धरती सो रही थी। खोयाई[1] और ताड़ के पेड़ों के बीच-बीच में मटमैले पानी का स्रोत था। वे लोग कनाल के किनारे आकर खड़े हो गए। पानी ही पानी था। बसाई बोला, "इतना पानी, वहाँ

1. नदी का नाम

भी आकाश के पानी में खेती है। साला सूर्य साउ न देगा कनाल-कर, न लेगा जल।''

''जहाँ कनाल है, वहाँ जमींदार पानी लेने को विवश हो—ऐसा अगर एक कानून होता।''

''ब्बाप रे! वे कर सकते हैं? सारे जमींदार सरकार के खूँटे हैं, जमींदार के खूँटे हैं बटाईदार किसान। खेतमजूर का नहीं। कनाल-कर लेकर खेती क्यों बढ़ाएँगे? कम खेती में जोतदार को दुगना फायदा होता है। खेती कम होगी। बटाईवाले किसानों को कम मिलेगा। खेतमजूर नंगे रहेंगे। इससे साल-भर कर्ज देगा, सूद लेगा।'

''कर्ज-मौकूफ करने का कानून आज नहीं, कल बनेगा।''

''उस पर जमींदार हँसेगा। कानून का कानून बन गया, सरकार को उसका पता नहीं चलेगा! कर्ज जिस खाते में लिखा रहता है, उस खाते को अदालत किसी दिन देख सकेगी? जमींदार कर्ज पर सूद लेता है, इस पर कोई बेटा जमींदार के नाम पर केस करेगा? जो जमींदार है, वही महाजन है। साल-भर नंगा किसान उसका रुपया खाता है, धान खाता है।''

''यह भी सच है।''

''वह कानून बना नहीं, इसी से इतना झंझट है। जमींदारों का घमण्ड, ऊँची जातवालों का घमण्ड—ना काली बाबू, वैसी किसान-सभा होती, कमनिस-किसानों का फरण्ट, तो उससे हम सबको बल मिलता। जमींदार, बड़े किसान, मँझोले किसानों को कोई खफा नहीं करेगा—न यूनियन, न फरण्ट, सरकार भी नहीं—मेरा दिल टूट गया है।''

कनाल के पानी में गर्जन था। बसाई के बाल उड़ रहे थे।

''बात करो, बसाई। मुझे लौटना होगा।''

''साँझ को जाना। लॉरी पर चढ़ा दूँगा। आज गढ़ैया में नहाओ, कनाल की मछली खाओ।''

''साँझ बीतने पर भी तो जाना पड़ेगा?''

''जाओ। फिर तो आना होगा।''

''क्यों?''

''वाः, सामन्त बाबू मेरा कटा सिर देखना चाहेंगे न?''

''ना, सामन्त को और काम है।''

''ना क्या! भुइयाँ ने कांग्रेस में कहा—चार ठो बस-परमिट लूँगा, उसके लिए उसका कटा सिर पहले लूँगा।''

काली चौंक पड़ा। बसाई की आँखों में और चेहरे पर मुस्कुराहट थी। बसाई बोला, ''क्यों? चौंका दिया न? जानते हो काली बाबू, परमिट के झगड़े में पार्टी के

रतन ने भुइयाँ का खून कर डाला, इसके लिए सामन्त की तबीयत अब उसका कटा सिर चाहती है। मैं कमरेट था, कमरेट का दिमाग किस फिकर में चक्कर खाता है, वह कमरेट को मालूम न होगा? लेकिन उन्हें मरवाने से आग भड़केगी, खून बहेगा—उससे पार्टी के नंगे कमरेट और मरेंगे। लीडर सामन्त बाबू को उससे क्या?''

''वह सब बातें रहने दे, बसाई।''

''यह मालूम हुआ, जो कहा वह सच है। यह अच्छा नहीं है। मैंने ये बातें कहीं, सामन्त बाबू यह जानकर कहेंगे—बसाई कांग्रेसी हो गया है।''

''नहीं भी कह सकते हैं।''

''उससे मुझे क्या? पर उस सामन्त से पार्टी का नाम डूबेगा, मैं यह भी कहे देता हूँ। तुम देख लेना।''

''उससे तुम्हें और कुछ आता-जाता है?''

''नाः! चलो, उधर बैठें।''

उस समय भी भीगे, औंधे लेटे हुए आदमी की पीठ की तरह दिखाई पड़नेवाले एक पत्थर पर वे बैठ गए। यह जगह बड़ी अजीब थी। लाल मिट्टी के चूरे के बीच-बीच में काले-काले पत्थर थे। पच्छिम की ओर जाने पर क्रम से अधिक पत्थर थे। बीच-बीच में जंगल की बेल्ट[1] थी। मोर एण्ड मोर ट्राइबल विलेजेज।[2] काली ने कभी होमवर्क किया था। गोकुल बाबू को सब मालूम था। बसाई ने गोकुल बाबू से सीखा था।

दोनों बैठे। सूर्य निकला। पहली धूप पाकर गीली मिट्टी से भाप उठी। बसाई बोला, ''खेतमजूरों को लड़ाई में उतारकर देखा, एम.डब्लू. हो रहा है। बरस-के-बरस लेबर डिपाट एम.डब्लू. बढ़ाए दे रहा है। लेकिन हमें एक पैसा नहीं मिलता। स्वतन्त्रता के बाद कानून ने तो बुरी बात नहीं कही। बटाई के किसानों को दो हिस्से देने की बात भी। किसान-सभा ने उधर ध्यान नहीं दिया। उस समय किसान-सभा की लड़ाई हुई, बटाई के कसानों को उजड़ने नहीं देंगे। बटाई के लोगों ने जिसके लिए लड़ाई लड़ी, वह तिहाई डूब गई। उस बात को अलग रखकर लड़ाई हुई, बटाई को उजड़ने नहीं देंगे। यह किसान-सभा खेतमजूरों की बात सोचती है? स्वतन्त्रता होने पर मोगा कानफरेंस तक ही हिसाब रहा। खेतमजूर की बात नहीं करेंगे। किसान-सभा मुँह से जो कहे, 'किसान एकता जिन्दाबाद' स्लोगन के अन्दर दूसरी बात है। खेतमजूर का अधिकार चाहने पर धनी किसान-मध्यम किसान बिगड़ जाएँगे। उनकी एकता के लिए किसान-सभा चलती रही। छोटे किसान, दो बीघे

1. पट्टी
2. और अधिक जनजातीय गाँव थे।

के किसान, महाजन की जमीन पर खेतमजूर बन रहे हैं, काली बाबू।''

''यह बात तो हो गई।''

''और बताता हूँ, झूठ नहीं है। यह बात तुम्हें समझाता हूँ, कानून होने पर भी चारा नहीं, इसके पीछे यूनियन नहीं थी। यूनियन रहने पर भी नहीं होता, काली बाबू। यूनियन का जोर बेकार होता है। हुगली में हरिपाल बाबू ने दो पैसे की लड़ाई की थी, पता है? पाट धोने-पटकने के लिए खेतमजूर को मिलते थे अट्ठाइस पैसे, उसके लिए लड़कर तीस पैसे किए। बड़ा झगड़ा हुआ। तुम कहते हो, यहाँ पैसे में फायदा नहीं है, लेकिन जो लड़ते हैं उनके कलेजे को बल मिलता है। दो पैसे में कितना खून बढ़ता है? दो पैसों में आज धान-चावलों के बाप के घर बीरभूम-बर्धमान में एक मुट्ठी चावल मिलता है? मिर्च मिलती है? साग मिलता है?'

''फिर रास्ता कौन-सा है?''

''तुम लोगों का रास्ता नहीं।''

''नक्सलवादियों का रास्ता?''

''देखता हूँ कि नक्सल नाम तुम्हारे माथे में घुस गया है। तुम जो कुछ हो वह तुम जानते हो, वही राह पकड़नी होगी। सी.पी.एम. नहीं, सी.पी.आई. नहीं, न नक्सल। यह पथ बसाई टूडू-पथ है।''

''क्या पथ?''

''जिससे काम होगा। कानून की ओर जाने से जहाँ काम होगा वहाँ कानून। जहाँ कानून का अँगूठा जमींदार दिखाएगा वहाँ उँगली टेढ़ी करेंगे। नक्सल मुझे मदत देते हैं तो मदत लूँगा। तुम दो, तो लूँगा।''

''क्या करोगे, तुम क्या करोगे, बसाई?''

''क्यों?''

''तुम अकेले हो।''

''कौन कहता है, मैं अकेला हूँ?''

''अकेले नहीं हो?''

''नाः।''

''कहाँ है तुम्हारी बेस, कहाँ है तुम्हारा काडर?''

''वे रटी बातें छोड़ो। पर याद रखो, हम नक्सलियों की गलती नहीं करेंगे। जिससे लिए लड़ाई है, उन्हें समझाएँगे नहीं—उन्हें मारना नहीं सिखाएँगे—पुलिस गाँव में आने पर सारे घर जला देगी—सबको मारेगी—जमींदार को मारकर पुलिस नाचकर गाँव को लहास से पाट देगी—वहाँ बसाई नहीं है।''

''उनकी राह में तुम्हारा विश्वास न रहने पर भी..?''

"प्रचारित कर देंगे, बसाई नक्सल हो गया। उससे मेरा क्या?"

"उन लोगों को मालूम है कि तुम्हारा उनके बारे में क्या भाव है?"

"नाः काली बाबू। वे मरना जानते हैं। इस तरह मैंने किसी को मरते नहीं देखा। तुम नहीं समझोगे। तुम बिना लाठी का आन्दोलन, अहिंसक आन्दोलन जानते हो—उन लोगों को यह नहीं मालूम। उनके साथ हमारा कोई झगड़ा नहीं है।"

"ऐसे अच्छे-अच्छे लड़के, और ऐसी गलत राह पर!"

"मैं सान्थाल हूँ। कैसे जानूँ, कौन ठीक कर रहा है, कौन गलत कर रहा है? तुम्हारा सोवियत का पथ ठीक है, उन लोगों को चीनी राह गलत है, यह किचकिच मैं नहीं समझता। जितनी गलती है, सब उन लोगों की है। तुम जो उनको सूअर की तरह छेदकर मारते हो, वह गलती नहीं है न? नाः, तुम तो गलती करना जानते ही नहीं!"

"बताओ, क्या कहूँ?"

"कुछ कहने से फायदा नहीं, काली बाबू! उन्नीस सौ तिरपन में एम.डब्लू.। उनसठ में रिवीजन।[1] अब सत्तर साल है। अड़सठ का रिवीजन अब भी चल रहा है। मरद तीन रुपए चौवन पैसे, औरत को तीन रुपए सत्ताईस पैसे—टोक-टाक करने पर दो रुपए दो पैसे। हाथ में क्या आया? आठ आना—दस आना—एक रुपया अस्सी पैसे—वह देने के वक्त भी छिपा खाता निकलता है। उसमें अँगूठा-निशानी किसने कितना लिया, किसके हिस्से में कितना कटेगा! जानते हो, हमारे-तुम्हारे राज में खेतमजूर कितने थे? सैंतीस लाख से भी बेसी। सैंतीस लाख से बेसी खेतमजूरों को सरकार का घोषित रेट नहीं मिलता, उसमें कमनिस-किसान फरण्ट का कुछ आता-जाता नहीं। अब सत्तर साल है। बसाई को गालियाँ क्यों मिल रही है? जाओ, जाकर मीटिन बुलाओ। बात चलाओ। कहो, सब जमींदारों को खेतमजूरों को एम. डब्लू. देना पड़ेगा। अच्छे कमनिस हो तुम लोग! जमींदारों से कुछ कह नहीं सकते; या तुम जोतदारों का हक ज्यादा समझते हो? कानून पास कराया, चालू नहीं किया?"

इस बात से काली साँतरा के मन में आश्चर्यजनक परिवर्तन हुआ। बसाई खफा हो गया है, बात-बात में हवा का गला मरोड़ रहा है। धूप में तेजी नहीं थी। फटे और चमकते बादलों के बीच-बीच में मैली धूप थी। ठण्डी हवा चल रही थी। चराचर जाग उठे थे। कनाल का जल महान उल्लास में फेनिल हो रहा था। रामचिरैयाँ झपट रही थीं। उससे पता चल रहा था कि कनाल में मछलियाँ हैं। नहीं तो सफेद फेन और मटियाले पानी में मछली कहाँ हैं, इसका पता नहीं चलता। कनाल दूसरी योजना में बनी। कागज के हिसाब से 'यह सिंचाई की नहर दोनों ओर, तीनों ओर तीन

1. संशोधन

सौ एकड़ जमीन को पानी से सींचती है।' लेकिन सच्चे और विवेकी जिला-हाकिम और बी.डी.ओ. का पराजित मन्तव्य है कि जमीन जमींदारों के अधिकार में है। जमींदार सिंचाई के लिए पानी लेने को राजी नहीं हैं। बटाई के किसानों या अधिया से ज्यादा धान पैदा कर बहुत धान होगा। उससे जमींदार के स्वार्थ की हानि होती है। कम धान पैदा होने से बटाई के और दूसरे खेतमजूर–सब मुसीबत में रहते हैं। जो जमींदार है, वही महाजन है। आदमी उससे रुपए और धान उधार लेता है। चक्रवृद्धि ब्याज जमींदार और महाजन की लक्ष्मी होते हैं। और कनाल-कर की दर छोटे किसान या मँझोले किसान के बस की बात है कि वह कर देकर पानी ले?

बसाई गुस्सा हो गया, उससे काली बोल न सका, बसाई की बातों में वह आज का इतिहास सुन रहा है। जो कुछ हो रहा है–होनेवाला वर्तमान। प्रेजेण्ट कण्टिनुअस। आज काली को पता है कि विभिन्न प्रान्तों में भले कार्यकर्ता आदिवासियों से एक ही प्रश्न सुनते हैं। उनका दुख और क्रोध 'फरण्ट' पर है। कमनिस नाम से उन्हें आशा थी। 'कांग्रेस' नाम से न थी। इसलिए उनका कहना है कि 'फरण्ट' अब जमींदारों के स्वार्थ की रक्षा कर कृषक आन्दोलन में मदद दे रहा है। चाहने पर पीड़ित किसान, या खेतमजूर या अधिया, या बटाई के किसानों को पुलिस का पहरा नहीं मिलता, उनके विरोधी जमींदारों को मिलता है। आदिवासियों का कहना है कि नक्सलवादी उन्हें मदद देते हैं, तो वे मदद लेंगे। जो दे, वही मित्र है। आदिवासी लोग तो 'फरण्ट' दाएँ-बाएँ–दोनों हाथ बढ़ाकर मदद देने से 'ना' नहीं करते? ना नहीं किया?

बसाई सम्भवतः ईश्वर अथवा साइंस-फिक्शन का सर्वज्ञ प्राणी था। वह बोला, "मैं नक्सल नहीं बना। फरण्ट ने जो चोट मारी, उससे फिर पढ़े-लिखे बाबू लोगों की राह पर अन्धे की तरह नहीं जाऊँगा। किन्तु जहाँ सानूताल-उराँव-मुण्डा-बाउरी-तिउर-केउट नक्सली हो गए, क्यों हो गए? तुम राग-विवाद भूलकर विचार कर देखो। समझना चाहोगे तो समझ सकोगे। किन्तु काली बाबू, फरण्ट तो समझना नहीं चाहता, अदालत की ओर से फैसला देता है, फाँसी का हुकुम देता है।"

"हाँ।"

"किन्तु करने पर कर सकते थे। लोहा गरम था, हथौड़ी मार सकते थे। मारी नहीं। नक्सल गरम लोहे पर हथौड़ी मारते हैं। खुद मरने से नहीं डरते, उन्हें सब रिस्पेक्ट देंगे। तुम जो मरने से डरते हो, तुम नहीं दोगे।"

हाँ, लोहा गरम था। स्वाधीनता के बाद चौबीसवें बरस में। ट्राइबल वेलफेयर कमेटी के बाद कमेटी। दो-चार साँउताल या अन्य आदिवासी नाम प्रशासन में हैं। स्वाधीनता की विशाल, महान कीर्ति है। ग्रेट, ग्रेट, ग्रेट अचीवमेण्ट! हिसाब लगाने

पर देखा जाएगा, यह सब बसाई की भाषा में 'शिक्षित, पास किए सानताल-उराँव'—सभी मिशनरी की शिक्षा-व्यवस्था के अवदान हैं। इन्हें नमूने की तरह उठा-उठाकर दिखाया जाता है। जिन्हें नहीं दिखाया जा सकता उनकी हालत चौदह परतों में दबी रहती है। इसलिए उन्हें वंचित रहना पड़ता है—लोहा गरम था।

गरम था लोहा। हरिजन अत्याचार निवारिणी संस्था—भारत के संविधान में छूत-अछूत और जाति-भेद नहीं है। लेकिन ऊँची जाति के सिवा नीची जातिवालों को दिन के अन्त में आज भी अन्न, सिर पर पत्तों की छत नहीं मिलती। 'भारत का गरीब आदमी रिसर्च का विषय है। किस बात की रिसर्च? कितना कम खाकर, सरकार से कितना कम पाकर इनसान जीवित रह सकता है! आश्चर्यजनक देश है।' बाँकुड़ा-पुरुलिया-उड़ीसा में आमानि[1] बिकता है। भात के होटलों की कच्ची नालियों से इनसान माड़[2] इकट्ठा करते हैं। बहुत गरम था लोहा। मोल्टन आयरन[3]। अमरीका-सोवियत का मित्र सागर-पर्यन्त भारत है। लेकिन किसी ने हथौड़ी नहीं चलाना चाही। रिजल्ट[4] है बसाई टूडू।

"कहो, नक्सल कहो, कोन्—ओ दुःख नहीं। हम जब बने नहीं, तो जो चैलेन[5] देते हैं, वे टेररिस[6] कहते हैं, कांग्रेसी कहते हैं। सो बाद में कांग्रेसी कहते हैं, चैलेन करते हैं, ये कमनिस हैं। आज फरण्ट कहता है, ये नक्सल हैं। मुझे भी कहोगे। कोई दुःख नहीं, सब अन्धे बन गए हैं, उन्हें कौन समझाएगा?"

"इस बात के जवाब में मैं जो कहूँगा, बसाई...हाँ, तुमने ठीक कहा। ठीक कहा।"

"और बात क्या है, काली बाबू? रसूल की किताब मुझे रोज पढ़ाई। उसमें तो फरण्ट की सारी बात मानी गई है।"

"हाँ।"

रसूल की किताब। काली साँतरा का होमवर्क। 'खेतमजूरों' की विशेष माँगें लेकर आवश्यक आन्दोलन और संगठन नहीं हुआ, उसका कारण लगता है—किसान-सभा का नेतृत्व और कार्यकर्ताओं की नैतिक कमजोरी, खेतमजूरों के वर्गगत हित के महत्त्व को मानने में उनका मानसिक और सामाजिक विरोध।' रसूल की किताब। उसी एक ही किताब में, एक ही अध्याय में है, 'बड़े और

1. पानी जिसमें रात-भर भात भिगोया जाता है
2. उबले चावल से निकाला पानी
3. पिघला लोहा
4. परिणाम
5. चैलेंज—चुनौती
6. टेररिस्ट—आतंकवादी

मझोले किसानों के स्वार्थ की रक्षा के काम की कृषक-सभा उपेक्षा नहीं कर सकती।' उसके बाद है, "गरीब किसान ही कुल किसानों का बारह आना भाग है और वे ही भूमि-क्रान्ति की प्रधान शक्ति हैं।"

"काली बाबू, सामन्त से तुम क्या कहोगे?"

"कहूँगा, बसाई ने नक्सल के लिए पार्टी नहीं छोड़ी। पार्टी छोड़कर भी नक्सल नहीं बना। खेतमजूर की माँगों को बराबर उपेक्षित होते देखकर बसाई पार्टी छोड़ गया।"

"क्या कर रहा हूँ मैं, अगर पूछा?"

"कह दूँगा, पता नहीं। मुझे नहीं बताया।"

"ठीक।"

"एक बात है।"

"क्या?"

"मुझे तुम जानते हो?"

"उससे क्या?"

"मैं जो हूँ, वही रहूँगा।"

"पता है।"

"कभी जरूरत होने पर काली साँतरा को बताना होगा।"

"लो, बताऊँगा नहीं? उठो, माझिन ने चा बना दी होगी।"

लौटते-लौटते बसाई बोला, "इस कनाल से इस हिस्से में आग लगेगी।"

"क्यों?"

"तुम देख लेना।"

"सच?"

"हाँ, चलो, चा पीकर तनी सो लो।"

"तुम क्या करोगे?"

"मुसाई के बच्चे, गाँव के सारे बच्चों से कहता हूँ, कनाल से माछ मारूँगा।"

"जाल फेंकोगे?"

"उस बड़ी-सी धार में जाल?"

"बंसी तो काम ही नहीं करेगी।"

"टेंटा[1] मारूँगा। कलमट[2] के नीचे बड़े-बड़े पत्थरों के ढेर डाल दिए हैं। उसमें माछ रुकेंगी।"

---

1. मछली मारने की बर्छी
2. कल्वर्ट—पुलिया

"कह क्या रहे हो?"

"बुद्धि लगानी होती है, काली बाबू। यह क्या 'जिला वार्ता' छापने का काम है? मैं छापूँगा अखबार और घर जाकर खाऊँगा भात।"

बसाई चारों ओर देखकर बोला, "जब आया था तो यहाँ कितना जंगल देखा था। जंगल काटकर बाँस महँगे हो गए। फरेस डिपाट[1] बन लगा रहा है फिर भी बन नहीं लग पाता।"

"लगाए थे?"

"खरहा, गोह मिल जाए। खाकर जान आए। हमें कुछ पोटीन[2] खाने को नहीं मिलती। तभी कहता हूँ, गेहूँ लाकर आधे तोड़कर पकाकर खाओ। इन हरामियों को तुम नहीं जानते। कोई साला नहीं खाएगा।"

"मछली पकड़ना देखने मैं भी चलूँगा।"

"हाँ, देखो, बादल उमड़ रहे हैं। आः! पानी पड़ेगा। मेघ गए नहीं, वह देखो, चीलें चक्कर लगा रही हैं।"

चाय और मूड़ी खाकर वे कनाल की ओर मछली पकड़ने जाते हैं। मुसाई का छोटा बेटा सीधा पाँच बरस का था। वह जाने के लिए रो पड़ा। बसाई ने उसे कन्धे पर बैठा लिया। बोला, "दुनिया में आते ही नाम दिया सीधा। जिसका नाम हो सीधा, वह राह दिखाएगा, उसी को पकड़कर चलना होगा।"

कनाल के पानी के नीचे पत्थर थे। टेंटा फेंककर बसाई फुर्ती के साथ मछलियाँ पकड़ रहा था, और बच्चों को पानी में उतरने पर डाँट रहा था। काली के पूछने के लिए आँख उठाने पर बसाई बोला, "रात की बरखा में कनाल का पानी कच्चा हो जाता है। यहाँ उतरने पर बच्चों को ठण्ड लग जाएगी।" काली ने देखा कि बसाई की आँखों और चेहरे पर पानी के छींटे थे। उसे लगा, वैसी बात नहीं है कि साँउताल होने ही से बसाई इस तरह एक टोटल पर्सनालिटी हो गया हो। जो जीवन के प्रत्येक स्तर से शिक्षा और जानकारी लेकर, काम में लगकर सब लोग जो नहीं कर सकते, बसाई वह कर सका है। बसाई आँखें मिचकाकर हँसा। मछलियाँ कम नहीं मिली थीं, कुल छोटी-बड़ी मिलाकर पाँच थीं। मछलियाँ लेकर सीधा और दूसरे लोग भाग चले। सीधा पैर टेढ़े कर दौड़ने लगा। बसाई बोला, "हमारा लीडर सीधा जनम से ही बीमार है। माझिन के दो हुए। नाम दिया–सीधा और कानू। कानू तीन बरस में क्रिमिज्वर में भागनादिहि के मैदान में गया। इस सीधा के पैर लड़खड़ाते हैं।"

---

1. फॉरेस्ट डिपार्टमेण्ट–वन विभाग
2. प्रोटीन

"अस्पताल में दिखाओ।"

"अस्पताल में उसे दिखाऊँ, या माझिन को दिखाऊँ? उसे भी इन जाड़ों में मिशन के अस्पताल में ले जाऊँगा।"

"अच्छे हो सकते हैं।"

"घर में माझिन टोका-टाकी कर मुसीबत किए रहती है। इसी से मैं उस राह नहीं गया।"

"उस बार तो लगा था कि तुम भी..."

"न–हीं। हमारी लड़कियाँ, तुम्हारी लड़कियाँ सबूत हैं। किन्तु मेरे साथ चल नहीं सकती थीं।"

"कोई मिली नहीं?"

"चाहने पर मिल जाती। सो उस लड़की ने मुझे चाहा नहीं। साली जाकर दुलना से बियाह कर बैठी। बहुत लड़ाकू औरत है।"

"क्यों कमरेट, मेरी बात कह रहे हो?"

थोड़ा भारी हँसी से उछलता गला। काली ने चौंककर पीछे देखा। आकाश और खोयाई नदी की पृष्ठभूमि में जैसे उसका हो, इस तरह रानी की भंगिमा में एक सन्थाल स्त्री खड़ी थी। वयस होगी छब्बीस बरस। बहुत काली, बहुत असभ्य, बहुत सुन्दरी।

"यह कौन है? जागुला का तेरा कमरेट?"

"हाँ। देखो काली बाबू, यह लड़की दोपदी है। दोपदी माझिन। इसकी माँ कह गई कि मुझे देगी; इससे इसने भागकर दुलना माझी से बियाह कर लिया, मैं बूढ़ा हूँ न।"

द्रौपदी इस बात पर खिलखिलाकर हँस पड़ी। उसके बाद बोली, "दुलना और मैं कमाते हैं जी, आ–ठ रुपए।"

"कहाँ चोरी की?"

"सोड़ेन की पिटाई की थी। पुलुस जीप लाएगा सोड़ेन, वह घायल हो गया था। वह उ–धर।"

"वह कहाँ है?"

"चावल-मछली लेकर मुसाई के घर गया है।"

"चल, आ रहा हूँ।"

"सुनो कमरेट, आज से केनाराम लारी चलाएगा।"

"उसे सूर्य साउ ने फिर ले लिया?"

"हँ।"

द्रौपदी गाँव की ओर चली गई। बसाई बोला, "केना की लारी में तुम चले जाना। लारी झपताली तक जाएगी। वहाँ से जागुला के लिए हर घड़ी बस मिलती है। जाने में असुविधा नहीं होगी।"

"अब झपताली...?"

"हाँ। मिलटरी की आढ़त हो गई है। तुम अच्छा कारबार करते हो। नक्सलों को खेदने के लिए आर्मी आई है।"

इस बात के बाद बसाई ने जो आचरण किया वह बिलकुल उलटा था। काली का पैर पकड़ खींचकर कनाल में उतारा। बोला, "मैं पानी में हूँ। तुम किनारे पर खड़े देखोगे? लो, डुब्बी लगाओ।"

"बसाई, धार...!"

"तुम डूबोगे नहीं, काली बाबू। मैं हूँ।"

पानी में गिरने के पहले काली की समझ में नहीं आया कि उसे कितना अच्छा लगेगा। बड़ा ठण्डा पानी था। वे तैरकर धार के ऊपर गए, उतराव में डुबकी लगाते लौट आए। तैरते-तैरते बसाई बोला, "डॉक्टर कमरेट मुझसे कहता था, मुझे पोटीन[1] नहीं मिलती। सो कनाल में इधर-उधर छोड़ दिया है। फिशरी डिपाट[2] ने मछली छोड़ दी हैं। सब खाते हैं। हम भी खाएँगे। कनाल को यहाँ के लेबर से नहीं बनवाया है, पता है? बाहर का लेबर लाए थे? बाद में बहुत फाइट करने से हम लोगों को भी लिया।"

बसाई की पकड़ी मछलियाँ, द्रौपदी का कुम्हड़ा और चावल, मुसाई की बहिन और बहिन की ननद की लाई अरबी, हर घर से लाया चावल, खेसारी की दाल, कुम्हड़ा, अरबी, प्याज, एक लौकी–काफी, काफी भोजन था। पलताकुड़ी एकदम सन्थाल गाँव था। औरतें खाना पकाते-पकाते गीत गा रही थीं। एक-दूसरे की जुएँ बीन रही थीं। बसाई जोरों से बोला, "औरतो, झींगुरों की तरह क्यों चें-चें कर रही हो? हम बाबू कमरेट हो गए हैं, तुम लोगों की सान्थाली चिल्लाहट नहीं सुन पाते।"

"तब तू गा न!"

"काली बाबू गाएँगे।"

"ना बसाई, ना।"

"खाओ-पियोगे, कुछ दोगे नहीं?"

"मैं गाना गाऊँगा!"

"क्यों? पैंतालीस में नहीं चिल्लाते थे?"

---

1. प्रोटीन
2. मत्स्य विभाग

"वह कब की बात है!"

"वह धान का गीत!"

"कौन-सा?"

"उस बार हसन में सुनाया था।"

"ओ!"

"गाओ न। यहाँ नकुल बाबू नहीं हैं, जो गलती पकड़ें। ताल देता हूँ। बोल में साथ दूँगा।"

काली हँसा। उसके बाद उखड़े, दबे गले से शुरू किया :

"हेइ सामालो धान सामालो
हेइ सामालो जान सामालो
हेइ सामालो धान हो
कास्तेटा दाओ शान हो
जान कबूल आर मान कबूल
देबो ना आर देबो ना
रक्ते बोना धान
मोदेर जान हो।"

[अरे, धान की रक्षा करो, प्राणों की रक्षा करो। हँसुए पर धार तेज करो। प्राणों को और प्रतिष्ठा को अंगीकार करो। अब नहीं देंगे, खून से सींचा धान, अपनी जान।]

बसाई बोला, "गीत अच्छा बनाया है। किन्तु औरतों की ओर देखो। वह उधर–देखो, क्या हो रहा है?"

आँगन में बैठकर पेड़ के नीचे हरे शाल के पत्तों पर खाना हो रहा था। भात, खेसारी की दाल, अरबी और कुम्हड़े की तेज चरपरी तरकारी, मछली। उसके बाद शरीर ढीला छोड़कर नींद आ रही थी। ऊँचे पर, मचान पर लेटे-लेटे नींद ली जा रही थी। औरतें गीत गा रही थीं। मुसाई की पत्नी कह रही थी, "कमरेट, आलो मोरा भरा भात खाइ।" नींद में कहीं गहरा बाजा था। वर्षा का शब्द। पानी पड़ रहा था। सन्ध्या के बाद बसाई काली को लेकर हाइवे[1] पर चला गया। पेड़ के नीचे कल्वर्ट पर बैठ गया। सफेद छाते के नीचे। साढ़े सात के लगभग केनाराम सूर्य साउ की लॉरी चलाते हुए आया। साथ में उसका भाई था। चावलों की एक बोरी उतार गया। बसाई ने उसे छाते के नीचे रखा था। काली लॉरी पर चढ़ गया। लॉरी चल पड़ी। अँधेरी रात थी। वर्षा। बसाई चावलों की बोरी पीठ पर लादकर छाता बगल में दबाए

1. राजमार्ग

गाँव को लौट रहा था। बसाई ने एक बार मुँह फेरा था। हेडलाइट। वर्षा से भीगा हुआ काला चेहरा। हँसी। काली के दिल में डरा हुआ मन अजीब-सा हो रहा था। इस तरह से दो दिन खो दिए। इतनी जल्दी सबकुछ अतीत हो जाता है। काली ने बीड़ी सुलगाई। बसाई के साथ बहुत दिनों के बाद यह उसकी अन्तिम भेंट थी।

[7]

बसाई के चेहरे पर हेडलाइट का प्रकाश डालकर, बसाई को 1970 में रख काली साँतरा 1977 की बरसात की रात में चरसा के जंगल में लौट आया। बेतूल ने झपटकर उसका हाथ पकड़ लिया।

"क्या है?" काली ने कहना चाहा। बेतूल ने उसके मुँह पर हाथ रख दिया। दोनों खड़े रहे। दबी हुई मश-मश, मश-मश आवाज आ रही थी। पेंसिल-टॉर्च का पतला तीर अँधेरे को चीर रहा था। काली ने बेतूल का हाथ पकड़ा, दोनों पेड़ से सटे खड़े रहे। आँखों से देखे बिना भी काली कह सकता था कि उनकी यूनीफार्म[1] हरे रंग की थी। कामाफ्लाज[2]। कामाफ्लाज पैदा करने के लिए हरी वर्दी थी। किन्तु ऑपरेशन एनी फॉरेस्ट[3] की खोज और आक्रमण में लगे सैनिक जो आतंक उत्पन्न करते, उससे कामाफ्लाज अर्थहीन हो जाता है। यह आर्मी[4] बहुत चुपचाप चलती। कहीं ट्रेनिंग ली है। काली साँतरा ने बेतूल को समीप घसीट लिया। वे बड़ी सावधानी से लौट चले।

पन्द्रह मिनट के बाद बेतूल ने फुसफुसाकर कहा, "चलिए, एक जगह ले चलूँ।"

काली ने यह नहीं पूछा, कहाँ? क्योंकि जीवित रहने की इच्छा उसमें भी समान रूप से प्रबल थी। जीवित रहने की इच्छा बहुत प्रबल होती है। जीवित रहने की इच्छा ही वह खाद्य है, जो भारतवासियों को जीवित रखे है। यह ए-जेड युक्त सारे विटामिनों से युक्त खाद्य से भी शक्तिशाली है। अनशन-अर्धाशन-अखाद्य-कुखाद्य जिनकी रोजाना की जानकारी है, वे जीवित रहने की इच्छा से जीवित रहते हैं'–तैंतालीस के दुर्भिक्ष के बाद घूमती हुई यूनिटों में एक का रिपोर्ताज है।

1. वर्दी
2. छद्म आवरण
3. किसी भी वन से हमला
4. पैदल सेना

रिपोर्ट-लेखक थे सतीश। साँप के काटने से मर गए। आन्ध्र में या और कहीं एक दलदल थी। गोंडवाना युग के विस्फोट के बाद प्रकृति की चपलता। दलदल से हीरे निकालने के लिए आदिवासियों की मौत थी। फिर भी वे जाते थे। मरते थे। सतीश वहाँ गया था। अंग्रेजी राज में। मार्श-डायमण्ड बेल्ट किसी रजवाड़े की एजेन्सी की मिल्कियत में थी। सतीश साँप-काटे लोगों की लेक्सिम चिकित्सा करता था। अपने वक्त मौका नहीं मिला। उसने फोटो खींचकर रिपोर्ट भेजी थी।

"आ पहुँचे।"

बेतूल बोला। एक कोठरी थी। बेतूल ने बताया, जंगल विभाग जब ठेकेदारों को साल के पेड़ काटने का काम देता, उस वक्त ठेकेदार के लोगों के रहने के लिए यह कोठरी बनी। बाद में साल के पेड़ों की कीमत कम हो गई तो ठेकेदारों का जोश समाप्त हो गया। कोठरी रह गई। जहाँ जंगल है, वहीं ठेकेदारों की कोठरी है। काली ने बहुतेरी देखी हैं। रुखनपथरी के जंगल में ठेकेदारों की छोड़ी कोठरियाँ तिभागे में उनके छिपने की जगह थीं।

बेतूल बोला, "उद्धव यहाँ आता है, मैं भी आता हूँ। कोठरी साफ है।" कोठरी छोटी थी। जमीन साफ थी। बेतूल ने कमर से सहसा पेट्रोल-लाइटर निकाल जलाकर दिखा दिया। बोला, "साँपों का ठीक नहीं।" उसके बाद बोला, "सवेरा होने पर नहीं, भोर होने के पहले ही चले चलेंगे?"

"कहाँ?"

"सदर, और कहाँ? जंगल में सिपाही हैं, ज्यादा टिकना ठीक नहीं। उद्धव.. ऐसा खतरा है।"

"ठीक हो जाएगा। नहीं तो नहीं।"

"लीजिए। बैठ जाइए।"

वे बैठ गए। और अत्यन्त आश्चर्य, बेतूल सो गया। शायद आश्चर्य की बात नहीं थी। शायद इस तरह बेतूल ऐसी हालतों में पहले भी सो जाता था। अभिज्ञता ही मनुष्य को मतलब का डाइमेंशन दे देती है। बेतूल जो था, वह बेतूल नहीं रहा। सारी विचित्र परिस्थितियों में आवश्यक सतर्कता से चल सकता है। इसका कारण क्या है? उसका बेटा उद्धव?

बेतूल आँखें बन्द कर बहुत दूर से बोला, "बसाई टूडू के मर जाने से हम लोग मर जाएँगे। उसके डर से, पता है काली बाबू, महाजन डरते हैं। हमने कृषि-ऋण नहीं चुकाया। उस पर भी बेटा कुछ नहीं बोला।"

"बसाई सदर में है?"

"बताऊँगा नहीं।"

बेतूल सो गया। काली को याद आया, बसाई ने जो कुछ कहा था, वह किया। जो उसके आदमी हैं, उन्हें प्रोटेक्शन दिया। जिन गाँवों में आना-जाना हो सकता, उन गाँवों को अपनी ओर कर लिया। बसाई का तरीका भारतीय स्थिति के अनुसार छापामार युद्ध-प्रणाली है। उस तरीके में ऑपरेशन-टैरीटरी-बेस—ग्राम अंचल को अपनी ओर करने की पहली शर्त है। सबसे अधिक आश्चर्य हुआ, बसाई के अन्तिम एक्शन-ऑपरेशन में। अंचल से सदर गाँव और चरसा की जंगल-बेल्ट, एक सौ चालीस मील उत्तर-पूर्व में। प्रत्येक कार्रवाई-अंचल के बीच की दूरी चालीस से पचास मील रहती। प्रशासन के सिर पर घर है—यह बसाई को सबसे अधिक सुविधा की बात है। किसी खास गाँव में उसका घर-द्वार नहीं है। पैदा हुआ बाकुली में। पैदा होते ही माँ, दूसरे बरस बाप मर गए। बुआ के पास गाँव में छह बरस तक रहा। बुआ की मृत्यु से गोकुल बाबू की कोशिश से रामता मिशन में गया। उसके बाद जागुला। किसान-फ्रण्ट का कार्यकर्ता बना। तीस बरसों से ज्यादा सौ से अधिक गाँवों में घूम-घूमकर काम करने के परिणामस्वरूप सब जगह वह घर का आदमी बन गया। पर उसका रक्त-सम्बन्धी कोई न था। प्रशासन परेशान था।

आज की रात बहुत महत्त्वपूर्ण थी। तमाम लोग काली साँतरा-बसाई टूडू के बीच चक्कर काट रहे थे। किन्तु सवेरा होने पर?

काली ने निश्चय किया कि सवेरा होने पर भी चारों ओर देखे बिना निकलना न होगा।

बड़ी भूख लग रही थी, प्यास भी लग रही थी। कोई चारा न था। जेब में बीड़ी और बेतूल के पास लाइटर होने पर भी बीड़ी पीने का मौका नहीं था। उन लोगों का बड़ा भाग्य था कि वर्षा नहीं हो रही थी। वर्षा होने से चरसा पगला जाती, जंगल में चलना कठिन हो जाता। बसाई क्या जादूगर है? उसके पास आएगा, इसलिए शाम से काली ने जो कुछ किया उसकी चौथाई की चौथाई मेहनत करने पर भी आजकल साँस तक लेने में कष्ट होता है। गिनिमाला कहती, "बीमारी नहीं है, दिखावा कर रहा है।" सम्भवतः मनुष्य जो मन से करना चाहता है, उसे करने की शक्ति शरीर में आती है। कोठरी में सीलन की बू है। दरवाजा-खिड़की, पता नहीं कब, कौन खोल गया? हवा आती है, पर धूप नहीं घुस पाती। चारों ओर पेड़ों का झुरमुट है। आर्मी को पता नहीं है। असल में पेड़ों से भरे जंगलों में पुलिस और आर्मी बहुत दिनों रही। खुद भी बहुत-से शेल्टर बनाए हैं। उनके अलावा, वन विभाग के घर-द्वार जो भी मिले उन पर कब्जा कर लिया। चरसा के जंगल को अभी भी वह महत्त्व नहीं मिला। अब शायद मिल जाए। बदन में थकान नहीं है। नसें क्या ज्यादा सतर्क हो गई हैं? या पुराना काली साँतरा लौटकर आ रहा है? तिभागे के वक्त काली साँतरा 'एक अत्यन्त

अलर्ट काडर' नाम से परिचित था। अब काली से चलता नहीं। शरीर अब अपने बस में नहीं है। बसाई से उसकी उमर ज्यादा है। हार्निया का ऑपरेशन, प्लूरिसी के एक के बाद एक हमले से इस्किमेटिक, या अजब-सा हार्ट सूख जाता है, या लम्बा होकर झूल पड़ा है। आजकल हमेशा थका-थका-सा लगता है, तीस बरस की उम्र के बीच बहुत भाग-दौड़, साँस बहुत ऊपर-नीचे करना पड़ा है। उसके बाद से तो अभ्यास, कि बस भागना है। बिना विरोध जो भागे—दूसरों के स्वार्थ के लिए कहता हूँ—उसके बारे में संसार में अजीब प्रत्याशा उत्पन्न हो जाती है। आजकल काली को बहुत काम करने पड़ते हैं—इसे स्कूल में भर्ती कराना है, उसे अस्पताल में। इसकी किताबों का इन्तजाम कर दो, उसे उत्सव के लिए हॉल का। मुश्किल है या असुविधा है, कहने से ही सबको बहुत दुख होता है और कहते, "अपने लिए तो कभी भी कुछ करने को नहीं कहा"—अर्थात् इसके लिए, उसके लिए, मृत शिक्षक के जीवित साले के बेटे के लिए तुमको सबकुछ करने का समय मिला है, मैं उन लोगों में रह जाऊँगा जो वंचित हैं? काली किसी बात में कुछ नहीं कह सकता, अब उससे होता नहीं। शरीर साथ नहीं देता। घर में उसे और तरह से कष्ट दिया जाता। गिनिमाला और अनिर्वाण उसे गृहस्थी का तिनका नहीं तोड़ने देते। वहाँ वह निकम्मा है। कभी देश और लोगों की, पार्टी की फिक्र में घर-गृहस्थी की उपेक्षा करने का बदला वे इस तरह ले रहे थे। काली को कुछ नहीं करने देते थे। काली के लिए भी वे कुछ नहीं करते थे। साठ की उमर पर पहुँचकर काली अपना बिस्तर खुद बिछाता, उठाता, मच्छरदानी टाँगता, कपड़े धोता। गिनिमाला और अनिर्वाण एक-दूसरे को घेरकर जंगलीपन से खाते, रेडियो सुनते, हर-एक सिनेमा देखने जाते। काली से मिलने आने पर किसी को एक प्याला चाय भी नहीं मिलती। कृती कॉमरेडों को होमफ्रण्ट पर काली से बहुत अधिक ध्यान दिया जाता। पुराने दिनों बसाई बीच-बीच में कहता, "सब छोड़ सकते हो, घर नहीं रह सकते?" मोतियाबिन्द कटने के बाद गिनिमाला का कहना था, "जिन्दगी-भर जला-भुनाकर अन्धा बनकर कन्धा टेकेगा क्या?" काली को कुछ कहने को न था। सच ही तो गिनिमाला को वह कुछ न दे सका। ब्याह के तीन दिन बाद वह जेल गया, सो वह पति के रूप में बेकार ही था।

किन्तु समय बीतता जाता है, समय। काली नहीं जानता कि बसाई के पास जा सकेगा या नहीं? चार बार उसकी लाश की पहचान करने के बाद पाँचवीं बार न जाना निन्दनीय अपराध है। काली के अपने निकट। सामन्त ने हमेशा कहा, "रेनीगेड[1] के लिए सिम्पैथी[2] किसलिए? इसके लिए तुम पार्टी के आगे अपराधी

1. अपनी पार्टी छोड़नेवाला, भगोड़ा
2. सहानुभूति

बनते हो।" सामन्त बहुत ही सर्वशक्तिमान है। काली साँतरा का जीवन और हर जाग्रत क्षण पार्टी के लिए लगता है, यह जानकर भी काली की स्वगत चिन्ता से पार्टी द्वारा असमर्थित विचारों के चरचिटों[1] को उखाड़ फेंकने में सामन्त कमर कसे रहता। काली को इन्फ्लूएंजा होने पर भी सामन्त कहता, "तीन-चार दिन से पता नहीं। सोचा, नक्सल हो गया या कांग्रेसी, हः हः हः!" सामन्त की हँसी बड़ी भयंकर होती। उसमें आनन्द न रहता। एक खोखली 'हः हः हः' आवाज रहती।

समय बीतता जाता है। बसाई के पास जाना पड़ेगा। बसाई की पाँचवीं मौत के माने प्रशासन के पाँच उल्लेखनीय पसीना बहानेवाले एक्शन। न जाने पर, काली के न जाने पर, काली को पुलिस ही ले जाएगी। काली के न जाने पर बसाई कहेगा : "क्यों कमरेट, पैर कैसे रुक गए? मैं साला मर गया। तुम लहास की पहचान करने भी न आ सके?" छाती के नीचे दुख था। हर बार बसाई मानो नया होता। 1970 में पलताकुड़ि गाँव में जिस बसाई ने उसे कनाल में खींचकर उतारा था, उस बसाई को काली साँतरा बहुत खोजता। वह हँसी, धूप बचाने के लिए आँखें मिचमिचाकर देखना, वही मुस्कुराती आँखें! वह नहीं मिलता, जो मिलता, फिर भी वह बसाई रहता। दोनों हाथों से हवा की गरदन मरोड़ देता। समय बीतता जा रहा है। काली अगर बसाई के पास न जा सके? इसके बाद! आँखों की रोशनी अगर और भी कम हो जाए? शरीर अगर और भी टूट जाए? "क्या कमरेट, पहचान करने आए हो?" चौथी बार गैंग्रीन[2] से मरने के पहले आँखें मटमैली हो गई थीं। गैंग्रीन की मृत्यु का सजीव वर्णन हेमिंग्वे के 'स्नोज ऑन किलिमैंजारो'[3] में है। बसाई हेमिंग्वे का नायक नहीं है। इसीलिए गैंग्रीन में मृत्यु के बाद फिनिक्स[4] की तरह एक्शन के बाद फिर बसाई मरा। काली जरूर जा सकेगा?

बाहर के अन्धकार में तिल-भर हिलना-डुलना हो रहा है या नहीं, यह देखने के लिए काली क्षीण दृष्टि से अँधेरे को भेदकर सेंटिनल[5] की तरह बैठा रहा। सेंटिनल! जीर्ण शरीर, क्षीण-दृष्टि आँखें, शरीर पर अधमैली धोती और मैली खाकी शर्ट, पैरों में पेबन्द लगे किड जूते[6], बहुत बड़ा सेंटिनल! देखते ही सब डर के मारे काँपेंगे। न, न, काली को डर किस बात का है? काली को यहाँ बैठे देखकर पुलिस शायद हँसे। ग्रेट कॉमिक साइट![7]

1. एक घास जिसके फूल कपड़ों में चिपट जाते हैं।
2. मांस का सड़ना
3. हेंमिग्वे का एक उपन्यास
4. अमर पक्षी
5. प्रहरी
6. किरमिच के जूते
7. बड़ा हास्यास्पद दृश्य

बसाई देखकर न हँसता। स्वर में असम्भव अर्जेंसी लाकर कहता, "क्यों काली बाबू, यहाँ बैठे क्या रहे हो? उठो कमरेट, जंगल में आर्मी है। मुझे ढूँढ़ रहे हैं। चलो, तुम्हें सेल्टर में ले चलूँ। चले चलो कमरेट, साले दनादन गोली चला रहे हैं।"

काली जानता है कि बसाई चलते-चलते गौरैया के बच्चे को गिरा देखकर घोंसले में रख देता। प्यार! पहली बार बसाई एक भैंसे के लिए बनारी में मरा था। भैंसे का नाम था भौंरा।

सामन्त आज भी विश्वास करता है कि ऑपरेशन-बनारी की खबर काली साँतरा जानता था, पर फरण्ट सरकार को नहीं बताई।

काली जानता है कि काली कुछ भी नहीं जानता था। 'उसे नहीं मालूम था', यह विश्वास करना सामन्त के लिए असुविधाजनक था, क्योंकि वैसा होने पर परिचित और अभ्यस्त विचार के आधार से निकलकर सामन्त को नए सिरे से सोचना पड़ता। वह परिश्रम किसी पुराने पार्टी-मैन के लिए असम्भव है। उससे कहीं आसान, रिएक्शनरी—काउण्टर-रिवल्यूशनरी पेटी बूर्ज्वा—नक्सलवादी इत्यादि नाम देकर, लेबल चिपकाकर कंडेम्ड शव की तरह इनसान को मृतक-गृह में भेज देना होता है। 'वह जानता था', विश्वास करना ही सुविधाजनक है।

काली इस सबकुछ के घेरे को छोड़कर खुद जा नहीं सकता। बसाई जा सका था। काली को बहुत प्रसन्नता थी। बसाई जा सका। उससे काली जैसे कहीं-कहीं जीत गया हो, अजीब-सा लगता था।

बनारी! ऑपरेशन-बनारी 1970 : वैशाख।

[8]

हाँ, उसी बैशाख में ही। काली साँतरा के चले आने के बाद ही। बनारी में। बनारी नाम बहुत ही व्यंजक है और परवर्ती काल में लेबर डिपार्टमेण्ट, कृषक आन्दोलन फ्रंट के लिए बहुत परेशानी था। यथार्थ में 'बनारी' गाँव जिले के नक्शे से पुँछ जाता तो बहुत-से लोगों को चैन मिलता। इस गाँव में रहते हैं कुछ सन्थाल, केउट और चमार। उनका पेशा है खेतमजूरी। सन्थाल लोग जरूर अपने अंचल में काम न मिलने पर जहाँ मिले वहाँ काटनेवालों या ढोनेवालों का काम कर लेते; अर्थात् खेतमजूर को 'मजूर'—दुनिया के मजदूरो एक हो—वह आजादी आजादी क्या, मजदूर का जिसमें राज न हो—इत्यादि स्लोगन और गानों में उछाला हुआ। धरती

के वास्तविक अधिकारी मजदूरों को लेकर लेबर डिपार्टमेण्ट ने जो एम.डब्लू., या मिनिमम वेज फॉर एग्रीकल्चरल लेबर या खेतमजूर के लिए न्यूनतम मजूरी जारी करे, काटने या उठानेवाले उसके पास नहीं फटकते। वे ऋषियों की भाँति सर्वज्ञ हैं। वे जानते हैं, कानून बनता है, जबर्दस्ती नहीं होती, और जिनके लिए कानून है, वे जीवन में भी उसका लाभ नहीं पाएँगे। पूछने पर कहते, "हाँ, हम खेतमजूर हैं।"

किन्तु खेतमजूरों का एम.डब्लू., जो सरकारी रेकॉर्डों की शोभा है, प्रशासन के पाप-बोध का छुटकारा है, वातानुकूलित कमरों में नेस्काफे युक्त मीटिंगों में विषयवस्तु और कार्रवाई में तत्त्वहीनता होती है, उसे वे जानते हैं। तमाम अन्नहीन, नंगे लोगों की तरह ये भी सरकार द्वारा नियन्त्रित और परिचालित नहीं हैं, भूख द्वारा नियन्त्रित और परिचालित हैं। भूख बड़ी अत्याचारी शासक है, प्रजाजन को बहुत छोटा बना देती है। परिणामस्वरूप यही सन्थाल लोग एम.डब्लू. शब्द के पास न फटककर जमीन के मालिकों के साथ ठेके पर आउस-आमन-बोरो-आइ और उर्द-अरहर-सरसों-पाट के जन्म-वृद्धि-संहार का काम करते। जहाँ जमीन के मालिक खेतमजूरों को मजदूरी न दें इसलिए इन्हें बुलाते हैं, वहाँ बनारी गाँव के सन्थाल नहीं जाते। परिणामस्वरूप जमीन के मालिक इन्हें 'युधिष्ठिर की जात' कहकर गालियाँ देते। इस एक प्रसंग से ही समझा जाएगा कि क्यों बनारी के सन्थाल 'पोलिटिकली पोटेण्ट'[1] नाम से प्रशासन की किताबों में चिह्नित हैं। जो हो, इसी बनारी गाँव का हर्ताकर्ता-विधाता—शीतला और धर्म-ठाकुर—सिम्बोडन, सभी कुछ प्रताप अढ़तिया बन गया। प्रताप बहुत ही शान का आदमी था। वह पाँच हजार बीघे जमीन का मालिक था। बनारी में उसका मकान था। उस मकान में डायनमो, तालाब, छह पक्के कुएँ थे। फव्वारे सरकारी खर्च से रिलीफ के रुपयों से बने थे। प्रशासन बहुत ही शिशु-स्वभाव का है। प्रशासनिक मनोवृत्ति इन्फैंटाइल डिसऑर्डर[2] से आक्रान्त है। इसीलिए भूखे-नंगे डेढ़ मील दूर चरसा नदी से बालू हटाकर पानी की तलाश में हैं, यह देखकर भी हर बरस रिलीफ के रुपए प्रताप को ही देता और प्रताप को तकलीफ होगी, इसलिए सरकारी ठेकेदार देकर प्रताप के घर की चौहद्दी में तलाब खुदवाता, कुएँ खुदवाता। दुर्दशाग्रस्त किसानों की सहायता के लिए खेती के बीज और खाद्य-शस्य, जनता साड़ी-धोती, औषधि—सबकुछ प्रताप के घर में इकट्ठा होता। भूखे-नंगे प्रशासन के प्रथम पक्ष हैं। बिना पूछे गले पड़ी ढोल-सी पत्नी थी। प्रताप प्रशासन की इच्छा से बुलाया जाकर चौकी पर स्थापित दूसरा पक्ष है। प्रताप के बिना प्रशासन की ग्राम-रिलीफ और दान-वोट की

1. राजनीतिक रूप से शक्तिशाली
2. बचकानी गड़बड़

व्यवस्था न हो पाती। दुलार पा-पाकर प्रताप इसी से 'दो, दो' कह-सुनकर साल में जबर्दस्ती ले लेता।

प्रशासन भी वैसा ही था, प्रताप के लिए काँच खोले भागता फिरता। इसी माँग को लेकर, बाढ़ के बरस नंगे लोगों के घर बनवाने के लिए दिए गए रुपयों से प्रताप धान-चावल के लिए पक्के गोदाम बनवाता। प्रताप के कहने पर प्रशासन द्वारा स्थापित गाँव के बुनियादी विद्यालय से 'जेता मोची' अध्यापक को भगा दिया। प्रताप की जिद पर घूस के लिए तैयार न होनेवाले बी.डी.ओ. की बदली कर दी गई। बनारी में ग्राम हेल्थ-सेण्टर के लिए दिए हुए रुपयों से प्रताप के धान-चावल की लॉरी के आने-जाने के लिए पक्की सड़क बनी। प्रताप पच्चीस गाँवों का महाजन था। देर-सवेर हाकिम, मन्त्री, उपमन्त्री, अफसर, एम.एल.ए. पताप के मकान के जिस कमरे में बैठते, उस कमरे की दीवार पर घर की सजावट के लिए राष्ट्रपिता का मुस्कुराता चेहरा, भारत के मुक्तिसूर्य से कुछ दूर फाटक, पैंसठ साल का कैलेण्डर, कागजी गुलाबों का गुच्छा, माँ महामायावेशिनी निरुपाराय की अत्यन्त स्वस्थ तसवीर और आठ गैरकानूनी बन्दूकें एक साथ सुशोभित होतीं। वी.आई.पी. लोग इस कमरे में बैठकर 'ग्राम कैसी शान्ति का स्थान है' कहकर शान्ति के प्रभाव में विह्वल हो जाते और बन्दूकों को देखकर भी न देखते। यह प्रताप गाँव के मजूरों को बिलकुल वेज[1] नहीं देता, प्रशासन के सारे खातों में मोटी रकमें देता, पुलिस बारकों की काली-पूजा में पाँच पोढ़े बकरे और एक बक्सा शराब भेजता। खेतमजूरों को वह क्या देता है, इस बात पर एक बार एक एग्रीकल्चरल लेबर कमिश्नर के मन में असंगत संशय दिखाई पड़ा। इस तरह के प्रशासनिक ऑफिसर प्रशासन के कामों में बहुत गड़बड़ करते हैं। घूस नहीं लेते, सचमुच अंग्रेजी जानते हैं, बड़े घर के बेटे, बाम्हन के बेटे होने से इन्हें एकदम 'चुप रहो' कहना मुश्किल होता है।

किन्तु ईमानदारी से काम करते चलते हैं, इसलिए प्रशासन की मशीनरी बिगड़ जाती है। यह एक बार मौका देखने जाते हैं। 1968 में घोषणा हुई, मिनिमम वेज–मर्द तीन रुपए चौवन पैसे, औरतें तीन रुपए सत्ताईस पैसे, बच्चे-मजदूर दो रुपए दो पैसे पाते हैं या नहीं? कमिश्नर पुलिस की गाड़ी नहीं लेते, एक चपरासी और अपने पी.ए. के साथ अपनी गाड़ी चलाकर बनारी पहुँचते। प्रताप अढ़तिए की बैठक में बैठकर मुर्गी, पराँठा और प्रसाद नहीं खाते। सीधे खेतमजूरों के पास जाते। जाकर जो सुनते, उससे लगता कि कोपर्निकस की विश्व-व्यवस्था की हेरेसी, एरिस्टॉट्ल की विश्व-व्यवस्था–सब स्थिर और अटल रूप से सत्य हैं।

1. मजदूरी

सौ में से दस खेतमजूर कहते, उन्हें पता नहीं कि भारतवर्ष स्वतन्त्र है। उन्होंने सोचा है कि पहले जिन्हें अंग्रेज कहा जाता था, अब वे ही भारत सरकार कहलाते हैं। सौ फीसदी कहते हैं कि खेतमजूरों की न्यूनतम मजूरी की बात उन्होंने कभी नहीं सुनी।

सब कहते कि प्रताप अढ़तिया उनको बहुत मजूरी देता है। बड़े लोगों को सैंतीस पैसे मिलते हैं। लेकिन पानी पीने के लिए–मूड़ी और प्याज मिलने से खरपानी का खर्च काटकर हाथ में आते थे पच्चीस पैसे। छोटों को मिलते तीस पैसे। खरपानी का पैसा देकर अठारह पैसे।

सब कहते, रुपए देते समय प्रताप के खाते में अँगूठा-निशानी लगाना पड़ता है। संवत्सर के धान और रुपए कर्ज लेने के समय भी खाते में अँगूठा-निशानी देना पड़ता।

सब कहते, पास के ब्लॉक में जाने पर कुछ ज्यादा मिल जाता है। लेकिन उस काम में खतरा है। प्रताप के काम में अगर कटैया घुस आएँ तो जीवन में यह प्रताप के धान न काट सकेंगे। किसी भी तरह प्रताप को खफा करना इनके लिए सम्भव नहीं है। ऐसा होने पर बरस-भर रुपए और धान कौन देगा? अफसर बाबू? वे सरकार द्वारा घोषित वेज चाहेंगे। किसके जोर से? उन्हें कौन मदद देगा? उनका कोई नहीं है। नहीं, नहीं, कोई नहीं है।

लेबर कमिश्नर बनारी में आने के पहले तक आत्मविश्वास से भुगत चुके हैं। दोस्तों से कहा था, "हाँ, हाँ, मैं ब्यूरोक्रेसी के शरीर में नट-बोल्ट बनने जा रहा हूँ। लेकिन जान रखना कि एक अच्छा अफसर अपना काम फेयरली करने से देश के लोगों का भला कर सकता है।" अपनी पढ़ाई-लिखाई के घमण्ड में मन्त्री के भाषण का संशोधन कर दिया था। घूस न लेकर बाघ-सिंहों के चक्कर में पड़ गए।

बनारी में आने के परिणामस्वरूप अपने आत्मविश्वास के रेलमन्त्रीत्व में अनजाना बम फटा और आत्मविश्वास को चोट लगी। प्रताप की सर्वशक्तिमानता ने उसे आन्ध्र का साइक्लोन बनकर बीस बाँस पानी के नीचे दबा दिया। पसीने-पसीने होकर वे गाड़ी पर बैठते। कलकत्ता लौटकर लिखते, बनारी का खेतमजूर 'दैट ही एग्जिस्ट्स इज ए मिरैक्ल।'[1] विरोधी बिल्डिंग में वे एम.डब्लू. चालू करने के लिए मिलखासिंह बनकर भागते, बस भागते ही थे। हाय! प्रशासनिक अफसर मिलखासिंह होने से भाग्य का खिलौना होता। भागना होता, बस भागना ही होता, हमारा काम बस भागते रहना है। नदी की तरह अपने वेग से पागल की तरह भागते और मन से पूछते, इसीलिए क्या उनके माँ-बाप उनकी सात बरस की उम्र में 'अप-अप

1. वह जिन्दा कैसे है, यह चमत्कार है।

नेशनल फ्लैग—डाउन-डाउन यूनियन जैक' कहकर एक-दूसरे के हाथों में तिरंगी राखी बाँधकर बयालीस में जेल गए थे? परिणाम अच्छा न हुआ। सहसा उन्हें घोर जाड़े में दिल्ली की बदली पर चला जाना पड़ा। बनारी के लिए भाग-दौड़ के दण्डस्वरूप दिल्ली जाकर वे सवेरे मोजे न पहने पैर लटकाकर **द स्टेटसमैन** पढ़ते हुए स्नेहमयी दादी द्वारा छोड़ी हुई तीसरी पीढ़ी की विरासत—गठिया के शिकार हुए। उसके परिणामस्वरूप उन्हें आज भी मेढकी के गले के काँटे की तरह लँगड़ाकर चलना पड़ता है। इस अफसर की नजीर दिखाकर प्रशासन सारे उत्साही अफसरों को समझा सका कि शुद्ध अंग्रेजी जाने, देशभक्त माँ-बाप की सन्तान बनना, घूस के नाम पर नाक सिकोड़ना, मिलखासिंह बनकर सत्तर की दशाब्दी में भाग-दौड़ करना—यह किसी उन्नति का मार्ग नहीं है। परिणामस्वरूप दाहिने पैर में आर्थ्राइटिस हो सकती है। जो नहीं समझते, वे प्रशासन के हाथों तरह-तरह की परेशानियाँ भोगते रहते हैं।

अब जैसे बनारी में बसाई टूडू मारा गया। पहली बार जिरा वैशाख में काली साँतरा उससे बातें कर आया था, उसी वैशाख में।

काली जब तक रहा, उन दो दिनों में ही जो वर्षा हुई, वह वर्षा पाँच दिन और चली। नतीजा हुआ कि चरसा का पानी बढ़ गया। चरसा नदी का स्वभाव भूखे आदमी की तरह था। दो दिन खा-पीकर भूखों मरते बाल-बच्चों के चेहरों पर चिकनाई आ जाती। कई दिन बरसात होने से चरसा की शक्ल बदल गई। इस बार भी उसके चेहरे पर भराव आ गया।

''चरसा एक कम पानी की छोटी नदी थी। यह दामोदर से निकली है। बहुत दूर तक, इक्यानबे मील लम्बी है। इसकी गहराई कम है, तली बालू से भरी है। बनारी और कदमकुआँ गाँव के पास नदी कुछ ज्यादा गहरी है। सदर गाँव के पास इसकी गहराई सबसे अधिक है। इसकी विशेषता है कि पिछले तीस बरसों में नदी ने दो बार धार बदली है। गर्मी की तेजी से नदी की धारा सूख जाती है और बरसात में नदी का दूसरा ही रूप हो जाता है। यह नदी दोनों किनारों के दो सौ से अधिक गाँवों के पानी का भण्डार है। सिंचाई की नहर रहने पर भी...।''

चरसा में इस बार भयानक बाढ़ आई थी। बनारी-ऑपरेशन के बारे में दूसरी बातें बताने से पहले यह कह देना अच्छा है कि जब लेबर डिप्टी-कमिश्नर आते तो बनारी के खेतमजूर सब बातें सच-सच नहीं बताते। किसान-वर्ग के लोगों का पढ़े-लिखे शहरी बाबुओं पर अविश्वास सदा से चली आ रही बात है। वे लोग बाबुओं के सामने मुँह खोलना नहीं चाहते। बाबू लोगों के 'क' कहने से कलकत्ता समझते, नहीं तो सात-काण्ड रामायण सुनने के बाद ऐसा आश्चर्यजनक प्रश्न पूछते जिसका जवाब भली बात में न होता। बाबू लोगों के पास ज्यादा बातें करने

से हो सकता है, अदालत में गवाही देनी पड़े, नहीं तो जमींदार के निकट जवाबदेह बनना पड़े। गाँव के किसानों का थॉट प्रॉसेस[1] बहुत टॉर्चुअस[2] होता है। इसलिए वे पेट-दर्द होने पर डॉक्टर से दाँत का दर्द बताते और मसूढ़ों में जेंशेन वायलेट रंग लगवाकर चले आते—उसी कारण से उन्होंने भोले बनकर डिप्टी से कहा था, "एम.डब्लू.? यह क्या नाम बताया, बाबू? जीवन में नहीं सुना।" लेकिन बात सच न थी। कारण थे माधव और गोपी।

माधव तूरा और गोपी माझी सदा से गुस्सेवर थे। रूखे और मार-पीट करनेवाले। प्रताप अढ़तिए के साथ वे अड़सठ से लगे आ रहे थे। उसके पहले बीरू पाठक था, उस समय वह किसान फ्रण्ट का डिसेंटिंग यूनिटी[3] लीडर था। इस अंचल में—बीरू पाठक ने, माधव और गोपी और दूसरे के.एम.[4] के पास एकत्रित आँकड़ों के आधार पर किसान-सभा में एक पेपर पढ़ा। उस कागज को लेकर बहुत बहस-मुबाहिसा हुआ और 'बड़े और मँझोले किसानों के हितों की रक्षा के काम की कृषक-सभा उपेक्षा न कर सकी'—इसके आधार पर बीरू पाठक की, किसान-सभा की उपेक्षा कर खेतमजूरों का हित लेकर दिमाग खराब होने के लिए बड़ी निन्दा की गई। कहा गया कि यूनिटी सबसे बड़ी चीज है।

बीरू पाठक का कहना था, "यूनिटी का मूल्य क्या अकेले खेतमजूर अदा करेंगे? मेरे पेपर पर विचार-विमर्श क्यों नहीं होगा?"

उसके इस काम को बड़े नाम दिए गए। इसकी बहुत-सी व्याख्याएँ तलाश की गईं। बीरू पाठक स्वयं न होकर उसका बाप पन्द्रह बीघे जमीन का मालिक था। बीरू पाठक का खेतमजूर आन्दोलन में जोश बिलकुल थियरिटिकल[5] था। वह सदा से थियरी का आदमी था। लेकिन लीडर लोग यह बात नहीं समझते थे। बीरू को वे मन-ही-मन कंडेम्ड गुड्स[6] मानते। बाद में नितान्त थियरी से परेशान बीरू पाठक जब नक्सलवादी बन गया, तो लीडरों ने दो और दो चार कर डाला और बोले, "इसीलिए उस बार के.एम. इशू[7] पर चीखकर सभा भंग करना चाहा था।"

यह बीरू पाठक बनारी-अध्याय में प्रक्षिप्त है। किन्तु उसके पास से ही माधव और गोपी एम.डब्लू. नामक जादू-भरा नाम सुन आए। इसके बाद उन्होंने निश्चय

---

1. सोचने का ढंग
2. कुटिल
3. असहमत एकता
4. किसान-मजदूर
5. सैद्धान्तिक
6. निकम्मा माल
7. किसान-मजदूर प्रश्न

किया कि जेठ में धान-बुआई के समय प्रताप को पकड़ना होगा। यह बात दूसरों को समझाने में मुश्किल होती। लेकिन लोहा गरम था, रहे। सत्तर का दशक मुक्ति-दशक में परिणत होने चला था, इसलिए कोपाई और मयूराक्ष के जलमार्ग पर कुछ गाँवों में कुछ जमींदारों का सिर फिर गया। माधव और गोपी ने सबको समझाया कि प्रताप को डराने का यह बहुत अच्छा अवसर है। आदमी उस सिर को ही सबसे अधिक प्यार करता है, जो सिर अपने धड़ से लगा हुआ हो। उसी सिर के बालों में अपने हाथों माँग निकाल सकना सबसे अधिक शान्ति का काम होता है। कटे सिर के बालों में डाबर आँवला केश तेल चुपड़ने से भी कोई फायदा नहीं। और शरीर का काम ही बिगड़ जाता है। सिर अलग हो जाने से हाथ-पैर काम नहीं करना चाहते, घमण्ड में अज्ञान हो जाते हैं। इन सब बातों में लोहा फिर तपाना होता है। उसके बाद माधव और गोपी, पास् के ब्लॉक से चैतन और मिश्र का दृष्टान्त देते। वह एक रुपए के हिसाब से बच्चे व युवा-स्त्रियों को मजूरी देता। जलपान के लिए भात और कुम्हड़ा देता। जलपान के पैसे भी न काटता। माधव का बाप कहता, "उसके दोनों ओर के गाँवों में जमींदार मारे गए कि नहीं?" इस बात से माधव समझता कि बात सच है। किन्तु प्रताप के दोनों ओर जो लोग थे, वे ऐसे चालबाज थे कि प्रताप अढ़तिए के कन्धे पर हगते थे। प्रताप अढ़तिए के दोनों ओर हैं चैतन मिसिर और नकुड़ पात्र। प्रताप के ज्ञान के लिए चैतन और नकुड़ का सिर उड़ा देना बहुत ज्यादा हो जाएगा। उसके सिवा मानव-मन की विचित्र गति होती है। ऐसा भी हो सकता है कि दोनों सिर गिर जाएँ, किन्तु प्रताप अढ़तिया जैसा था वैसा ही रहे, तब?

माझीपाड़ा के लवण माझी (यथार्थ में ये लोग क्या नाम रखते हैं, यह खुद भी नहीं जानते) ने उस समय मलेरिया-पीड़ित पीली आँखें उठाकर कहा, 'प्रताप से किस बिसात पर कहूँगा? क्या बसाई टूडू हमारा साथी है?"

"बसाई फरण्ट का आदमी है।"

"बसाई ने फरण्ट छोड़ दिया है।"

"अँ? नक्सल हो गया?"

"खेतमजूरी के लिए लड़ेगा।"

"कहाँ?"

"सो क्या मुझे पता है?"

माधव और गोपी तब बसाई के व्हेअर-अबाउट[1] जानने के लिए पलताकुड़ि रवाना हुए। याद रहना चाहिए कि पलताकुड़ि और बनारी के बीच की दूरी बत्तीस मील है। जाने का रास्ता पैदल है, अगर मिल जाए तो चावल की लॉरी पकड़ ली।

1. ठौर-ठिकाना

बसाई ने उनकी बातें ध्यान से सुनीं। उनके साथ बनारी चला आया है। बनारी की प्याऊ पर अगर रहता तो वह बसाई टूडू न होता। वैशाख की वर्षा में कल्लोलिनी चरसा के उस पार वन-विभाग के बनाए साँईकवला जंगल में माधव और गोपी ने कुछ पेड़ बराबर काटे। बराबर ऊँचाई रखकर उन्होंने उस पर छत डाली। बसाई के आने पर वहीं गद्दी होगी। माधव आदि, अर्थात् युवकों को मतलब की तालीम देगा। पहले ही कहा, "लड़ने चलने पर मुँह नहीं मोड़ना होगा। जरूरत होने पर प्रताप को मारना, या मरना होगा।"

सब लोग इस तरह के आनन्दजनक प्रस्ताव पर खुशी से राजी हो गए और हँसुआ उठाकर सहमति प्रगट की।

दूसरी स्टेज पर बसाई ने कहा, "तुम लोग रात के अँधेरे में आओ-जाओगे। हथियार मेरे पास रहेंगे। वहाँ से लेकर काम करने जाना, लौटा देना।"

फिर हँसुआ उठा।

"एक बात है। पुलिस आएगी।"

"आएगी?"

"हाँ रे, लवण माझी। अढ़तिए को परेशान करेंगे, पुलिस नहीं आएगी? पुलिस-जमींदार खसम-जोरू होते हैं, पता है?"

"हाँ।"

"तब तुम लोगों के पास हथियार भी नहीं हैं। तुम कहोगे, हमें कुछ नहीं मालूम, बसाई टूडू आदमियों को लेकर आया था, सारी गड़बड़ कर भाग गया।"

"ऍं?"

"ऐं नहीं, हाँ कहो।"

"न्-न्-न्-हाँ। किन्तु...।"

"क्या?"

"तुम?"

"वह तुम्हारे सोचने की बात नहीं है।"

"हाँ।"

"इसका नाम है एक्शन। और काम है।"

"क्या?"

"एक्शन के पहले मैं चला जाऊँगा। तब माधव जाकर प्रताप से कहेगा—बहुत गड़बड़ की, हमारा अपमान किया अनजान आदमियों ने आकर। प्रताप अगर पुलिस में खबर दे, तो दे।"

"किन्तु...?"

"डर की बात नहीं है। यहाँ कोई गड़बड़ नहीं है, कोई बीरू पाठक नहीं है। अब पुलिस-अफसर अच्छा है। वह रिपोट लिखता है, ब्लॉक में गड़बड़ी घुसने नहीं दूँगा। इसे प्रताप भी जानता है। सो बाद में मैं एक्शन के दिन आ जाऊँगा।"

हँसी हुई और धीमी पड़ी।

"इस साल वर्षा होकर धरती हल चलाने जोग होगी। धीरे-धीरे बाद में तुम बीज डालोगे। प्रताप की तरह अढ़तिए जमींदार की खुशी में नाचोगे। तुम जरा भी मत डरो। मैं हूँ। अभी सात दिन यहाँ रहना होगा।"

हँसी उठी और धीमी पड़ी।

"और दो बातें हैं। मैं भी बनारी आऊँगा। सो एक नैया चाहिए। मैं तो अफसर नहीं हूँ कि जीप गाड़ी चाहूँ। नैया चाहिए। नदी पार करके आऊँगा न! चरसा में जल बहुत है। यह एक बात है। दूसरी बात, प्रताप को मैं मारूँगा। तुम नहीं।"

"अँ?"

"उसे मारना तो पड़ेगा! उसके जिन्दा रहने से वह सबको पुलिस को पहचनवा देगा न?"

माधव ने तभी ठीक किया, गोपी राजी हो तो गोपी और वह, नहीं तो अकेले वह बसाई के साथ चला जाएगा।

भौंरी नाम की एक भैंस बसाई की नौका बनी। वन-विभाग जब वन का निर्माण कर रहा था, तब साई बाबला पेड़ ही क्विक फॉरेस्टेशन[1] के लिए अच्छा लगता है। कई कुसुमविलासी फॉरेस्ट-बीट-अफसर उसके बाद एकेसिया के पेड़ लगाते, नीम और यूकलिप्टस लगाते। परिणामस्वरूप जंगल में काफी पेड़ हो जाते और बड़े अच्छे लगते। बसाई यहीं रह जाता।

इसी बीच गाँव में आ जाता शीतल काउरा[2] । वह गुलाबी का पति है। प्रताप सिउड़ी में गुलाबी के पति को काम की तलाश में जाने के बहाने गुलाबी की ओर अधिक ध्यान दे रहा था। सिउड़ी में जगत्तारिणी बस सर्विस में बस धोने का काम पाकर वह पत्नी को लेने गाँव आया। गुलाबी की बदजाती की बात सुनकर उसने पहले पत्नी को पीटा। उसके बाद प्रताप से झगड़ा कर "तुमको कतल कर मैं फाँसी चढ़ जाऊँगा," कहकर पत्नी को लेकर चला गया। डरकर प्रताप अढ़तिए ने थाने पर लिखाने जाकर डाँट खाई। थानेदार बोले, "नक्सली की गड़बड़ नहीं, पोलिटिकल फ्यूड[3] नहीं, यह रिपोर्ट लिखाने आए हैं?"

---

1. जल्दी वन उगाना
2. एक नीच जाति
3. राजनीतिक झगड़ा

"उसने कहा है, कतल कर देगा।"

"कतल .कैया?"

"ऐं?"

"कतल करे, तब पकड़ेंगे।"

"यह क्या बात हुई?"

प्रताप मुसीबत में पड़ गया। उसे कोई काट डाले तो मुसीबत उसकी है, थानेदार की नहीं। यह बात कौन किसको समझाए?

थानेदार बोले, "देखिए, प्रतापबाबू, जमाना बहुत बुरा है। मेरे लिए नक्सली-टॉप प्रायर्टी[1] है। आपसे भी कहे देता हूँ, चारों ओर आग लगी है। आपका ब्लॉक शान्त है। गड़बड़ी क्यों बुला रहे हैं? गुलाबी के मामले से अगर बड़ी गड़बड़ी शुरू हो गई तो? आपकी भी बलिहारी है। ठाठ से राज कर रहे हैं, कितने लाख रुपए पीट लिए, यह तो आप ही जानें। धान-आन के टाइम पर गरीबों से बिगाड़ न करें। जो कहें, मान लें।"

"ऐं?"

"बात-बात पर ठण्डी साँस लेने से काम नहीं चलेगा। मैं रिपोर्ट करूँगा, आप प्रोवोकेशन दे रहे हैं[2]।"

प्रताप घबराए जा रहा था। थानेदार सचमुच घटना को नोट करेंगे। प्रताप दस खेतमजूरों को रोज गोली मारता तो वे खफा न होते। अढ़तिया गोली चलाएगा, यह प्रत्याशित है। खेतमजूर मरेंगे, मानी हुई बात है। उसमें कुछ नहीं कहना है। वैसा होने पर वे जाकर खेतमजूरों को पकड़ेंगे। लेकिन औरतों की बातें गन्दी हैं। न, कभी नहीं। थानेदार तारा-शंकर के 'न' नाटक में नायक बनकर बोले, "देवी, देवी! तुम स्वर्ग की देवी हो।" यह बात वे सारी औरतों से कहना चाहते हैं। उसी कारण से औरतों के साथ गन्दगी की बात सुनकर वे खफा हो गए। यह उनके स्वभाव में उलटी बात है, क्योंकि सभी औरतें स्वर्ग की देवी नहीं होतीं, यह बात पुलिस के आदमी होकर वह अच्छी तरह जानते हैं। कम-से-कम जानना उचित है।

जो हो, शीतल-गुलाबी-प्रताप-थानेदार के चौगड्डे की बात बसाई न जान सके, लेकिन इससे उसके काम में परोक्ष रूप से सुविधा होगी, और प्रत्यक्ष रूप से शीतल को कुछ हैरानी हुई। कुछ करने को न था। 'संसार में राम-श्याम को ढेला मारे तो यदु को कंकड़ी लगेगी-ही-लगेगी,' यह आप्त वाक्य है।

प्रताप को लगता है कि आस-पड़ोस के कुछ जमीनों के मालिकों का दिमाग

---

1. सबसे जरूरी काम
2. उकसा रहे हैं

खराब हो गया है। सात-पाँच सोच-विचारकर उसने छींके पर से पिछले साल का कुम्हड़ा उतार, मछली काटकर भात की व्यवस्था की, और माधव के बाद लवण माझी को तोलकर बीज के धान निकाल दिए।

यह सब शुरू का काम हो जाने पर माधव और गोपी ने तैयार होकर मजदूरी की बात उठाई।

प्रताप बोला, "जो देता था वही दूँगा। यह और ज्यादा की कैसी बात? पर हाँ, भात-मछली चटनी-विउली दाल[1] का जलपान होगा। उसके पैसे नहीं कटेंगे। भरपेट खाओगे तो उसके पैसे काटूँगा? न, प्रताप अढ़तिया वह नहीं कर सकेगा। ब्बाप रे! परलोक में जाकर क्या कहूँगा?"

"बाबू? तो फिर रेट दोगे?"

"रेट? कौन-सा रेट रे, माधव?"

"अड़सठ की खेतमजूरी का रेट। मरद-औरत के हिसाब से तीन चौवन, तीन सत्ताइस, दो, दो। आपने पेंचुड़ा, दियाशा, बक, डूबा में माना था।'

"मैंने?"

"नोटिस तो कब का हुआ था।"

"तुझे कैसे पता है?"

"हाट गया था। सुन आया।"

प्रताप के मन में पहले ही स्वतःस्फूर्त निष्पाप वासना उठी, बन्दूक से चार लाश गिरा दे। ऐसा लगना ही स्वाभाविक है। 'धरती बाप की नहीं, दाप[2] की होती है,' यह बात प्रताप के जीवन में 'वन्देमातरम्' या 'जयहिन्द' थी। फिर भी प्रताप ने यह काम नहीं किया। थानेदार की सावधानी की बात उसे याद हो आई। जमाना बहुत बुरा था। सहसा उसे याद आया कि सबसे अधिक पास का थाना सोलह मील दूर था। चातादानी गाँव में जमींदार को मारने के पहले उसकी लॉरी और जीप के टायर फाड़ दिए गए थे, साइकिल तोड़ डाली गई थी। वैसा प्रताप के वक्त भी हो सकता है। कैसी रूखी बातें हैं शीतल की! अगर वह अचानक आकर कुछ करने के बाद भाग जाए, तो डोर तोड़कर पतंग उड़ जाएगी। इस गाँव में शीतल का कोई नहीं है। आने पर वह गुलाबी के घर ही टिकता है। उसे पकड़ा नहीं जा सकता। गाँव में फिर भी किसी के रहने पर, बाप-भाई को लांछित कर शीतल को खींचकर लाया जाता। प्रताप इसलिए सावधानी से ताश खेलेगा।

"हाँ रे, नोटिस तो आया था।"

---

1. मोटे अनाज की दाल
2. रोबदाब

"आपने भी क्यों नहीं दिया? दो साल बीत गए!"

"अरे! सरकार के काम का क्या कहना? जोतदार-महाजन, जिस साले की जमीन है, उन्हीं को नोटिस भेजा। वह तो मैंने भी पढ़कर नहीं देखा। बाद में पता चला कि वह मजूरी बढ़ाने का नोटिस है।"

"दिया क्यों नहीं?"

"बाप! तुम लोगों का यूनियन है, सब एकजुट होकर चलते हो। हम लोगों का यूनियन नहीं है। बड़ा जो करे, मँझला उसे देखकर चलता है। बड़े-बड़े जमींदारों में किसी ने नहीं दिया, इससे सोचा...।"

"दिया क्यों नहीं?"

"सोचा, हिसाब तो देख नहीं पाया। तुम लोग धान-रुपया करज जो लेते रहे! और न लेते तो क्या करते? खाना तो पड़ेगा ही। उससे सोचा, हिसाब तो देख लूँ।"

"बाबू! इस साल जल की हालत अच्छी है। धान उपजाने में धरती की कोख फट जाएगी। असीम धान होगा। मैं कहता हूँ, जो होगा, सो होगा। इस साल हमें अड़सठ का एम.डब्लू. क्यों नहीं दे देते? अड़सठ-उनहत्तर दोनों सालों की सरकारी मजूरी का हिसाब करो, जो काटने का हो वह उसमें से काटना। आपको छोड़कर हम कहाँ जाएँगे?"

"यह ठीक कहा। देखें। सो मैं तेरी सारी बातें मानकर काम करूँगा, तुम?"

"हम भी करेंगे।"

"ठीक। तुम सान्तालों के-से ही हो। जो बात कही, उसके खिलाफ नहीं।"

"ना।"

"कौन क्या भड़काता है, सुनकर सब भड़क न जाना।"

"नाः, वे क्या हमें खाने को देंगे?"

"ना।"

"यह हुई बात।"

"क्यों रे, माधव?"

"बाबू! आज नई खेती के नए बीज बो रहे हो, माँ की पूजा होगी। सो हम क्या कुम्हड़ा ही खाएँगे?"

"अँ!"

"एक माछ थानेदार लेगा?"

प्रताप समझता है कि इस समय उसके दिन मन्दे जा रहे हैं। पोखरे की मछली थानेदार के घर जा रही है, वह भी ये लोग जानते हैं।

"तुम भी खाओगे।"

प्रताप को लगा कि वह अभिमन्यु की तरह हो रहा है। चक्रव्यूह में फँस गया है। ठण्डी साँस लेकर मन-ही-मन कहने लगा—चार दिन चोर के तो एक दिन साह का होता है। मेरा दिन आएगा रे, माधव। पोखरे की मछली का दाम काट लूँगा।

मछली-कुम्हड़ा-खेसारी-पोस्त से भरपेट खाना-पीना हुआ। खाना हो चुकने पर लवण माझी को लगा कि प्रताप की छाती फटी जा रही है। दिलासा देते हुए वह बोला, "फिर बरखा होगी रे, इस बार तेरा भाग अच्छा खुला है।"

सचमुच रात से फिर वर्षा हुई। भौंरा की पीठ पर चिपककर चरसा पार कर बसाई माझीपाड़ा आया। बहुत ध्यान से सब सुनकर बोला, "मैं आज चला जा रहा हूँ। एक्शन की पहली रात को चला आऊँगा। देखो! कोई भी दिन रहते, भामटा[1] की तरह दिन रहते कुछ नहीं करोगे। साँझ लगे, न लगे, कि एक्शन।"

लवण माझी डरते हुए बोला, "अगर प्रताप अढ़तिया सब दे दे? फिर भी एक्शन?"

"ना। पर मुझे लगता है, वह देगा नहीं।"

"दिन-दिन का लेंगे।"

"देखो।"

"देखें।"

"इस बार जिला में ऊँच-नीच की बाढ़ ले आएँगे। ब्लॉक-ब्लॉक में पुलिस फिर रही है। जहाँ गड़बड़ है वहाँ सबको गाँव से निकाल बाहर कर रही है। अच्छा जमाना आ रहा है।"

"पता है।"

"जितने दिन राज सरकार के हाथों है, उतने दिन पुलिस है।"

"उसके बाद।"

"बाघ पर टाघ है। बाघ का सिर खुजलाने पर आर्मी आएगी। तब सब भूने जाएँगे।"

"क्या कहा?"

"आर्मी।"

"जैसी लड़ाई के दिनों आई थी?"

"वे गोरे थे। सफेद। ये काले होंगे।"

"हमारी-तुम्हारी तरह?"

"थोड़े-बहुत ऐसे ही। पर वे सान्थाल-क्याओरा-केउर नहीं हैं। आर्मी में हम लोगों को नहीं लेते। आर्मी हम लोगों को मारने के लिए है।"

---

1. गन्ध मार्जार, कस्तूरी विडाल

काम के वक्त, मौके ने बसाई को मदद दी। बीरू पाठक ने बड़े जोश से, गाँव के खेतमजूरों को दूर कर पुलिस के रोब से कटैयों से बीज बिजाकर, बीस मील दूर के ब्लॉक की गड़बड़ रोकी। और समय के, नियम से शोंसानगढ़ के जमींदार का धड़ खोजकर उसका सिर पके कद्दू की तरह लोट रहा था। खबर पाकर थानेदार अपनी फौज के साथ भागे और उस हालत में थाने में कम आदमी जानकर बसाई बनारी में आ गया। प्रताप को तीसरे पहर खबर मिली कि खेतमजूर चरसा के किनारे बैठे हैं। सरकारी धान के बीजों का कीमती ढेर वे नदी में फेंक देंगे। वह कई दिनों की मजूरी अभी चाहते हैं।

प्रताप कमर कस, शू जूते पहन, बगल में बन्दूक दबाकर भागा। उसका भाई साइकिल लेकर थाने की ओर भागा। पुलिस न बुलाकर खेतमजूरों से काम कराने की नासमझी के लिए बड़े भाई को गालियाँ देता सेन-रैले[1] पर बैठ भागते-भागते उसे सहसा रोशनी कौंधी। पुलिस लेकर लौटने में बड़े भाई का सिर अगर धड़ से अलग हो जाए, तो? उसका दिल उछलने लगा। तब वह मालिक बन जाएगा। बड़े भाई की तरह वह जड़ नहीं काट देगा। चार देगा, चार खा लेगा। आजकल बुरा वक्त है। अच्छा समय आने पर माधव आदि की राह में बन्दर का बच्चा घुसा देगा। थाने पर पहुँचकर जब उसने सुना कि थानेदार शोंसानगढ़ में हैं, तो वह थाने पर रुक गया। मुक्ति-फौज बिना लिए फ्रण्ट पर लौटना ठीक न होगा। उसने एक बार भी 'नक्सल' नाम नहीं कहा। लेकिन मुंशीजी रोबट[2] की गति से नक्सलवादी, समाजविरोधी और प्रताप अढ़तिया मिश्रित एक रोमांचक किस्सा लिखते रहे। प्रताप का भाई कड़वा होकर बोला, "जहाँ नक्सल नहीं, वहाँ आप नक्सली लिख रहे हैं। यह कैसा नक्सली बाँस घुसा रहे हैं? वे अगर आ जाएँ, तो?" सहसा मुंशीजी को लगा कि बात गलत नहीं है। वे लोग अगर थाने को अरक्षित जानकर थाने पर बन्दूक छीनने चले आएँ, तो? डरकर उन्होंने रिपोर्ट काट दी और थाने का दरवाजा बन्द कर बैठ गए।

प्रताप चला था युद्ध करने। लेकिन जाकर देखा कि परिस्थिति बहुत ही शान्त है। प्राचीन स्टील एन्ग्रेविंग में चित्रित बंगाल के शान्त गाँव में शान्तिमय प्रकृति चित्र में कुछ मनुष्यों का मैनग्राफ था। धान के बीजों की बोरियाँ बीच में रखे माधव आदि बूढ़े वट के नीचे बैठे हैं। बी.डी. बाबू के पास से उठाकर लाया गया बढ़िया ए-वन बीज धान था। बीज-खाद-कृषि-ऋण—सरकारी प्रयत्न में त्रुटि नहीं थी। ऐसा न होता तो क्या प्रताप सामान्य पाँच हजार बीघा जमीन सँभालकर गृहस्थी चला पाता? लोग बहुत शान्त थे। आराम के साथ बैठे हुए थे। प्रताप और उसका दाहिना हाथ

---

1. एक बाइसिकिल कम्पनी का नाम
2. यान्त्रिक मानव

बयँहत्था महिन्दर घबड़ा गया। उनका प्रवेश नाटकीय क्यों था, जबकि और अभिनेता शान्त और निरस्त्र हैं? प्रताप नाट्य-आन्दोलन की पक्की खबर न रखकर भी एब्सर्ड नाटक का एब्सर्ड नायक बन गया। उसके पूरी तौर पर अनदेखा, अनचीन्हा एक सन्थाल साफ धोती की लाँग कसे काली जाँघ पर ताल ठोंककर गा रहा था, "उ घाटे जेयो ना बेउला आमार मा! चाँदेर बेटा दुश्मन नखा देखूलो छाड़बू ना।"[1] प्रताप को आते देख वह आदमी आँख मार मजाक में बेसुरा गाने लगा, "ओलो किचकिन्दे पिसि, करचू इ कि मशकरा? बलछू आमू भेदिया जाबू, मोकू लयो जेछू गुशकरा![2] सब एक साथ मिलकर हँसने लगे। प्रताप को लगा, उसने क्या गलती कर दी? थानेदार गुस्से से लाल हो जाएँगे। लेकिन पास आते ही समझा कि वातावरण बहुत तनावपूर्ण है। डायनमो छूट रहा है। हवा में बिजली का शॉक है।

"यह क्या है, माधव? लवण ने मुझसे वादा किया था कि गड़बड़ नहीं होगी।"

गानेवाले आदमी ने हाथ उठाकर लवण माझी को जवाब देने में 'ना' कह दिया और बोला, "यह छह दिन से काम कर रहे हैं।"

"तुम कौन हो?"

जो अदृश्य या जिसके डर से प्रताप का रात में बिस्तर पर पेशाब निकल जाता, यह क्या वही है? नक्सल नहीं, यह तो सन्थाल है। बाबू लड़का नहीं है, पढ़ा-लिखा नहीं है, नक्सल नहीं है।

"बसाई टूडू। शहर में थाने के सामने रिलीफ को लेकर तुममें-मुझमें रार हुई थी। लँगड़ा महिन्दर पहचानता है, पीछे घूमो, उसे पकड़ो। पुलिस पहचानती है। लवण की माझिन की कमर में सालों ने लाठी मारी थी।"

"यह क्या?"

प्रताप बैठ गया। हाय! बगल की बन्दूक किसी ने छीन ली। बसाई टूडू बोला, "इन लोगों की मजूरी कहाँ है, प-र-ता-प-बा-बू?"

"दूँगा। दूँगा, भाई।"

"वही सनातन पाल से कहते आए, धान बोने को इन्हें लगाया, धान रोपने को, धान निराने को, धान काटने को, मजूरी नहीं दी? कहते आए, हर एक को चालीस पैसे, जलपान के लिए, मजूरी देखी?"

"अभी देखी..."

---

1. मेरी माँ बेहुला, उस ओर मत जाना, चाँद का पुत्र दुश्मन के नाखून देखकर भी नहीं छोड़ेगा।
2. ओ काली बुआ, यह क्या मजाक कर रही हो? कहती हो, मैं भेदिया बन जाऊँगा, मुझ पर खफा हो रही हो!

"रुपया कहाँ है?"

"रुपया?"

"आज का काम खतम हो जाए। मजूरी कहाँ है? छह दिन से दे रहे हो न? तुम दोगे? फिर सारा रुपया बैंक में कल क्यों रख आए?"

"ला दूँगा।"

माधव बोला, "अबे साले! बैंक गया था? कह गया, डॉक्टर के पास जा रहे हैं।"

"सुनो तो, माधव...!"

"बहु–त सुनी है! थाने गए थे?"

"वह दूसरे काम से।"

अब लँगड़ा महिन्दर रोने लगा और बोला, "बाबू! कितनी बार कहा, इस साल सनातन पाल ने मजूरी बढ़ा दी है, सो तुमने सुना नहीं। कल सवेरे रुपया बैंक ले गए, थाने गए...।"

बसाई टूडू बोला, "काम अच्छा नहीं किया, प्रताप बाबू! धान तुम्हारा होगा, किन्तु उस धान का भात तुम्हें खाने को नहीं मिलेगा।"

"तुम मुझे छोड़ दो...!"

"घर में कितना रुपया है?"

"नहीं भाई–जो है, सब दे दूँगा...।"

बसाई बोला, "चलो, चलकर देखें।"

'हो...हो...हो' करते हुए वे प्रताप अढ़तिए को पैदल घर ले गए। गन-पायन्ट[1] पर प्रताप का सन्दूक खोलकर नौ सौ तैंतीस रुपए निकाले, सतर्क तेजी से। दीवार पर की बन्दूक, प्रताप की लाल खैरे रंग की बही ली। बसाई ने बही खोलकर कहा, "ब्बाप रे, लूला-लँगड़ा पाकर अँगूठा-निशानी ली हैं...ऐं? इस साल की मजूरी ढूँढ़ो? सब लोगों के नाम पर तुम्हारा हजार-ग्यारह सौ पावना है?"

कचहरी के कमरे में गड़बड़ सुनकर प्रताप की घरवाली 'ओ ठाकुरपूत, पुलिस ले आए?' कहकर बाल छितराए फूहड़पन से कमरे में आकर हक्का-बक्का खड़ी रही और अब प्रताप से कुछ कहने को ही न रहा। घुसते ही प्रताप की पत्नी फौरन पलटकर चीखते-चीखते अन्दर की ओर गायब हो गई। तब बसाई फिर प्रताप को पैदल नदी-किनारे के बूढ़े वटवृक्ष के नीचे ले आया, महिन्दर को भी। बन्दूकों को नदी में फेंक चिल्लाकर बोला, "इसे पहचानते हो न? यह तुम्हें मजूरी नहीं देता था। खाते में लिखा जितना पावना है, उसका है, भाइयों को थाने भेजता था, मजूर खोजता था। उसके आसरे और कुछ दिनों रहते तो सब जेहल जाते या बनारी छोड़ते।"

---

1. बन्दूक की नोक पर

"मार साले को!" सब बोल पड़े। बसाई के हाथ से भाला छूटा, उसने छेदा, निकला, फिर छूटा। प्रताप और महिन्दर धरती पर लोटने लगे। अन्धकार हो गया। वे लोग प्रताप और महिन्दर को छोड़कर प्रताप के घर गए। दरवाजे-खिड़कियाँ बन्द थे। बसाई ने आवाज लगाई, "एक आदमी का नाम पुलिस में गया तो दो-ठो लहास गिरेंगी। अढ़तिया बंस में कोई नहीं रहेगा। चिड़ी का पूत भी नहीं। साँप का बच्चा साँप ही होता है।"

इसके बाद सब झटपट बिखर गए। बूढ़े बट के नीचे आकर माधव और गोपी बोले, "हम तुम्हारे साथ चलेंगे। यहाँ नहीं रहेंगे।" कठोर व्यंग्य में बसाई बोला, "यह अच्छा है। पुलिस समझेगी, तुम दोषी हो और सब गड़बड़ कर दोगे। अभी तुम जाओ, जाकर घर बैठो। पुलिस के आने पर कहना, पता नहीं किसने मारा है! डरना मत, मैं फिर आऊँगा।"

तभी चरसा के उस पार से आवाज आई, "हो बसाई, हो!" पुकार कई लोगों की थी।

"काम निपटा रहा हूँ, आया।"

बसाई बोला, "तुम लोग जाओ। लहास हटा रहा हूँ। उनसे कह देना, कोई आकर अढ़तिए को खींच ले गया। लहू के दाग ढक देना। लाश जितनी दूर चली जाए, उतना ही अच्छा है।"

इसके बाद प्रताप और महिन्दर को एक-एक कर भौंरी की पीठ पर नदी पार हुआ, और नदी के दूसरे किनारे जाकर, बनारी छोड़ उत्तर की ओर चार मील चल एक गहरी दलदल में डाल दिया। इस काम में बसाई की राह देख रहे बनारी के बाहर के मार्गदर्शकों ने सहायता की। बसाई जेम्स बाण्ड या आतंकवादी बंगाली फिल्मों का हट्टा-कट्टा विचित्र काम करनेवाला नायक नहीं था। इसलिए उसने कोई विचित्र काम नहीं किया। मार्गदर्शकों से बोला, "तुम लोग चले जाओ, उधर जंगल में राह देखना। मैं आ रहा हूँ।"

"कहाँ जा रहे हो?"

"भौंरी ने, इस भैंस ने इतने दिनों तक बड़ी सर्विस दी। उसे घर पहुँचा आऊँ। वह भी कमरेट बनकर काम करती है न?"

"चल भाई, कमरेट," कहकर बसाई ने भौंरी की पीठ पर थाप लगाई। भौंरी ने इन कुछ दिनों से बसाई के साथ बड़ी दोस्ती से अभ्यास किया था। स्त्री-स्वभाववश उसने बसाई की ओर सिर बढ़ा दिया। बसाई ने उसका गला खुजला दिया। मौन दोस्ती थी। पूँछ से भौंरी मच्छर भगा सके, इसलिए जंगल में भौंरी के बदन में तेल मल दिया था। भौंरी को मूठाभर घास खिलाई थी। लेकिन आज

रक्त-गन्ध से लिपटी दो लाशों को ढोने में, अनभ्यस्त और डरावनी गन्ध से भौंरी डर गई थी। बसाई उसे लेकर जब पानी में उतरा तो मार्गदर्शक बोले, "चलो भाई, एक आदमी पूँछ पकड़ो, उसे पकड़े दूसरा आदमी, हम भी चलें। पूरब आकाश में दिन निकल रहा है। वैसे ही उधर दिखाई दे रहा है। उस पार से लगकर भागेंगे।"

"चलो।"

वे पानी में उतरे। भोर हो रही थी। उस पार पहुँच घुटनों-पानी में खड़े होकर बसाई ने भौंरी को किनारे की ओर ठेल दिया। तब किनारे से पुलिस ने आवाज लगाई 'हाल्ट' और गोली चलाई। कारतूस की तीखी गंन्ध। भौंरी डर से आँ-आँ-आँ रँभाई और पानी में ही निरापद आश्रय समझकर पानी में उतरने लगी। पुलिस ने अब भैंस को निशाना बना किसी अज्ञात पुलिस-कारण से गोली चलाई और बसाई, जिस ढंग की गठन का था उसी ढंग से तेजी से भैंस को बचाने के लिए, "पानी में उतर जा भौंरी, डरने की क्या बात है?" कहकर भौंरी की सहायता के लिए गया। और गोलियाँ। गोली के बाद गोली। पानी में फटाफट। डुबकी मारकर तैरना। उस पार पहुँच बहाव की ओर बढ़ पानी से निकल झुककर जंगल में भागना। धीरे-धीरे प्रकाश होता है और एक भैंस को, एक आदमी को पानी में तैरते देखा जाता है। फिर गोली। आदमी का चेहरा कुचल जाता है। पुलिस किनारा पकड़कर भागती है।

लाश किनारे उठा ली जाती है। गाँव के रहनेवाले लोग पुलिस की आवाज पर एक-एक कर निकलते हैं। सब लोग बूढ़े वट के नीचे। न, वे कुछ भी नहीं जानते। प्रताप बाबू के साथ उनका कोई झगड़ा नहीं है। सबको दिन के दिन की मजूरी मिल गई है। जलपान भी। रात में उन्होंने गड़बड़ सुनी जरूर थी, निकलने की हिम्मत नहीं पड़ी। दिन जैसे खराब चल रहे हैं, उसमें क्या-से-क्या हो जाए, कौन जाने! वे किसी दिन झगड़े में नहीं पड़ते। प्रताप बाबू का काम कर बरस बिता देते हैं, दूसरे ब्लॉक की खबर उन्हें नहीं रहती। प्रताप बाबू और महिन्दर गायब हैं? कैसी मुसीबत है! वे भी खोजने जाएँगे।

सबकुछ सुनकर थानेदार को पक्का विश्वास हो गया कि सब खेतों में बीज बो दिए गए हैं, इनमें कोई भी प्रताप का दुश्मन नहीं है। इसलिए किसी ने मौका पाकर औरतों के झमेले का बदला लिया है।

लाश देखकर लवण चिल्ला पड़ा, "माधव! गोपी! तुम लोग देखो तो? यह वह बसाई टूडू नहीं है? हमें होशियार करने आया होगा?"

अब गुमनाम लाश को एक नाम मिल गया और थानेदार लाश लेकर चले गए। लाश का नाम न पाने तक सारा झमेला था। नाम मिल जाने पर सरकारी मशीनरी मुस्तैद हो जाती है, फाइल और रेकॉर्ड की उलट-पलट और तलाश—कौन पहचानता

है, इत्यादि। थानेदार उधर देखते रहे और बनारी में गायब प्रताप के घर दो सीधे-सादे पुलिसवालों को रख गए। अब प्रताप के भाई को सब लोगों को दुरुस्त करने की बात कहकर जाकर तड़पती हुई भावज से और पत्नी से डीजल ट्रेन की सीटी की तरह डाँट मिली। तीसरे पहर तक गिद्धों की सहायता से प्रताप और महिन्दर के मिल जाने से प्रताप का भाई भी समझ गया कि इस वक्त चुप रहना ही ठीक है। इसके पीछे औरतों-लड़कों का मामला भी हो सकता है, इसका प्रताप की रोदनमुखी, स्फीत स्तनद्वय की उपत्यका को पीटने में रत पत्नी ने भी अनुमोदन किया और देवर को अभियुक्त बनाकर बोली, "तुम नहीं जानते थे? मियाँ के लड़के के लालच में वह क्या करता फिरता था?" इससे केस बुरी तरह उलझ गया। लगता कि इसे लेकर इधर-उधर करने से कोई फायदा नहीं। सबसे अधिक रहस्यमय बात हुई कि इसके साथ सारे कुकर्मों के काजी नक्सलवादियों को नहीं जोड़ा जा रहा है। कुछ उकसानेवाले अगर कहें भी कि प्रताप के मरने की रात को नक्सलवादी बेस[1] के एक गाँव से बाजी-पटका में खुशी की लहर उठी थी—तो जाँच करने पर देखा गया कि गाँव नक्सलवादियों का बेस नहीं था। और उक्त आतिशबाजी असल में एक दारोगा के बेटा पैदा होने के उत्सव का हिस्सा थी। परिणामस्वरूप भड़कानेवाले पर डाँट पड़ी और थानेदार ने जब टेलीफोन पर सुना कि मुर्दे को जागुला ले आइए—तो क्षण-भर में लाश टॉप प्रायर्टी बन गई। प्रताप बहुत ही गौण हो गया और वह चरसा के किनारे घी-चन्दन-काठ में जलने लगा।

लाश की हालत बैसाख की आबोहवा में किसी देहातीत अहंकार में फूलकर डबल आकृति की हो गई। अब थानेदार को पहले डाँट पड़ेगी कि इस वी.आई.पी.[2] लाश को बरफ में क्यों नहीं रखा गया? सुनते हैं, यह बसाई टूडू अत्यन्त इम्पॉर्टेंट, वेटेरन[3] फ्रण्ट कार्यकर्ता, दुर्दान्त व्यक्ति था। अनुमान लगा सकते हैं कि इसकी मृत्यु से बहुत-से लोगों को चैन आया है। अब इस लाश को 'बसाई टूडू' नाम से, सन्देह से ऊपर भाव से शनाख्त होना चाहिए। किन्तु हाय! लाश अब प्रचलित व्याकरण के एक पदीकरण नियम के अनुसार शनाख्त करने लायक नहीं है। सड़ती हुई, फूली, पुलिस की नर्वसनेस से चेहरा छिन्न-भिन्न है (पुलिस अवांछनीय व्यक्ति की मृतदेह को स्टेशनरी टार्गेट पाकर गोलियों से झँझरा कर ही देगी), अतएव सभी परेशान हो उठे हैं।

बसाई बड़े आनन्द से सड़ी, गन्दी बदबू फैला रहा है। उसकी जान-पहचान के गाँव से लोगों को लाकर शनाख्त कराना अब सम्भव नहीं था। मैन इज मॉर्टल।[1]

---

1. अड्डा
2. अत्यन्त महत्त्वपूर्ण
3. महत्त्वपूर्ण, पुराना

लाश और भी क्षणस्थायी होती है। बसाई चवालीस बरस में मरा, लेकिन लाश चवालीस घण्टे में ही विद्रोही हो गई। इसलिए स्थानीय लोगों को लाना होगा। 'जिला वार्ता' ऑफिस से काली साँतरा को प्रायः भगाकर लाना होता था। काली जब सूखे गले से कहे, 'बसाई। बसाई टूडू!' तो लाश जलाने में फिर झमेला नहीं रह जाता। जीवित बसाई ने पासपोर्ट नहीं बनवाया, या बैंक में डाका नहीं डाला जिससे उसकी हुलिया का रेकॉर्ड नहीं है। इस लाश की नाप-जोख ही लिखी गई और बसाई सहसा एक वेल-रेकॉर्डेड आइडेंटिटी बन गया। उसकी ऊँचाई पाँच-सात, बाल घुँघराले, माथे पर चोट का दाग। काली साँतरा चेहरे पर विचित्र मुस्कुराहट मिली फेवरिट मुद्रा-दोष सप्लाई कर गया, उत्तेजना में जीवित बसाई हवा का गला मरोड़ता था। तब पुलिस ने कहा, "हाँ, जिसने उस पर गोली चलाई, उसके दोनों हाथों ने नदी में से उठकर हवा का गला मरोड़ा था, ऐसा उसे अब याद आ रहा है।"

बहुत शान्ति मिल रही थी। सामन्त भरे गले से बोला, " 'जिला वार्ता' समाचार-पत्र में शोक-समाचार होना चाहिए। वह बरसों हमारा कॉमरेड था।"

"निश्चय," कहकर काली चला गया। सामन्त ने मन-ही-मन नोट किया, इस मामले में काली बहुत शोकाकुल है और उसने निश्चय किया कि काली पर नजर रखनी होगी।

काली अत्यन्त उत्तेजित होकर लौट आता है और अपने निजी तरीके से ऑपरेशन-बनारी की खबर को जितनी दूर तक सम्भव हो सका जमा किया और जो पता चला, उससे उत्तेजना में प्रत्यंचा चढ़े धनुष की तरह बैठा रहा।

इसके बाद चौदह-पन्द्रह दिन पर जागुला का छमाही धर्मराजा का मेला लगता है। इस धर्मराजा के दोनों पुजारियों के सम्मिलित होने के लिए बहुत पुराने समय से दो बार मेला लगता है। मेले के उपलक्ष्य में जागुला में बहुत ही सरगर्मी छा जाती है। किसी को किसी की खबर नहीं रहती। उन दिनों सन्ध्या के समय कई लोग, गाँव के कुछ सिकुड़े चेहरे के आदमी आकर काली साँतरा के दफ्तर में घुसते हैं और कहते हैं, "मैं पलताकुड़ि का सोहन हूँ। बसाई टूडू के लिए यह दवाई लाने को कहा है। आप चले चलिए। वह दिशाई गाँव में है—माझीपाड़ा में।" वह एक कागज देता है। उसमें बड़े-बड़े अक्षरों में लिखा है : 'टेरामाइसिन कैप्सून'।"

"क्या हुआ है?"

"गोली से उसे चोट लगी है।"

काली साँतरा घर में ताला लगाकर सदर जाता है और टेरामाइसिन कैप्सूल, बैंडेज, रुई, डेटॉल इत्यादि लेकर रवाना हो जाता है। जागुला के बहुत पास दिशाई

1. मानव मरणशील है

गाँव में माझीपाड़ा में सभी फ्रण्ट के मेम्बर हैं। बसाई निरापद ही है। काली सोच नहीं पाता कि बसाई में इतना साहस कहाँ से आया? फरण्ट के सदस्यों के बीच फरण्ट छोड़नेवाला रेनीगेड[1]? बसाई उसे देखकर पुलिस को गाली देता है और कहता है, "ये सान्थाल हैं। बाबू कमरेट होते तो सामन्त की बात मानकर मुझे काट डालते।" उसके बाद कहता, "अब नहीं काली बाबू, अब अन्त है।"

गोली से लगे घाव में सेप्टीसीमिया[2] हो गया है। सल्फा दवाइयों से घाव भरा नहीं। इस तरह के केस में टेरामाइसिन देते हुए बसाई पहले देख चुका है। चांस लिया। काली दिशाई गाँव में रह न सका। रात बीतने पर पानी गरम कर बैण्डेज बदल, छह घंटे बाद कैप्सूल खिलाकर चला आया। उसकी शनाख्त और लाश की नाप-जोख सुनकर बसाई बोला, "ऐं? पाँच-सात कर दिया? एक इंच और कहाँ से मिलेगा? मैं तो छह इंची ही हूँ। माथे में चोट का निशान? नाः, वह भी कहाँ मिलेगा? चलो, रंग तो गोरा नहीं कर दिया?"

काली लौट आया।

इसके बाद बहुत दिनों तक कोई हाल-चाल नहीं मिला। काली भी जैसे हर रोज मन-ही-मन भरा रहता।

लेकिन बहुत दिनों के बाद राढ़[3] जब आर्मी-मार्च[4] से प्रतिदिन पीड़ित था, तो एक दिन खुद जागुला के समीप गोल-माल उठ खड़ा हुआ। सुना गया कि बसाई टूडू इज इन एक्शन अगेन।[5] प्रशासन के सिर पर आसमान टूट पड़ा।

[9]

काली साँतरा चौकन्ना हो गया। बाहर सतर्कता की किचकिच आवाज। सूखे पत्तों पर किसी प्राणी के पाँव पड़ रहे हैं, जैसे मनुष्य से कोई हलका जीव हो! मनुष्य हो तो आर्मी या पुलिस होगी। वे लोग और भी सावधानी से श्वापद जन्तु की सावधानी के-से पाँव रखते। जब लक्ष्य मिल जाता तो सतर्कता न रहती। जंगल पैदल छान मारते, झाड़ियों में बया के घोंसले तोड़ते, बच्चों और अण्डों को पैरों से रगड़कर बढ़ जाते। एक गीदड़ था। बड़े कुतूहल से दरवाजे के आगे आकर उसने

1. पक्ष-त्यागी, भगोड़ा
2. घाव पक जाना
3. बंगाल में गंगा के पश्चिमी भाग का प्राचीन नाम
4. सेना के आने-जाने से
5. बसाई टूडू फिर सक्रिय है।

काली को देखा। आदमी! जिससे सबसे ज्यादा डरना पड़ता है। सियार ऐसा सिर पर पाँव रखकर भागा, मानो वह आया ही न हो! आर्मी या पुलिस के आने पर काली क्या करता? यह उमर, यह स्वास्थ्य, यह क्षीण दृष्टि लेकर? वह कुछ भी तो न कर पाता। होः! करनेवाला इनसान करता है, न करनेवाला इनसान दूर, निरापद बैठकर अध्ययन-विश्लेषण करता और निष्कर्ष निकालता रहता है। काली को वह इल्म भी नहीं है। वह केवल मन-ही-मन व्यर्थता के बोध से, जीवन की व्यर्थता के बोध से दुखित हो सकता है। बहुत ही बेकारी और व्यर्थता का बोध। जीवन-भर समस्याओं की परिधि में घूमता रहा। मार्क्स एंगेल्स, लेनिन—किसने यह करने को कहा था? बड़ी-बड़ी समस्याओं का समाधान? जाति-भेद की समस्या नहीं मिटी। प्यास के लिए पानी और भूख के लिए अन्न—परियों की कहानी बने रहे। फिर भी कितने दल, कितने आदर्श, दल में सब लोग सब लोगों से कहते 'कॉमरेड'। 'कॉमरेड, आज अन्तिम युद्ध का आरम्भ है'—गाने में कैसा असीम आनन्द था! सेन्स ऑफ बिलांगिग[1]—'यह भारत भूमि अपनी-अपनी-अपनी है!' स--ब खतम हो गया। फूटे बर्तन में पानी भरा गया था। लेकिन बाहर चेहरे पर दूसरा भाव लेकर रहना पड़ेगा। नहीं तो बेईमानी करनी पड़ेगी। बड़ा बोझ है, तनाव है। इनसान को खतम कर डालता है। क्षय कर देता है। इरोजन। फेफड़े का-सा रोग।

बसाई टूडू इन एक्शन अगेन।

किस समय? वह कौन समय था? उन दिनों के तेरह मास पहले बरानगर में लोगों की हत्या हुई थी। 1972 के नवम्बर के आते-आते।

ढेर-के-ढेर गट्ठे धान काटने का काम हर गाँव में चल रहा था। अभी भी अड़सठ की एम.डब्लू. जारी होने की रिपोर्ट रेकॉर्ड में ही थी।

1972 की घटनाएँ ऑपरेशन-जागुला नाम से नत्थी हैं, किन्तु असली घटनास्थल जागुला-सदर से छह मील दूर कॉंकड़ासोल गाँव में था। रामेश्वर भूआँ, प्रसिद्ध भूआँ राजघराने का एक वंशज था, पन्द्रह हजार बीघा जमीन का बेनामी मालिक, स्थानीय कांग्रेस का प्रभावशाली व्यक्ति था। जागुला में उसका बाजार है। कॉंकड़ासोल का धान का कारखाना भी उसका है। उसका मकान किले की तरह ऊँची दीवारों से घिरा है। मकान के अहाते के बीच एक हिस्सा दीवार से अलग किया हुआ है। उसमें है बँगला, बार, स्वीमिंग, पूल, मछली मारने का पोखरा। होली के दिन रामेश्वर अपनी अन-ऑफिशयल जीवन-संगिनी बुटू रानी को लेकर, दोनों ही जन्म-समय की पोशाक में उस पोखरे में रबड़ के टायर पर तैरकर केलि करते। होली-उत्सव कृष्ण का है। किन्तु रामेश्वर शाक्त है। 'जो काली वही बनमाली', यह उसे मालूम है इसलिए वह झूला

1. अपनेपन का बोध

जन्माष्टमी पर कृष्ण की मदद करता। झूले की शाम को स्थानीय वी.आई.पी. और सूबे के हाकिम को बुलाकर वह जिन लेबलों की शराब पिलाता, वह बहुतों ने आँखों से न देखे होंगे। और शाक्त उत्सव नाम से उसके घर बरस में चार बार काली-पूजा होती। उस समय बैंड-पार्टी में रामप्रसादी धुन बजती और उस निरासक्त-दीन भक्त के वैराग्य के गीतों के स्वरों में रामेश्वर अपने हाथ में तलवार लेकर सड़ासड़ बकरे काटता। इस उपलक्ष्य में एक सौ आठ बकरों की बलि चढ़ाई जाती और उनके रक्त को जमा करने के लिए पक्का चहबच्चा था। बलिकाठ खड़ा करना मुश्किल था। रामेश्वर के पिता ने पचास बरस के लगभग पहले एक विद्रोही प्रजा को पकड़कर उसी बलियूप में नर-बलि पर दे दी थी। नमः शूद्र के रक्त से माँ अत्यन्त तृप्त हुई और मुण्ड के लोभ में रामेश्वर के बाप को स्वप्न न देकर—देवताओं की लीला मनुष्य क्या समझे—माँ काली ने शूद्रों के मुहल्ले के कई लोगों को स्वप्न दिया। वे घर छोड़कर रामेश्वर के शत्रु जमींदार के गाँव चले गए। किन्तु काली माता ने वहाँ भी स्वप्न से उनकी फटी चटाई की सुख की नींद हराम कर दी। ये शूद्र लोग माँ की बात ठीक से नहीं समझते, और सभी गलत समझकर नासमझी का काम कर बैठे। खुद अपना मुण्ड काली को दे सकते थे। वह न कर उन लोगों ने रामेश्वर के पिता शिवेश्वर को शिकार से लौटते वक्त गिरफ्तार कर लिया और उनकी कोई बात न सुनकर सिर काट, धड़ की कमर में बालों सहित बाँध, घोड़े पर बिठा, घोड़े के पुट्ठोंवाले नितम्ब पर चाबुक मारकर उसे घर की ओर भगा दिया। उसके बाद काली ने फिर सपना दिया। डर के मारे वे बोरिया-बिस्तर समेत दूर सरहद मिशन में जाकर क्रिस्तान बन गए।

इस प्रकार के पिता के औरस से रामेश्वर का जन्म हुआ। इसमें क्या आश्चर्य कि वह नीची जात को नहीं देख सकता था और लठैतों से गाँव के मजदूर भगाकर नाम-मात्र के दामों पर आदमी बुलाकर धान का काम कराता था! पत्नी से उत्पन्न कई लड़कियाँ थीं। बुटू रानी के घर दो लड़के थे। लड़कों को भी उसने छोटी जाति पर अविश्वास करना सिखा दिया था। बुटू रानी को उसने दो बसें और एक 'सिनेमा हाउस' बनवा दिया था। 72 साल में कांग्रेस का जोर-शोर था। जागुला के पड़ोस में, काँकड़ासोल में नक्सलवादियों की गड़बड़ नहीं हुई, होना सम्भव भी नहीं था। जागुला की सेक्यूरिटी बहुत टाइटेण्ड थी। नक्सली बदजातों को 'खोजकर नष्ट करने' के लिए चारों ओर पुलिस-जीपों के आने-जाने की सड़क थी। इस तरह की सुरक्षा में रामेश्वर को जो करना स्वाभाविक था, उसने वही किया। उसने बटाई के किसानों को भी कर्ज से झँझरा कर दिया था। और उनके हिस्से में से मनमाना काट लेता। खेतमजूर हों, कटैया हों, उनके रेट—बड़ों का तीस पैसे, छोटों का बीस पैसे थे। जलपान का खर्च रामेश्वर का रहता। वह किसी दिन भी मजदूरों की मुसीबत में न पड़ा, क्योंकि वह

घर पर बीस बिहारी लठैत पाले रहता। जरूरत-बेजरूरत कांग्रेस के लड़के और थाना उसे मदद देते रहते। सत्तर के बाद उसको सुविधा अधिक हो गई। एक बीघा जमीन में जितना अनाज उत्पन्न होता, बीघा-भर धान काटने के लिए उससे भी अधिक संख्या में मजूर मिल जाते। सत्तर और इकहत्तर– दोनों बरस जमींदार-महाजन के लिए आशीर्वाद बनकर आए थे। अगर एक जमींदार का सिर जाता, तो प्रशासन उसके बदले एक सौ सिर लुढ़काकर बदला लेता। जो विरोध करते वे सारे बखेड़ा खड़ा करनेवाले खेतमजूर गाँव से भगा दिए जाते। वे तमाम लोग जिन्दगी-भर भी लौट पाएँगे या नहीं, कोई नहीं जानता। परिणामस्वरूप जिले में दिखाई पड़नेवाली बड़ी भारी जनसंख्या फुटकर में किसी भी रेट पर धान काटने को घूमती फिरती। जो लोग उचित मजदूरी माँगने के अमार्जनीय अपराध के अपराधी होते, उन्हें इस प्रकार निकाल बाहर करना ही प्रशासन को उद्दिष्ट था। प्रशासन का एक और गहरा, गोपनीय और महान उद्देश्य है। प्रशासन भारतभूमि में एक और नया गोंडवाना-युग लाना चाहती है। उस गोंडवाना भारत में केवल डाइनोसर[1] और मेरुदण्डहीन जीव रहेंगे, अर्थात् एक ओर रहेंगे रामेश्वर भूयाँ और दूसरी ओर रहेंगे 'लाठी की चोट से कोख फटे पर मुँह न खुले'—इस तरह के सदा लाचार रहनेवाले नंगे किसान। अफसोस की बात तो यह है कि कुछ रीढ़वाले जीव इन भूमिहीन खेतमजूरों के बीच भी पैदा हो गए हैं। नक्सलवादियों की मदद से भी कुछ मेरुदण्डी पैदा हो गए हैं। वे पैदा होते रहें। जन्म और देश में भगवान का हाथ है, वह हाथ कोई काट नहीं सकता। जन्मदान ही गरीबों का सोल रिक्रीएशन[2] है, अपने अस्तित्व का जस्टिफिकेशन[3]। जो पैदा होते हैं, उनमें प्रतिवर्ष के एक भाग रामेश्वर आदि के रोकड़-खाते में जमीन लिखकर भूमिहीन खेतमजूर या देनदार कुछ-न-कुछ बन जाता है। होता रहे। जिसे जो होना है, वही होगा। प्रजातान्त्रिक स्वतन्त्रता किसी किसान के महाजन का शिकार होने का अधिकार नहीं छीन लेती। आज के खेतिहर से कल के खेतमजूर बनने का अधिकार भी नहीं छीनती। भारतीय संविधान में अपनी हिम्मत से जो चाहे बनने का अधिकार अत्यन्त सम्मानित है। इन सब दूसरों की जमीन जोतकर जीवित रहनेवाले मनुष्यों को कोई सरकारी या शक्तिशाली संगठन की मदद नहीं मिलती। इनको कोई मदद न देने का प्रजातान्त्रिक अधिकार सरकार और कृषि-संगठनों को है। उसके बाद है रीढ़वालों के एलिमिनेशन[4] की बात। प्रशासन चाहता है कि रीढ़वाले समाप्त हो जाएँ।

---

1. दीर्घकाय रेंगनेवाले प्रागैतिहासिक पशु
2. एकमात्र मनोरंजन
3. औचित्य समर्थन
4. मिटा देना

हमेशा डाइनोसर-बनाम-मेरुदण्डीय संघर्ष में गोली चलाकर मेरुदण्डवालों को मारना अच्छा नहीं लगता—विशेष रूप से 72 के वर्ष में, जबकि कांग्रेस की नीति ही अहिंसा की है। इसीलिए खेतमजूरों को बेघर होकर निकालने से ही प्रशासन का उद्देश्य पूरा होता है। वे धान काटने जाएँगे। जमींदार लोग उन्हें मनमानी मजूरी देंगे, न होगा तो कटैया ले लेंगे। तब कटैया लोगों के साथ खेतमजूर झगड़ा करेंगे। लड़ेंगे कौन? जो रीढ़वाले हैं, जो उद्दण्ड हैं, जो विरोध में विश्वास रखते हैं, संघर्ष में अपने को मारकर समाप्त होंगे। ऐसा होते-होते एक दिन सारे उपद्रवी तत्त्व समाप्त हो जाएँगे। बच जाएँगे डाइनोसर, रहेंगे बिना रीढ़वाले। वह हाल सब सरकारों को काम्य है। लेकिन डाइनोसर हमेशा यह नहीं समझते। इसीलिए खुद भी लड़नेवालों को समाप्त करने को बढ़ते हैं और प्रशासन को असमंजस में डाल देते हैं। हो सकता है कि जमींदार लोग प्रशासन को खुश करनेवाला दूसरा पक्ष हो, किन्तु सर्वदा प्रत्यक्ष मदद देना क्या अच्छा है? प्रेम-प्यार जितना छिप-छिपकर हो, उतना ही क्या अच्छा नहीं होता? जमींदार यह नहीं समझते। जिस काम को छिपा-छुपूकर करने की जरूरत है, उस काम को करने में नक्सलवादी, या जे.पी.—मार्गी, या किसी दूसरे नाम की ओट की जरूरत है, उस काम को जमींदार लोग प्रत्यक्ष रूप से करने को कहेंगे। कैसी मुसीबत की बात है! जैसे किसी को जलन्धर या अंड-कोषवृद्धि हो, तो ऐसे आदमी से बहुत अनुरोध कर नादान प्रेमिका कहे, "तुम सबके सामने सबकुछ उतारकर स्नान करो, नहीं तो मैं भोजन नहीं करूँगी।" जमींदारों के इस तरह के व्यवहार के लिए प्रशासन बिलकुल तैयार नहीं है। ऊपरी तौर पर अहिंसक रूप की इससे क्षति होती है। लेकिन कौन किसको क्या समझाए? जमींदार कुलांगना हैं, उनके घर से आँगन विदेश है। अपनी जमीन, मजूरी बिना दिए धान कटाना, मजूरी माँगनेवालों का सिर काट लेना, उपद्रवियों के लिए 'मीसा', इसके सिवा वे कुछ नहीं समझते। कुलांगना की भाँति ही वे जमींदारी जीवन से सन्तुष्ट हैं, पढ़ना-लिखना नहीं समझते, क-अक्षर, गोमांस के समान है। भारत के बाहर प्रशासन की इमेज बिगड़ेगी इसलिए वे अभिमान के साथ सोचते हैं। "यह क्या? इसके लिए इतना अंग्रेजी बोलने की क्या जरूरत?" हाय! मालिक लोग जिस तरह दूसरे पक्ष को समझा नहीं सकते, "सुनो, हमारा एक क्षमाहीन कर्मजगत है।" प्रशासन भी जमींदारों को समझा नहीं पाता, "भाई, हमारा जाल पकड़ने के लिए एक क्षमाहीन प्रेस है। हमारा जाल छपने पर खुशियाँ मनानेवाला एक दूसरा भारत है।" सबकुछ सबकुछहोने के बाद भी प्रशासन जमींदारों का स्वार्थ ही देखता है। महात्मा लोग भी दूसरे पक्ष की बात पर उठते-बैठते हैं, कैकेयी का दृष्टान्त स्मरण रखने योग्य है।

तभी रामेश्वर इस बहत्तर में बेहद जिद पकड़े है कि इस बार वह आस-पास

के किसी को काम न देगा। सब काम बाहर के कटैयों को देगा। रामेश्वर पर मानो बहत्तर छा गया हो। बहत्तर साल बुरा नहीं है। बहुत-से जाले प्रशासन में घुस आए हैं। तमाम केनाराम[1] मन्त्री-उपमन्त्री बन गए हैं। चुनाव के बाद की हवा में खूब नोट उड़ रहे हैं। उत्तर जागुला थाने का एस.आई. छूत माननेवाला नहीं है। रामेश्वर और बुटू रानी को होली के दिन ताजे बच्चे की तरह रबड़ के टायर पर तैरना अच्छा लगता है और लगता है कि पृथ्वी पर कहीं-कहीं भोली, निर्मल खुशी रहे। फूल खिलना, तितलियों का उड़ना, बुटू रानी का पानी में तैरना—यह सब भूलकर केवल नीरस बनने से क्या फायदा? किन्तु रामेश्वर की खातिर अगर बड़ी समस्या रोके तो यह बात वह रामेश्वर से सोच देखने को कह देते हैं। रामेश्वर से सविनय कहते हैं। रामेश्वर इतना बड़ा जमींदार है कि पश्चिमी बंगाल में उसके-से धनी जमींदार बहुत नहीं हैं। सच कहने में क्या, रामेश्वर को बीच-बीच में अकेलापन लगता। बिहार होने पर, हाँ!दो रेल-स्टेशनों के बीच दोनों ओर की सारी जमीन उनकी, इस तरह के जमींदार बहुत हैं।

रामेश्वर तेज होकर कहता, ''तुम कह क्या रहे हो, मोशाय? पता है, कहाँ के किसने एक खेतमजूर-लड़ाकू दल बना लिया है? वे अगर आएँ? इन्हें भड़काएँ?''

''भड़काने पर देखा जाएगा।''

''नहीं जी, तब गड़बड़ हो जाएगी। मैं उनमें नहीं हूँ, मोशाय। पहले कटैया लाऊँगा, जरूरत हुई तो बैठाकर खिलाऊँगा। नक्सली लोगों से गाँव में परेशानी हैं, आजकल मच्छरों से ज्यादा हैं।''

''देखिए,'' कहकर एस.आई. ने मामला साफ किया, ''फौरन सदर शहर जाकर डी.एस.पी. से बातचीत की रिपोर्ट करेंगे। कांग्रेस के कमलापति बाबू को भी काग्निजेण्ट ऑफ फैक्ट्स[2] कर आएँगे। ये खेतमजूर कौन-कौन हैं, यह जानने के लिए डी.एस.पी. ने उन्हें धमका दिया है।'' एस.आई. उनके विशाल भवन को खुरचकर भी कुछ न जान सके।

इसी से, काँकड़ासोल में गड़बड़ जानकर वह बहुत घबड़ा गए। उनको खबर देनेवाले ने बताया, ''बसाई टुडू इन एक्शन।'' उससे उनके मन में कोई खास बात न हुई, क्योंकि बसाई टूडू की मौत और लाश को शनाख्त करने में वह नहीं थे। उस वक्त वह उस थाने में नहीं थे। 'बसाई' के सम्बन्ध में किसी ने उन्हें कुछ बताया नहीं, क्योंकि मृत्यु और लाश की शनाख्त के बाद फाइल बन्द रही। किन्तु देउकी मिसिर ने आगे बढ़कर ऊँट की गरदन की तरह झुककर पढ़ने के बाद कहा,

1. जो खरीदे जा सकें

2. तथ्यों से अवगत

"क्या कहते हैं?"

"कोई एक. बसाई टूडू!"

"लीजिए, लीजिए, जाइए। चले जाइए सदर। जाकर फिर डी.एस.पी. को रिपोर्ट कीजिए।"

देउकी मिसिर ने एस.आई. को फाँदकर खुद फोन किया और टेलीफोन की बातचीत सुनकर एस.आई. समझे कि यह साइंस-फिक्शन की रियालिटी है। उन्होंने जोजेफ हेलर या भारतीय दर्शन भी नहीं पढ़ा था। इसी से बसाई टूडू जीवित है, या बसाई टूडू मृत है, इस रहस्य को वह न समझे। बसाई टूडू का चेकॅर्ड केरियर[1] सुनकर उन्हें चक्कर आ गया। डी.एस.पी. ने उन्हें फोन पर बुलाया और बोले, 'फर्दर इन्फार्मेन्ट[2] जा रहा है। आप चले जाइए। मिसिर को दीजिए।" मिसिर ने फिर फोन लिया और जो सारी बातें कहीं, उन्हें सुनकर एस.आई. के शरीर और मन पर जैसे प्रक्षेपास्त्रों की वर्षा हुई हो। "बसाई–हाँ-हाँ, आइडेंटिफाई–काली साँतरा–मैं बिलकुल विश्वास नहीं करता–इस बार सामन्त को?–सामन्त तो जेल में है–देखता हूँ– ।" मिसिर ने फोन छोड़कर देखा कि एस.आई. उस वक्त बटरफ्लाई मूँछों के नीचे ताज्जुब से मुँह खोलते हैं और बन्द करते हैं। उन्हें ठण्डी साँसें लेते देखकर मिसिर को दया आई। यह क्या समझ रहा है, किसके खिलाफ घटनास्थल पर जा रहा है? किसान-सभा के कार्यकर्ता के रूप में लगते हुए जागुला थाने का त्रास था। जागुला थाना अब जरूर बालिग और हिम्मतवर हो गया है। लेकिन यह मच्छर-सा मरियल सद्गोप[3] एस.आई. (मिसिर जाति पहले देखता था) क्यों जा रहा है? मरने को यह बेटा मरेगा, डी.एस.पी. नाम कमाएगा; हटाओ, इसी नियम से दुनिया चलती है। उसने एस.आई. से कहा, "चले जाइए। यह बसाई आदमी बुरा है। बर्छी मारे, या तीर छोड़े! होशियार रहिएगा। अगर उसे मार सके तो आप डी.एस.पी. हो जाएँगे, मैं आपको सलाम बजाऊँगा।" ये बातें सुनकर एस.आई. के मन में घोर निराशा दिखाई पड़ी। देउकी मिसिर ने जितने एस.आई. लोगों से कहा, 'आप डी.एस.पी. बनेंगे, मैं सलाम बजाऊँगा'–वे सभी लोग खिले जाते थे। एक आदमी गया बीरू पाठक के साथ असली एनकाउण्टर[4] में। दोनों ओर की गोलियों की बौछार में बीरू पाठक के हाथों एस.आई. और पुलिस के हाथों बीरू पाठक मारे गए। दोनों लाशें थाने के बरामदे में आस-पास रखी गईं। एक और आदमी इकहत्तर में अचानक प्रमोशन पाकर मात्रा

1. बहुविध जीवन
2. आगे की सूचना देनेवाला
3. अहीर
4. मुठभेड़

से अधिक आनन्द में चैत की गर्म में शिव-भक्त बनकर गाँजा और भाँग पीकर नाचने से गर्मी से मर गया। तीसरे आदमी को जिस तरह जान से हाथ धोना पड़ा, वह अत्यन्त शोचनीय, मर्मान्तक और अफसोस का किस्सा है। यह एस.आई. थोड़ा पगलैट और देहतत्त्ववादी था। पेट की बीमारी में हल्दी-चीनी खाने को कहे जाने पर उन्होंने गाकर कहा था, "हल्दी-चीनी खाऊँ न भाई! हल्दी क्या भाई साथ जाएगी?" बीरू पाठक की मौत के बाद कोई फॉलो-अप ऑपरेशन में इस एस.आई. ने वैष्णवों की तरह उन लोगों पर जो घण्टा भोंपू-गोले-पटाखे लिए शोभा-यात्रा पर काँस के जंगल से निकलकर आक्रमण किया, एक ग्वालों की बारात ने डर के मारे अनगिनत गोले और पटाखे एक साथ छोड़ दिए। उस मिले-जुले शोर में घबराई पुलिस ने घबराहट में अपने ही लोगों पर खुद गोलियाँ चलाईं। उससे बहुत-से फूलदार काँस के डण्ठल, एस.आई. और एक ढोलक मारे गए। तब एस.आई. को ही देउकी मिसिर ने डी.एस.पी. बनते देखा। एस.आई. सन्ताप से लाचार हो गए और पत्नी की बात याद कर एक 'काँच-काटे हीरे' के डिजाइन की साड़ी, एक ब्लाउज दुकान से लेकर घर लौटे। उसके बाद आँखों में आँसू भर पत्नी को प्यार कर काँकड़ासोल की ओर रवाना हुए।

रास्ते में ही रामेश्वर के साले से भेंट हुई। उसने कहा, "सत्यानाश हो गया। साले कई सान्थालों ने आकर घेरा डाल दिया है। सालों के कटैये लोग भी सान्थाल हैं न? उस पार जाकर बसाई टूडू के साथ शामिल हो गए हैं। वे कह रहे हैं, अड़सठ की मजूरी कटैयों को भी देनी होगी। साले खेतमजूर को भी।"

"हथियार हैं?"

"हथियार? ब्बाप रे, इतने हथियार आपने भी नहीं देखे होंगे। ये साले कटैये, ब्बाप रे, सब साँप के बच्चे हैं—वे अच्छी तरह से भीतर आए, रहे, खूब खाया, बोले—इस गठरी-मुटरी में हमारी चीजें हैं। वे भी बसाई के आदमी थे। सारी गठरियों में हथियार थे। जमाई दादा को उन लोगों ने अन्दर घेर लिया, बाहर बसाई था।"

"लठैत?"

"बसाई ने उनके कोठे में घुसकर ताला लगा दिया, मशाई। कांग्रेस के लौण्डे मजा देखते रहे।"

"क्या कहा बसाई टूडू ने?"

"जाकर सुनिए।"

एस.आई. और बारह कांस्टेबल जब पहुँचे तो एक असामान्य दृश्य देखा। सारे पात्र बाहर थे। मंच हेमन्त के धान का खेत बना था। रामेश्वर बीच में था। कांग्रेस के छह युवक बड़े आराम से खड़े थे। एक जवान बौना-सा सन्थाल रामेश्वर के सामने था।

"फायर मत कीजिएगा।" पहले कांग्रेसी युवक ने जोर से कहा। सैकड़ों साँओताल तीरकमान हँसुआ, कुल्हाड़ी, बर्छे, कोंच भाले, बल्लम इत्यादि आदिम हथियार लिये खड़े हैं। सुनहरे धान, काले आदमी, नीला आकाश, धान के खेतों में हरे तोतों के झुण्ड। यह युवक कांग्रेस के उच्चाभिलाषी तरुण, बिलकुल खराब न होकर, जो रामेश्वर को पसन्द नहीं करते थे, उनमें से एक था।

"क्या बात है?" एस.आई. ने पूछा।

"ये लोग एम.डब्लू. चाहते हैं। देना पड़ेगा," आदमी ने कहा।

"तुम कौन हो?"

"बसाई टूडू! 'आप' कहो दारोगा। तुमसे बड़े अपचर मुझे 'आप' कहते हैं।"

"क्या कह रहे हैं?"

"एम.डब्लू. नहीं दिया। इन्होंने दस दिन काम किया, दस दिनों की मजूरी न देने पर कोई खेती नहीं उठाएगा, किसी को धान काटने नहीं देंगे। न, नहीं काटने देंगे।"

कांग्रेसी युवक बोला, "मुझे कहने दीजिए। ये लोग उचित बात कह रहे हैं। इनके वेज[1] देने होंगे।"

"मर जाऊँगा," रामेश्वर बोला।

कांग्रेसी युवक बोला, "न! मरेंगे नहीं। भारी मुनाफा रहेगा। मैं दिशाई-ब्लॉक में अपने चालीस बीघा जमीन पर एम.डब्लू. दे काम कराकर अभी आ रहा हूँ। नुकसान नहीं हुआ।"

"मर जाऊँगा।"

"तब धान नहीं काटने देंगे।"

कांग्रेसी युवक अब व्यक्तिगत बात करता है, "मैंने पहले नहीं दिया, अब दे रहा हूँ। देना पड़ेगा। नहीं तो पार्टी-इमेज नष्ट हो जाएगी। आप भी देंगे।"

बसाई बोला, "वह बेकार की बात छोड़ो। रामेश्वर भूयाँ वादा करे। पुलिस के रहते धान काटे जाएँ। कोई गड़बड़ न होगी। नहीं तो, धान काटने नहीं देंगे। तुम क्या कहते हो?"

"तुम जो कहो, हे बसाई।"

"मैं नहीं दूँगा।"

"दोगे। नहीं तो लहास गिरा दी जाएगी।"

"ना, ना, डोण्ट टेक टू वॉयलेंस[2]," कांग्रेसी युवक बोला।

"लहास गिराना बुरा लगता है? तभी बरानगर में नाच आए?"

---

1. मजदूरी
2. हिंसा पर मत उतरो।

"आः!"

"बेकार बातें रहने दो। फैसला करो।"

रामेश्वर बोला, "दारोगा, खड़े-खड़े मजे ले रहे हो? मैं तुमको थाने का सिपाही बनवा दूँगा। वह बसाई मेरे सोने के-से धान के खेतों में पेट्रोल छिड़क आया है, यह मालूम है?"

अचानक एस.आई. की समझ में आया कि रा.श्वर और कांग्रेसी युवक एक ही खेल खेल रहे हैं। बात बढ़ाकर और एन्फोर्समेण्ट[1] आने की राह देख रहे हैं; या कम पुलिस आई है, यह देखकर समझे हैं–निशाने ज्यादा हैं, मारनेवाले कम हैं। इसलिए फैसला कराने का प्रयत्न कर रहे हैं। सन्तोषजनक समझौते से साँप मरे लाठी न टूटे, और असम्भव सम्भव हो जाए कि पश्चिमी बंगाल में कांग्रेस की इमेज ख़ूब बढ़े। बहुत समय से कांग्रेसी इमेज या मूर्ति अँधेरे में पड़ी है तो पड़ी ही है।

"किसी साल नहीं दिया।"

बसाई बोला, "सब काम क्या पहले की तरह चलता है, रामेश्वर बाबू? अगर मरो, तो क्या पहले मरे थे? दिया नहीं, दोगे। धान जल गया, यह क्या पहले देखा था? इस बार देखोगे।"

"ठीक!" रामेश्वर हार गया, "दूँगा, कह दिया–दूँगा। लो, धान काटो।"

रामेश्वर अच्छी बंगला बोलता था, अर्थात् आत्मस्थ हो गया। बोला, "तीन दिन की मजूरी दूँगा। काटो धान।"

"ना, दस दिन की।"

"तीन दिन की।"

"ना, दस दि..." सायरन बोला। जीप–जीप–वैन–सायरन! बसाई चिल्लाया, "मा–हो! धान खेत में फूँक दो। और लड़ो।"

उसकी युद्ध की ललकार 'मा–हो' में बड़ी करेण्ट थी। चौंककर रामेश्वर उछल पड़ता है और उसके गले में बसाई की बर्छी घुस जाती है। भागते हुए सन्थालों पर गोली। धान के खेतों से तीर। धान के खेत में आग। आग-ही-आग। गोलियाँ और तीर। एस.आई. चीख पड़ा और हँसिए की चोट से लुढ़क पड़ा। गोलियाँ, गोलियाँ, गोलियाँ! बसाई की बर्छी डी.एस.पी. के पेट में। बसाई के पैर में गोली। बसाई के पेट में बेनेट[2]। संगीन का फल मुँह में। तब भी हम लड़ेंगे। पुलिस के पैर में तीर। कुचला विष से बुझा तीर। बसाई गिर गया। कांग्रेसी लड़के भागकर वैन में चढ़ गए। बर्छे के साथ डी.एस.पी. भागा और लड़खड़ाकर गिर

---

1. सहायता कुमक

2. बन्दूक के आगे लगाई जानेवाली किर्च–संगीन।

गया। आग फैल गई।

हालत बिलकुल हाथों के बाहर निकल गई। एस.आई. जिस तरह गिर गए, उससे समझ में आता था कि उनकी पत्नी अब 'काँच-काटे हीरे' नहीं पहनेगी। छह कांग्रेसी युवक, षष्ठी-देवी के बच्चे, वैन के ड्राइवर को वैन जल्दी चलाकर उन्हें खतरे से बाहर ले जाने को कह रहे हैं। सहसा उनके सामने बड़ी भारी छाया पड़ी, फ्रैंकेंस्टाइन की तरह (कैसी गड़बड़ है सब जगह, दैत्य को उत्पन्न करनेवाले का नाम फ्रैंकेंस्टाइन, किन्तु जनमानस में दैत्य का नाम ही फ्रैंकेंस्टाइन है)। सृष्टि और स्रष्टा एक हैं, जो द्वैत है वही अद्वैत है, प्रकृति और पुरुष, सीमा और असीम, शिव और शक्ति इत्यादि। विशालकाय रामऔतार नाम का सार्जेंट बोला, "उतरो वैन से।"

"हम कांग्रेस के लड़के हैं।"

"तेरी कांग्रेस की ऐसी की तैसी, उतर साले!"

उसने धमकाया और लड़के धमकी खाकर उतर पड़े और आँखों में आँसू भरकर बोले, "ठहरो, मजा चखाऊँगा।"

"हाँ-हाँ, सब सालों ने चखाया, तू भी चखाएगा।"

रामऔतार स्थिति का कर्णधार बना। अब यात्रा शुरू हुई। वैन में जिन्दा, मुर्दा और साँस लेने को तड़फड़ाता रामेश्वर, डी.एस.पी., बसाई, मृत एस.आई. और दो सन्थाल चढ़े। रामऔतार बोला, "और गोली मत चलाओ, तलाश करके जितने मिलें, सालों को उठाकर ले आओ।"

तीर खाए हुए पुलिस-जीप में चढ़े। दो सन्थाल भी थे। उसके बाद जीप चली गई।

बाद में पता चला कि डी.एस.पी. और एस.आई. के न रहने से कौन हुकुम देता, कौन मेण्टल नोट लेगा कि इन लोगों ने जान लड़ाकर काम किया—इसीलिए पुलिस चली आई। यह काम गलत हुआ, यह भी नहीं कहा जा सकता, क्योंकि ले आने से डी.एस.पी. और रामेश्वर को सदर अस्पताल में भेजा गया, बसाई को भी। बसाई को बचाने के लिए भी जी-जान से कोशिश हुई। यह प्रशासन का एक और रहस्यमय व्यवहार है। बसाई को जिस बात के लिए बाद में फाँसी दी जाएगी, इसीलिए अभी उसे बचाने की जी-जान से कोशिश हो रही है। जेल के अत्याचार के बाद भी यह होगा। जेल के अमानुषिक अत्याचार से शरीर का कीमा बना, बाद में इनसान सब तरह से रिबिल्ड[1] किया जाता है। फिर अत्याचार। रिबिल्डिंग। प्रशासन नामक विश्व-शिशु का यह एक अनमना-सा खेल है। लेकिन संगीन की चोट से छिन्न-भिन्न बसाई अस्त होता रहा। इस वक्त अस्पताल को पुलिस से घेरकर रखा गया। अब काली साँतरा को और लोगों के साथ फौरन लाया गया।

1. पुनर्निर्माण

बसाई की नाक में ऑक्सीजन की नली थी। पेट की पट्टी खून से भीगी जा रही थी। मुँह के कोने से खून मिला फेन निकल रहा था।

"पास जाइए," ए.पी. बोले।

काली पास गया।

"झुकिए।"

काली झुका।

"पुकारिए।"

"बसाई! बसाई! बसाई!"

बसाई ने आँखें खोलीं। समय बीत रहा था। बसाई की आँखों में मुस्कुराहट खिली। काली ताकता रहा। बसाई की आँखें धूसर हो रही थीं, मौत से। काली की आँखें मैली हो रही थीं, आँसुओं से। दोनों एक-दूसरे की ओर देखते रहे। बसाई के दोनों हाथ हिले, काँपे, ऊपर उठे। हवा का गला मरोड़ा। गिर पड़े। उँगलियाँ हवा को खुश्क कर कुछ लिख रही थीं। जाने क्या लिख रही थीं? पुलिस-फोटोग्राफर, फ्लैश-बल्ब। "हट जाइए, काली बाबू! येस, फ्रण्ट फेस।"

काली आच्छन्न-सा निकल आता है। वह यन्त्राविष्ट है। बसाई उँगलियों से क्या लिख गया? वह तो लिखने में विश्वास नहीं करता था।

"काली बाबू, कम टू थाना।"

थाना। तेज रोशनी। थानेदार थके हुए। उज्ज्वल, कठिन, पाइप-सुरभित एस. पी. विनम्र हैं।

"हाँ।" काली अभी बहुत दूर था।

"पिछली बार भी यही कहा था।"

काली हँसता है। धूसर, तनाव की हँसी। कहता है, "देखिए, पिछली बार.." वह मुँह घुमा लेता है। आँखें मिचमिचाकर दीवार की ओर देखता है। ना। इनके सामने नहीं। एस.पी. समझ गए।

"देखिए, पिछली बार मुझे दिखाई गई थी एक विकृत, फूली, आधी सड़ी बॉडी। पुलिस ने कहा, "मरने के पहले इसने हवा...इसने...हवा...इसने हवा का गला दबाकर मरोड़ दिया था दोनों हाथों से। उसके सिवा..."

काली आँखें उठाता है। साफ आवाज में कहता है, "उस वक्त फ्रण्ट की रेजीम[1] थी। वह होने पर भी एस.आई. ने मुझसे कहा था कि मैं उसे 'बसाई' बताकर ही आइडेंटिफाई[2] करूँ।"

---

1. राज्य था
2. शनाख्त

"इसीलिए?"

काली थोड़ा करुणा में भरकर देखता रहता है। यह आदमी क्या जाने, किसकी बात कह रहा है? बोला, "नहीं। मैं काली साँतरा हूँ। झूठ बात नहीं कहता। मुझे भी लगा था कि बसाई था। उसकी हाइट में, चेहरे की गढ़न में, बालों में अगर समानता रहे। शरीर अगर विकृत हो जाए, तो मैं समझ सकता हूँ कि वह बसाई टूडू है।"

एस.पी. थोड़ा वक्त बीतने देते हैं। उसके बाद कहते हैं, "हाइट? हाइट काली बाबू?"

"पता नहीं। मैंने नापी नहीं।"

"अः।"

"मेरे जाने का इन्तजाम कर दीजिए।"

"आज थाने में रहिए। कल उसका बॉडी खुले बरामदे में रखवाकर आइडेंटिफिकेशन-परेड कराऊँगा। उसके बाद जाइएगा। सेन बाबू, काली बाबू के कम्फर्टेब्ली[1] रहने का इन्तजाम कर दीजिए। मच्छरदानी दे दीजिएगा। चाय, बाथरूम—किसी बात की असुविधा न हो। इट्स ऐन ऑर्डर[2]।"

सवेरे। थाने का बरामदा। बसाई। प्रशासन सब कर सकता है। सवेरे आठ के बीच बस सन्थालों को लाने चली।

"हँ! टूडू?"

"बसाई बेशक।"

"बसाई टूडू।"

"हँ, वह है बेशक।"

"बसाई।"

"टूडू।"

"हाँ, बसाई टूडू।"

"बसाई टूडू बेशक।"

"पैर में घाव?"

"गोली की चोट से।"

"पुरानी चोट।"

"माथा कट गया था साइकिल से गिरकर।"

एक बस और। पलताकुड़ी के उस पार से। चाताडोर और सरदह और खुराट्

1. आराम से

2. यह हुक्म है, यह आदेश है।

और...आइडेंटिफिकेशन-परेड वेंट ऑन एण्ड ऑन एण्ड ऑन...।''[1] पुरुष और स्त्रियाँ बस से उतरकर पैदल आ रही हैं, मडराती नजरों से, यथोचित, गम्भीर, पक्के कदमों से। पलताकुड़ी से सन्थालों के आने के बाद शवदेह की प्रदक्षिणा करके जाने के समय दाहिना हाथ ऊपर उठाते हैं और उसी तरह हाथ उठाए बस की तरफ चले जाते हैं। पीछे नहीं घूमते। सैकड़ों की तादाद मौन कष्ट में हैं। कोई बोल नहीं रहा है। बच्चे रोते नहीं हैं। बाकुली से एक और बस आई। सबसे आगे उतरकर बढ़ी आ रही है एक आश्चर्यजनक रमणी। वह बहुत ही काली है, जिस तरह सन्थाल औरतें हुआ करती हैं। वह बहुत अद्भुत थी, क्योंकि उसका शरीर बहुत आश्चर्यजनक था। पत्थर-सा गढ़ा। वह बहुत ही आश्चर्यजनक थी, बहुत आश्चर्यजनक, क्योंकि उसका चेहरा अभिव्यक्तिहीन नहीं था। एक आश्चर्यजनक व्यक्तित्व था। वह स्त्री इस तरह उतरी और बढ़ती गई जैसे वही यहाँ एकमात्र स्त्री हो। एकमात्र पुरुष के पास जा रही हो। वह स्थान जैसे थाने का बरामदा न हो। काली ने लक्ष्य किया कि औरत के बालों में कोई जंगली फूल है। औरत ने सामने देखकर पीछे हाथ बढ़ाकर एक युवक का हाथ पकड़ा। दोनों हाथ पकड़ बढ़ रहे थे। फिर भी औरत अकेली थी, वह अकेली, निर्जन में, किसी पुरुष से मिलने आई थी। कनाल का गर्जन। सवेरा था। आकाश में फटे हुए, पानी-भरे अप्रतिम बादल थे, अपराधी बालक की तरह मानो किसी का ध्यान खींचने के लिए उड़े जा रहे थे। वैशाख के हिसाब से हवा ठण्डी थी। बसाई पानी में घुटनों तक डूबा पत्थरों के बीच में मछलियाँ खोज रहा था। ''क्यों कमरेट! मेरी बात कह रहे हो?'' जरा भारी उच्छ्वसित स्वर था। काली ने चौंककर पीछे देखा था। आकाश और धरती खोयाई नदी की पृष्ठभूमि में जैसे सबकुछ उसका हो, इस प्रकार रानी के ढंग से एक रमणी खड़ी थी। बसाई ने उससे शादी करना चाहा था, लेकिन उसने अपनी पसन्द के आदमी से ब्याह कर लिया। औरत आगे बढ़ गई। खड़ी हुई। बसाई को देखा। आँखें उठाईं। गरदन घुमाकर एस.पी., पुलिस–सबको देखा। बसाई को देखा। काली साँतरा को। आँखों में कोई भी पहचानने का चिह्न न था। बसाई को देखा। सिर को ऊपर से नीचे हिलाया। लड़के ने भी। लड़के के चेहरे पर बहुत गौर करने लायक भौंहों का जोड़ा था। वे चले गए। सीधे पैदल।

एस.पी. बोले, ''दोपदी माझिन। दुलना माझी।'' उनका गला सूख गया था। नीचे 'बाकुली' था।

मुसाई टूडू, उसकी माझिन, दोनों बेटे गिधा और सीधा माँ-बाप के हाथ थामे हुए थे। हर-एक का मुँह तनाव से भरा था, निर्वैयक्तिक। उन्होंने काली को नहीं पहचाना। और बहुत-से आदमी। और बसें।

---

1. शनाख्त-परेड चलती ही रही।

सवेरे सात बजे से शाम सात तक दो सौ इक्यावन लोगों ने बसाई की लाश की शनाख्त की। कोई मृत-देह के पास नहीं जाता। मृत-देह के पास पुलिस का पहरा था। लेकिन सात बजकर पन्द्रह से लाश के अन्तिम संस्कार के लिए ले जाने के समय देखा गया कि लाश के पैरों के पास मुट्ठी-भर धान हैं। किस तरह ये धान आए, इस बात पर बहुत बहस हुई और रात को आठ बजकर बत्तीस पर देह का पुलिस के पहरे में संस्कार कर दिया गया।

पुलिस-वैन में काली साँतरा जागुला वापस आया। इस बार ऑबिट[1] नहीं। 'काली बाबू कुछ नहीं लिखेंगे।'

कलकत्ते के बड़े अस्पताल में कठिन अस्त्रोपचार के बाद डी.एस.पी. और रामेश्वर बच गए। एस.आई. को मरने के बाद वीरचक्र मिला और उनकी पत्नी को हाइवे के तेज बस-जंक्शन पर एक कोकाकोला-कम-कोल्डड्रिंक की दुकान दी गई। दुकान के उद्घाटन के समय एस.पी. आए और 'काँच-काटे हीरे' की डिजाइनवाली साड़ी पहने सद्य-विधवा एस.आई. की पत्नी ने बहुत रो-पीटकर सफेद साड़ी न पहिन, रोते हुए इस साड़ी के पहनने की कहानी बताई। परिणामस्वरूप उनकी तसवीर 'वही साड़ी पहनी गई' हेडिंग देकर सबसे अधिक बिकनेवाले एक बँगला दैनिक में छपी। अश्रु-सजल कहानी लिखी गई। उस चित्र में एस.आई. की पत्नी को बहुत ही सुन्दर दिखाया गया था और प्रसन्नता का भाव दिखाई नहीं पड़ा।

रामेश्वर को बचा लिया गया, लेकिन उसके जड़हन धान नहीं बचे।

काँकड़ासाल में उसके घर के सामने सुनहरे धान तो जले ही, उसके अतिरिक्त दूर-दूर तक उसके खेत के बाद के खेतों में पता नहीं क्यों जैसे पेट्रोल छिड़ककर आग लगा दी गई। आस-पड़ोस के गाँववालों की 'हाय-हाय' के आन्तरिक विलाप से सिद्ध हुआ कि उन्होंने घर-घर में नए अन्न से नवान्न होने की सम्भावना का त्यौहार नहीं मनाया। प्रशासन के विशेषज्ञों ने निश्चय किया कि पश्चिम के नमूनों का-सा यहाँ भी कोई पाइरो-मैनियक[2] हो जाएगा। इससे रामेश्वर को बहुत निराशा हुई और बकरे के साथ भैंसे की बलि देकर प्रायश्चित्त-पूजा की। अफसोस कि इस बार वह शीर्ण देह से अपने हाथों बलि न दे सका। और आधी रात को बूटू रानी से बोला, "इस बार चलकर बक्रेश्वर के अघोरी बाबा के चरण पकड़ूँगा। महापापी हो गया हूँ, क्यों?"

बूटू रानी बोली, "तो चलेंगे।"

कांग्रेसी युवक छह बसें, राशन की दुकानें, किरासिन का कण्ट्रोल इत्यादि का

1. आबिचुएरी—मृतक का परिचय
2. ऐसा सनकी, जिसे आग लगाने में आनन्द मिलता हो।

लाइसेंस, परमिट इत्यादि मंजूर कराकर अकुशल रामेश्वर के हाथों सौंपकर शहर से कट गए।

[10]

चरसा के जंगल में अँधेरे कमरे में काली साँतरा अब भी बैठकर सोच सकता है, कितने दिनों से उसे सोने में कष्ट हो रहा था? कितने दिनों से 'जिला वार्ता' समाचारपत्र में मन नहीं लगता है? बसाई की बात सोचते ही कलेजे में हूक उठती। पहले लगा था कि वह भावावेग था। बाद में क्लोरेंट्रल ने परीक्षा कर उसे तेल-घी या गरिष्ठ पकी चीजें खाने को मना कर दिया। पता नहीं, क्यों एस.पी. उसके पास जल्दी-जल्दी आवाजाही करने लगे? किन्तु इस रेजीम में 'जिला वार्ता' समाचारपत्र में केवल धान की खेती—मँझोले किस्म के कीड़े, और साँप के काटने से मृत्यु के समाचार निकलते हैं, इसलिए उनका जोश ठण्डा हो गया है।

हालत बहुत शान्त और व्यवस्थित हो गई है। जिस ढंग पर स्वतन्त्रता के बाद भारतभूमि चली थी, वही ढंग चल रहा है—उसी गीत की तरह : 'केकरा-केकरा नाम बताएँ? दुनिया में सब चोर हो। मालिक लूटै, महाजन लूटै, और लूटै भगवनवा हो।' इस बीच जागुला में अशान्ति का कुछ भी नहीं हुआ। बूटू रानी सहसा उग्र ज्वर में मर गईं और थाने के रामभरोसे पाण्डे की गाय ने छः पैर का बछड़ा जना। यही समाचार हैं।

काली साँतरा जैसे रोजाना जरा-जराकर मरता जा रहा हो। जाते-जाते एक जगह पहुँचकर मन-ही-मन मृतप्राय होकर जीवित रहता है। सर्वदा मन में गन्दा और मैला लगता। यह कौन-सी गन्दगी है, जो स्नान से दूर नहीं होती? यह कैसी अपवित्रता है, जो काम में लगे रहने पर दूर नहीं होती? पार्टी के काम, 'जिला वार्ता' की छपाई—बेकार लगते। इसी समय उसकी पार्टी के लड़कों पर शासन का हमला और व्यापक गिरफ्तारियाँ होने लगीं। उस कारण से दौड़-भाग करते-करते और लड़कों के असाइलम[1] की व्यवस्था करते-करते कुछ दिन बीत गए। काली को जो उम्मीद थी कि उसे ही पकड़ेंगे, वह बेकार हो गई। और इस बार भी प्रजातन्त्र-दिवस पर काली साँतरा को हाकिम के पास बैठने का निमन्त्रण मिला। हाकिम बोले, "आप हम लोगों के ही आदमी हैं।"

बाजार में आलू के दाम अचानक चढ़ गए। लोडशेडिंग ऐसी ऊँची हुई कि कहने की बात नहीं। चीजों के भाव को रोकने की कमेटी में शासक-दल के लड़कों

1. शरण-स्थान

ने उन्हें भी बुलाया। उसमें जाएँ, या न जाएँ—यह सोचते-सोचते जब 1973 के ज्येष्ठ में एक मध्याह्न में काली साँतरा तेल-मालिश कर रहा था (गर्मी में उसका बदन सूख जाता था और तेल-मालिश करने पर ठीक रहता था) तो थाने से जीप लेकर देउकी मिसिर आए और बोले, "चलिए।"

"क्यों?"

"चलकर सुनेंगे।"

"नहाने जा रहा था।"

"नहा लें, नहाकर खाना खा लें।"

काली ने समझा, वह गिरफ्तार हो गया। स्नान समाप्त कर उसने जल्दी-जल्दी भात खाया। लेकिन जीप उसे थाने नहीं ले गई। सदर-शहर ले गई। थाना। एस.पी. रूखी आवाज में बोले, "बसाई टूडू फिर एक्शन कर रहा है। बाकुली में। इस बार का मामला पानी है। चलिए! चलते-चलते बताऊँगा।"

"मैं क्या करूँगा?"

"शनाख्त करेंगे।"

"वह क्या?"

"क्या है, यह तो मुझे भी नहीं पता। मोस्ट बैफलिंग[1] । सिपाही-विद्रोह के बाद चारों ओर नाना साहब, यहाँ चारों ओर बसाई टूडू। और कुछ पता है?"

"क्या?"

"दो लाशें भाग गईं।"

"लाशें भाग गईं?"

"हाँ! आर्मी ऑपरेशन। भागने की बात नहीं। गिनती में कम पड़ रही हैं। बेड, वेरी बेड। क्या कर रहे हैं?"

काली ने अचानक जेब में हाथ डाला था। एस.पी. की आँखों में डर था। जीवन में किसी भी हालत में काली मीर न हो सका। अब वह हो सकता है, क्योंकि जब तक उसका हाथ जेब में है, तब तक एस.पी. को डर है कि काली रिवॉल्वर निकालेगा। सत्तर और इकहत्तर साल में एक ओर जिस तरह ट्रैफिक पुलिस के हाथों में रिवॉल्वर दे दिए थे, दूसरी ओर उसी तरह प्रशासन ने पुलिस के मन में डर भर दिया था। रिवॉल्वर का हत्था उनके हाथ में, नली निशाने की ओर, इसी में पुलिस अभ्यस्त हो गई थी। यही कायदा था। लेकिन सब बातें हमेशा कायदे से नहीं होतीं। पृथ्वी और सौरजगत तो एक ही महाविश्व की दुर्घटना के परिणाम हैं। सबकुछ कायदे से होने पर डी.एस.पी. के पेट में घाव क्यों लगा था? काली को हँसी आई। टार्गेट के हाथ

1. बहुत अधिक चकरा देनेवाली बात

में रिवॉल्वर का मुट्ठा, नली पुलिस की ओर–सोचकर भी पुलिस को डर लगता है, और अधिक डर। हमेशा नली के मुँह की ओर लगे टार्गेट से डरते पुलिस को नहीं देखा। स्लोगन देते सुना था। उद्धत अस्वीकार देखा था। हाँ, मौत से डर नहीं लगता। मार साले। पुलिस तुम जितना ही मारो, महीना का वेतन तुम्हारा एक सौ बारह रहेगा। काली सिगरेट और दियासलाई निकालता है। एस.पी. आश्वस्त होता है। काली झुककर, हवा-बचा सिगरेट सुलगाता है। पूछता है, ''क्या हुआ था? क्या बात है?''

जागुला और बाकुली की दूरी मोटर-रोड से इकहत्तर मील है। एस.पी. चट से चेहरे पर और आवाज में पदमर्यादा का फासला ले आते हैं। कहते हैं, ''मैं कह रहा था, पान खाया जाए। खाएँगे? इस दुकान पर अच्छा पान लगता है!''

जीप रोकी जाती है। पान खरीदे जाते हैं। एस.पी. गाड़ी पर चढ़ जाते हैं। जीप चलती है। एस.पी. को बसाई के फिर प्रगट होने पर डर लगा है, वह उनके बात करने के ढंग से पता चलता है। काली समझता है। 'बसाई टूडू इन एक्शन अगेन' सुनने के साथ-साथ उसके अन्तर से मैल धुलता जाता है, अपवित्रता। बहुत सफाई, अपने को निर्मल और बलिष्ठ मन का लगता है। काली इस जीप, इस एस.पी. को फेंक सकता है, क्योंकि बसाई इन एक्शन अगेन। यद्यपि वह बसाई की लाश ही देखने जा रहा है। ना, इस बार की तरह, इस जीवन की तरह, जीवन तो एक ही है–बसाई काली साँतरा को जीवित छोड़ गया। पिछली बार की मौत तो मृत्यु में और शनाख्त करने में फाइनल[1] थी।

एस.पी. ने पान की पीक थूकी। सबकुछ जल रहा है। गरम! चिलचिलाती धूप। एस.पी. बातें कर रहे हैं।

इस वैशाख में भयंकर गरमी थी। वैशाख में जिस वर्षा की आशा थी वह न हुई; जेठ में भी नहीं हुई। नक्सली आग ठण्डी हो गई। जमींदार लोग शासन के प्रोटेक्शन[2] में आन्दोलनकारी तत्त्वों को गाँव से भगाने से खुश हैं। सत्तर-इकहत्तर के रिपर्कशन[3] में राढ़ और बंगाल के बटाईवाले किसान घूमते-फिरते चिड़ियाघर बन गए। कहीं जगह न मिली और धान के मौसम में 'मजदूर चाहिए? पेट-भर भात के लिए काम करेंगे, पैसे नहीं चाहिए।' यह कातर और करुण पुकार सुनहरे पंख की चीलों की तरह धान के खेत के मालिकों के दोनों ओर उड़-उड़कर फिर रही थी। गँदली दृष्टि लेकर आदमी, औरतें और बच्चे चले जाते। जिन्दा रहने लायक मजूरी माँगी थी, प्रशासन के विरुद्ध फिरते सूखे हाथों खड़े थे, यही उनका अपराध

1. अन्तिम
2. सुरक्षा
3. प्रतिक्रिया

था। रुकावट का अपराध कोई प्रशासन कभी माफ नहीं करता। विरोधियों को प्रशासन समझा देता है कि कुल्हाड़ी और तीर और हँसुए से गोली कितनी शक्तिशाली है! कितना सर्वशक्तिमान प्रशासन का खून का, बिना दाग का अप्रत्यक्ष पीसना होता है! कानूनी कर खेतमजूर को मिलेगा। कानून को काम में मत लाओ। जमींदार मजूरी न देकर अदालत जा सकता है। है हिम्मत? प्रशासन चुप है। विरोध करोगे? जमींदार सरकार से नहीं डरता। उसे सहायता की जरूरत होगी, तो मदद मिलेगी और पुलिस की सहायता भी मिलेगी, इसलिए 'मजदूर लगा लो' दरवाजे-दरवाजे की करुण पुकार है। हवा के झपट्टे की तरह, शून्य आकाश में दुपहरिया की चीलों की चीख की तरह। मन की खिड़की बन्द कर देते ही आवाज सुनने की परेशानी से बचा जा सकता है।

इस जेठ में भयंकर गरमी थी। आकाश जल रहा था, धरती चटख रही थी और आदमियों को पानी की जरूरत थी। कनाल का पानी गरज के साथ छोड़ा गया था। बाकुली गाँव में सूर्य साउ कनाल से पानी नहीं ले रहे थे। खेती नहीं कर रहे थे। अपनी आँखों, बिना क्षोभ के देख रहे थे—उनके धान के खेत फट रहे हैं, दरारें पड़ रही हैं, दरारें बड़ी हो रही हैं। देख रहे थे, सवेरे और रात में कनाल के रास्ते पानी के लिए लोगों का अटूट आना-जाना लगा रहता। चारों ओर धरती जल रही थी। गढ़ैयाँ तक सूख गई थीं। जल के ऐसे अभाव में वह गरज कानों को बहुत लगती, कान से मन में, मन से रक्त में।

बाकुली का जमींदार सूर्य साउ है। उसकी जमीन डेढ़ हजार बीघा है। स्वाभाविक नियम से ही उसकी किरासिन की कण्ट्रोल की दुकान, मा फुल्लरा बस-सर्विस—ये सबकुछ उसके हैं। नक्सलवादी दिनों में उसके दो गौशाल के छप्पर जल गए। नतीजा हुआ कि इस राज में उसने परेशानी और गरीबों की हालत में सरकारी कर्ज लेकर बाकुली में एक बल्ब बनाने का कारखाना बनाना चाहा था। वही बताकर रुपए ले कुछ ऊँची किस्म की लिकर-डिस्टिलरियाँ कायम करना चाहता था।

बाकुली बहुत समय तक बड़ा अव्यवस्थित क्षेत्र रहा। बसाई मरता है और जी उठता है, फरण्ट के कार्यकर्ता के रूप में बहुत समय तक वह इस अंचल के गाँव-गाँव में घूमा था। प्राक्-स्वाधीनता युग में बसाई ने यहाँ बेस बनाया था। बाकुली यहाँ प्रसिद्ध जगह है, इसलिए बाकुली ब्लॉक में इन सारे अफसरों को भेजकर ही प्रशासन हाथ धो बैठता है, उन्हें भेजता है जो अच्छे और घूस-विरोधी हैं। मरते मर जाओ, या शेर की माँद में जाओ। इस बार सूखे की हालत देखकर सूर्य साउ रिलीफ के रुपयों का हिसाब लगाता है और बी.डी.ओ. बाबू के पास जाता है। बी.डी.ओ. सूर्य को निराश कर कहते हैं, "रिलीफ मैं खुद दूँगा।"

“मुझ पर विश्वास नहीं करते हैं?”

“व्यक्ति-विशेष को रिलीफ बाँटने का भार नहीं दूँगा। ऑर्डर नहीं है। इस बारे में और कुछ न कहें।”

“आँ! इस साल मेरा विश्वास चला गया?”

“हर साल आप ही तो रिलीफ का रुपया लेते रहे हैं।”

“उसमें क्या कुछ बात हो गई है?”

“बात! आपने रख लिया, इसलिए हम बचे हैं। बात कौन कहेगा? धड़ पर सिर तो सब के ही हैं?”

“ना, ना, बिड्डि बाबू, रिलीफ के रुपयों की बात से समझ लो कि इस बार मैंने खुद ही गाँव का कुआँ खुदवाया।”

“वह तो खुदवाना ही पड़ेगा। आपकी बिरादरी के घरों की चौहद्दी में कुएँ हैं, आप ही उनका इस्तेमाल करते हैं।’

“कौन साला कहता है? सभी को पानी नहीं देता हूँ?”

“पानी देने के मालिक तो आप नहीं हैं। सरकार के रुपयों से कुआँ बना है। पानी तो सबको मिलने की बात है।”

“ना-ना, बात में बहुत शोरगुल है, मेरे कलेजे में लगता है। आप भी मेरे बेटे की तरह हैं, उसी तरह से बात कीजिए।”

“देखिए, हाकिम स्वयं शिड्यूल्ड कास्ट हैं। आप लोग नीची जाति के लिए जो पॉलिसी चलाते हैं, सन्थालों को पानी नहीं देते, इस बात की उन्होंने रिपोर्ट माँगी है।”

“हटाओ! पानी लेंगे, तो लें।”

“आप लोगों के तो घर-घर सरकारी रिलीफ के कुएँ बने, डीपबोर का ट्यूबवेल बैठाया गया, और क्या चाहते हैं?”

“ना, और कुछ न कहूँगा।”

“नहीं कहेंगे न?”

“ना।”

“तो मैं कहता हूँ।”

“कहिए।”

“वेज तो दिए नहीं, न देंगे। कनाल-कर देकर पानी क्यों नहीं ले रहे हैं? जमीन तो सब आपकी है।”

“यह देखिए। मेरी जमीन है। मैं पानी नहीं लूँगा, उसमें आपका क्या?”

“न, मेरा क्या? पूछ रहा था।”

“तो सुनिए।”

"कहिए।"

"यहाँ एक बसाई टूडू था, नाम सुना है?"

"हाँ।"

"वह सान्थाल था, साँप का बच्चा। वह बटाई के लिए, अधिया के लिए लड़ाई करता था, पता है?"

"सुना है।"

"मेरी धान की बटाई की खेती है। कनाल से पानी लेकर खेती जितनी अधिक करूँगा, वह उतना ही हिस्सा लेगा।"

"आपको भी तो मिलेगा।"

"धान में कितना मिलेगा, मोशाय?"

"रेट तो बुरा नहीं है?"

"कितना मिलेगा? दस हजार मन धान हुआ तो पाँच हजार मन धान किसान लेगा। मैं क्या अँगूठा लूँगा?"

"क्यों? आप धान के रुपयों का कर्ज नहीं काटेंगे?"

"बाबू, तुम भी बच्चे हो। वह खाता तो हमारी लक्ष्मी है। सुनिए, खेती नहीं बढ़ाऊँगा, पानी नहीं लूँगा। उससे उन्हें आकाश से जो जल मिले उससे खेती करें।"

"पानी नहीं है न?"

"तो खेती भी नहीं है।"

"उसके बाद?"

"वे उधार लेंगे, मैं उधार दूँगा। चक्रवृद्धि सूद। सब साले खरीद लिए जाएँगे।"

"ऋण मौकूफी का कानून भी बनेगा।"

"बनेगा कद्दू! तुम्हारी गौरमेन मेरा कद्दू करेगी। लिखा रहे सूद? याद रहेगा। और, सरकार जितना परेशान करती है, उसी तरह मदद भी देती है। मैंने क्या दिया, वे क्या निदान चाहते हैं, सारी मीमांसा तो अदालत की होगी, यही न?'

"हाँ।"

"कौन साला महाजन के नाम पर नालिश करेगा? करके खाएगा क्या? गौरमेन खिलाएगी? ना, कनाल का पानी नहीं लूँगा।"

इन्हीं बी.डी.ओ. बाबू को हमदर्द समझकर बटाई के किसानों का एक डेपुटेशन उनके पास गया। वे बोले, "सूर्य साउ को कनाल का पानी लिए बिना खेती न होगी। फेमीन[1]।"

---

1. दुर्भिक्ष, अकाल

बी.डी.ओ. बाबू ने सूर्य साउ के साथ अपने कथोपकथन का सारे-का-सारा जैसे-का-तैसा कह सुनाया। उनके करने को कुछ नहीं है। बटाईवाले किसान बोले, "बाबू, इन जमीन के मालिकों के ये हथकण्डे हैं। ये लोग किसी तरह कनाल का पानी नहीं लेंगे। इसी से तो कनाल में इतना पानी है।"

वे लोग बहुत खिन्न हुए। लौट आए। बी.डी. ऑफिसर को, खुद को भी लगा कि बहुत परास्त हुआ है। सूर्य साउ की हर बात सही है। किसी की कुछ भी करने की सामर्थ्य नहीं है। कनाल-कर दिया जा सकता है। लेकिन आकाश की हालत देखकर बरसात का अभाव—सूखा-दुर्भिक्ष की आशा में सूर्य साउ खुश हो रहा था। खेती नहीं। अकाल। कर्ज। कर्ज माने सूद। कर्ज-माफी का कानून भी मजाक है। जिस खाते को दिखाकर सूर्य सूद लेगा वह खाता सरकारी अदालत में कभी नहीं जाएगा। अगर खाता रहता है, तो वह छिपाकर रहता है। खाता न रहना स्वाभाविक है। सैकड़ों लोगों पर सैकड़ों तरह का पीढ़ियों से चले आते कर्जों का हिसाब याद रखने की अत्यन्त आश्चर्यजनक सामर्थ्य सूर्य साउ में है, सैकड़ों सूर्य साउओं में है। बी.डी.ओ. सोच नहीं पाते कि किस तरह वे प्रशासनिक शक्ति लगाकर मनुष्य का भला कर सकते हैं, सूर्य साउ, एक सूर्य साउ, प्रशासन की सारी फाइलों की शुभेच्छा को जब निष्फल कर देने की क्षमता रखता है?

इसके बाद बटाई के किसान जैसे-तैसे बिलकुल चुप्पी साध गए। उनका कोई भी अता-पता न चला। लगभग पन्द्रह दिन चुपचाप रहकर सहसा एक सन्ध्या को सूर्य साउ के पास गए। सीधे उसके घर।

"यह क्या? तुम लोग क्या चाहते हो?"

"कनाल से पानी लो।"

"नहीं लूँगा।"

"पानी लो, सब सूख गया।"

"क्यों लूँ?"

"हम खाएँगे क्या?"

"मैं क्या जानूँ?"

द्रौपदी माझिन आगे बढ़ी और बोली, "क्यों नहीं लोगे, सूर्य बाबू? क्यों?"

"पानी लेकर खेती नहीं बढ़ाऊँगा।"

"उधार देकर सूद खाओगे?"

"जा, निकल जा यहाँ से!"

"बताओ, क्यों नहीं लोगे?"

"तुझे बताऊँ?"

"हमें बताओ जी," कहकर एक सन्थाल आगे आया।

"तुम कौन हो?"

"बसाई टूडू।"

"ना, टूडू नहीं हो। उसे मैं पहचानता हूँ।"

"मैं बसाई टूडू हूँ।"

"तुम टूडू हो?"

"हाँ।"

'टूडू मर गया।"

"किसने कहा?"

"मरा नहीं। हाँ दोपदी, तूने जाकर लाश पहचानी थी न? एक दिन तुम लोगों के घर-घर चूल्हा नहीं जला था?"

"वह हम लोगों का परब था।"

"अँ, टूडू?"

"हाँ, मैं टूडू हूँ।"

"तू देखने में टूडू है?"

"हाँ जी, सूर्य बाबू।"

द्रौपदी खिलखिलाकर हँसी और बोली, "तू उसका पुराना यार है। तुझसे मिलने के लिए नया बनकर आया है। कमरेट, वह भली बात नहीं सुनेगा।"

यहाँ की कहानी यहीं रही। एस.पी. के पहुँचने पर काली साँतरा बोला, "इतनी बातों का पता आपको कैसे चला?"

"सूर्य का भाई रतनी साउ है, उसने सब बताया।"

"उसके बाद?"

"उसके बाद बसाई बोला—यह बहुत ही जमा हुआ घी है। टेढ़ी उँगली से निकालना होगा। पानी नहीं लेगा?"

"न।"

सूर्य ने नहीं सोचा था कि 1973 में वायलेंस[1] हो जाएगा। 1973 तक तत्कालीन शासन में भारत के मुक्ति-सूर्य का लक्ष्य करोड़ों फारेनहाइट ताप-विशिष्ट प्रकाश था। उस प्रकाश के प्रभाव में सारे जमींदार सुरक्षित थे। अत्यन्त नान्-वायलेंट[2] यह शासन है। वायलेंट एक्ट समूहों का जेलखाना बन गया है।

उन्होंने सूर्य साउ को पकड़कर उठाया। बैल खोल दिए और उन्हें गाड़ी में

---

1. उग्रता, हिंसा
2. अहिंसक

बाँध दिया। खींचकर कनाल की ओर ले चले। बलि के पशु की तरह कनाल में फेंका और बसाई ने वार किया। उसके बाद तमाम हाथों में बहुतेरे हथियार थे। रतनी थाने भागा।

समाचार ऐसा आकस्मिक और अप्रत्याशित था कि थाने से सदर को खबर की गई। उसके बाद आर्मी।

आर्मी की जीप और वैन बाकुली तक नहीं जाती। बाकुली के आस-पास ऊँची-नीची, टूटी-फूटी जमीन है। कंकड़ियाँ दब जातीं। क्राँच-क्राँच-क्राँच। मार्च-मार्च-मार्च फार्वर्ड—आगे चल भाई। भारत के गर्वीले जवान कैप्टन अर्जनसिंह के नेतृत्व में बाकुली के चड़क बैठने के स्थान[1], पाकड़ के पेड़ को घेर लिया। वे लोग पाकड़ के पेड़ के नीचे इकट्ठा हुए थे। अर्जनसिंह ने पहले हुक्म दिया, "क्लोज कनाल अप्रोच।"[2] पानी को लेकर झगड़ा है, इसलिए पानी की राह बन्द कर दो। बन्द कर दिया गया। इसके बाद रात के अँधेरे में पानी की तलाश में कनाल की ओर जाते देखा कि कई छिटपुट लोगों के गोली लगी हैं। और लोग पेड़ की झूलती जड़ों की ओट में थे। उसके बाद, जवानों के आगे बढ़ने पर पेड़ की झूलती जड़ों के स्वाभाविक दुर्ग से तीर आए। सारी जगह कॉर्डन[3] कर भारी मशीनगनें चलाई गईं। जवानों ने तब रोना सुनकर समझा कि केवल मर्द नहीं, औरतें और बच्चे भी हैं। लेकिन तब रुकना सम्भव न था। इस तरह के ऑपरेशन में होता यह है कि पहले पुलिस या जवान बन्दूक चलाते हैं, उसके बाद आग्नेयास्त्र ही उन्हें चलाते हैं। यन्त्र। यन्त्र में कोई विवेक नहीं होता। मशीनगन ही जब किलर[4] हो तो निशाने पर कौन पुरुष है, कौन नारी, कौन शिशु—यह हिसाब रखना सम्भव नहीं रहता। मशीनगन माउण्टटेडगन मेकैनिकली लोडेड एण्ड फायर्ड, डेलिवरिंग कंटिन्युअस फायर।[5] डेढ़ दिन तक रुक-रुककर फायरिंग चली। उसके बाद आर्मी घुस पड़ी फोर्ट द ओल्ड पाकड़ में। इकतालीस लाशें मिलीं। अर्जनसिंह बोला, "कल सुबह लाश उठाना। अभी गिनती करो।" फिर से गिनती शुरू हुई। दस बच्चे-बच्चियाँ थे।

दूसरे दिन सवेरे गड़बड़ शुरू हुई। बाल या पैर पकड़कर लाते-लाते चित रखने में कई लाशों ने बिलकुल ऐसे ढंग से जो लाश के लिए उचित न था, एक सिपाही का पैर पकड़ लिया और रक्तपातजनित दुर्बल हाथों से सिपाही के गले की नली

1. शिवपूजा का स्थान
2. नहर के रास्ते बन्द कर दो।
3. घेरकर
4. हत्यारी
5. यान्त्रिक रूप से गोलियाँ भरकर चलाई जानेवाली मशीनगन निरन्तर गोलियाँ छोड़ती है।

को हँसुए से काटने की कोशिश की। इस आचरण से सारे जवान घबरा गए और लाश उठ बैठी, दोनों हाथों से निरन्तर हवा का गला मरोड़ा और बोली, "मैं बसाई टूडू हूँ। कौन आता है, आए! लड़े।"

इसके बाद उसे पाकड़ के पेड़ की लटकती एक मोटी जड़ से बाँधा गया और अर्जनसिंह ने बसाई टूडू को गोलियों से छलनी कर दिया। इस ऑपरेशन बाकुली में सब लोग पहले दिन आमने-सामने के संघर्ष में मारे गए। दूसरे दिन, हाथ-पैर-शरीर जकड़े हाथ में एक आदमी ही सम्मुख संघर्ष में मारा गया। क्वांटम थियरी द्वारा जिस प्रकार पदार्थ-विद्या में प्रत्येक चीज की व्यवस्था मिल जाती है, 'सम्मुख संघर्ष' में, या एनकाउण्टर में, या बसाई की भाषा में 'काउण्टर' उसी तरह की एक क्वांटम थियरी है। मृत व्यक्ति के हाथ-पैर तोड़कर वैन के पहिए में बाँधा जा सकता है—पीछे हाथ या पेड़ से हाथ-पैर बाँधे जा सकते हैं—नाखून उखाड़ना, आँखें निकाल लेना, यौनांग छिन्न हो सकते हैं—गुदामार्ग में छड़ घुसेड़ना, सारी पसलियाँ चूर-चूर हो सकती हैं—कॉमन गुण हैं, पूरे शरीर में अनगिनती गोलियाँ रहेंगी—समस्त मृत्यु की व्याख्या ही इस प्रकार करनी होगी, 'सम्मुख संघर्ष के परिणामस्वरूप।' बसाई टूडू भी सम्मुख संघर्ष में मारा गया। बालक-बालिका-शिशुओं की मृतदेह भी 'सम्मुख संघर्ष' की थियरी द्वारा समझाई जाती है। समाचारपत्रों में खबर प्रकाशित होने से बहुत शोरगुल होता है। इसीलिए इस तरह समाचार गढ़ा जाता है, 'जमीन की गड़बड़ में दो दलों में झगड़ा हुआ और तीन आदमी मारे गए।'

उसके बाद लाश को लाकर लिटाने में और भी गड़बड़ हुई। देखा गया कि लाशें उन्तालीस थीं। सूर्य साउ का भाई रतनी साउ डरकर बोला, "दोपदी माझिन? दुलना माझी? वे कहाँ हैं?"

"ऐं?"

"क्या बोलता है?"

"वे कहाँ हैं?"

"थे, या नहीं थे?"

"थे जी, थे। वे मातबर हैं। वे नहीं रहे?" रतनी साउ बहुत परेशान हो गया।

द्रौपदी या दुलना का हिसाब नहीं मिल रहा था। बसाई टूडू की लाश लाकर सूर्य साउ के घर के सामने रखी गई।

सबकुछ सुनकर काली साँतरा बोला, "मुझे क्यों ले आए? वह बसाई टूडू है या नहीं, इसे खुद तय कीजिए।'

"किस तरह, काली बाबू?"

"क्यों?"

एस.पी. कुछ देर तक अस्त होते सूर्य की आकाश को लाल करने की रोज की भ्रकुटि देखते रहे। उसके बाद ठण्डी साँस लेकर बोले, "काली बाबू! मैंने कभी उस आदमी को नहीं देखा। पहली बार मैं एस.पी. नहीं था। बनारी की घटना की रिपोर्ट पढ़ी थी। तसवीर देखी थी। लेकिन उस तसवीर को देखकर कुछ समझना किसकी ताकत थी!" मानो उस तसवीर की याद से ही वे काँप उठे।

"हाँ, डिस्टॉर्ट[1] भी हो गई थी।"

"प्रॉसिजर क्या है, काली बाबू? कोई मारा जाता है। जान-पहचान के लोगों को लाकर शनाख्त कराई जाती है, फोटो ली जाती है। मृतदेह की नापजोख, डिटेल्स[2] लिखे जाते हैं। अच्छा, पहली बार म्यूटिलेटेड बॉडी[3] देखकर शनाख्त करने में आप लोगों से भूल हो सकती है। दूसरी बार?"

"देखिए, बसाई को शनाख्त करने के मामले में मुझे ही आप लोग खींच लाते हैं। उसे शनाख्त करूँ। उसके बाद आप लोग कहते हैं, फिर बसाई टूडू मर गया है। मुझे क्या करना चाहिए?"

"मैं ही क्या करूँगा?"

काली के मन में आया कि कहे—ट्रांसफर करा लीजिए।

एस.पी. बोले, "मशाई, मैं ट्रांसफर कराकर भागूँ, यह बहुत गड़बड़ लगता है। हो सकता है कि बसाई टूडू मरा ही न हो। ऐं? उसकी तरह लगनेवाला कोई इंपर्सनेट[4] कर रहा है?"

"कैसे कहूँ?"

"आपको बुलाया गया है...।"

"क्यों? कोई और उसे नहीं पहचानता?"

"पढ़े-लिखे लोगों का कहना है, सत्तर के साल तक देखा...!"

"क्या मुश्किल खड़ी कर दी, पता है?"

"क्या?"

"मुझे भी लग रहा है कि जिसे देखा है, उसे बसाई मानने के सब कारण मिल गए हैं, पर वह बसाई नहीं है।"

"यह क्या बात है?"

कहकर एस.पी. चुप हो गए। मन-ही-मन नोट बनाने लगे। खुद ही दोहरे-तिहरे

---

1. विकृत
2. विवरण
3. विकृत शव
4. वेष बदल रहा है।

बसाई की जो बात उठाई, उसे मिटा रहे हैं। नोट कर रहे हैं, काली साँतरा खुद ही कह रहा है कि उसने जिसकी शनाख्त की वह बसाई टूडू नहीं था।

जीप रुकती है। दुकान से चाय पी जाती है। समोसे। पुलिस की गाड़ी है। एस.पी. ड्राइवर से कुछ कहते हैं। ड्राइवर उतर जाता है। काफी दूरी रखकर दुकानदार से बात करता है। पैसे देने की कोशिश नहीं करता और लौटकर कहता है, "पैसे नहीं लेगा।"

बाकुली करीब आ रही है। लोगबाग, कुछ दुकानें, आज बाजार का दिन है, राह में हाट करनेवाली जनता है। पुलिस की गाड़ी देखकर सब लोग हट जाते हैं और चेहरे भावशून्य हो जाते हैं। किसी गोपनीय और गूढ़ सन्तोष से एस.पी. कहते हैं, "सिस्टर-विलेज पलताकुड़ी से हर एक को लाकर बाकुली में रखा है।"

"मर गया क्या?"

"हाँ-हाँ, आर्मी के साथ फ्रण्टल एनकाउण्टर[1]!"

एक और प्रान्तर। बीच में होकर एक रास्ता है। उसके बाद घनी छाया की शान्ति का नीड़ मँझोला गाँव बाकुली दिखाई पड़ता है। गहरे नीले रंग का दोमंजिला मकान। सन्ध्या लगभग आ चुकी है। विवाह के रंग में सुनहला आकाश लाल हो रहा है। दो ट्रकों पर कौन है, या किस-किसकी लाशें हैं? सरकारी विवरण के अनुसार तीन मृत लोगों से दो ट्रक भरे हैं और तिरपाल लगे हैं। दोनों ट्रकों को असंख्य सिपाही घेरे हुए हैं। ऊपरी अधिकारियों से ऐसा करने का अधिकार पाकर आर्मी मृतकों को पुलिस के अधिकार में दे देगी। असंख्य पुलिसवाले भी हैं। असंख्य पुलिस भी है।

सम्मुख-संघर्ष में मारा गया बसाई टूडू एक मचान पर है। मचान के दोनों ओर खूँटियों में गैस-बत्ती के हण्डे। हण्डों की तेज रोशनी में ठीक बाहर की ओर काले-काले चेहरे। एक बच्चे के गले का रोना, एँ-एँ-एँ-एँ। पलताकुड़ी के लोग बैठे हैं। एस.पी. के आगे बढ़ने पर कई पुलिस-अफसर बोले, "इन्होंने शनाख्त कर ली है।"

"क्या कहते हैं? तुमने क्या कहा? तुम्हारा क्या नाम है? ऐं? क्या कह रहे हो?"

"मैं पलताकुड़ी का सोदन बटी हूँ।"

कुछ बातों ने काली साँतरा को बेचैन कर दिया। बसाई की पहली मौत के बाद 'जिला वार्ता' ऑफिस में एक शाम को : 'मैं पलताकुड़ी का सोदन बटी हूँ। बसाई टूडू के लिए यह दवाई लाने को उसने कहा है...।' वही सोदन है।

"क्या कहते हो?"

---

1. आमने-सामने की मुठभेड़

"यह बसाई टूडू है।"

"पिछली बार जागुला में अस्पताल में किसको देखकर शनाख्त की थी? ऐं?"

"बसाई की।"

"इसके मतलब? मजाक कर रहा है?"

"ना बाबू, मैं मजाक नहीं जानता। उस बार जिसे देखा था, उसके मुँह नाम की कोई चीज नहीं थी। सबकुछ बसाई की तरह था, कह दिया—बसाई है। यह जो दिखाया, इसके मुँह नाम को भी कुछ नहीं है, सारे शरीर में गोलियाँ छिदी हैं। हमारा बसाई खफा होने पर बतास में हाथ मरोड़ता था। उसने भी मरोड़े, इसने भी मरोड़े—तुम बताओ बाबू, चेहरे में कुछ नहीं, मरन के समय बतास में हाथ मरोड़े, फिर भी उसे बसाई न कहे? मुँह देख पाता तो कहता।"

"हूँ, काली बाबू, देखिए।"

काली आगे आता है और देखता है। एक उँगली, दाहिने हाथ की तर्जनी में पीतल के तार की अँगूठी थी। मुसाई ने जब उसे और बसाई को चाय दी थी, उस समय काली ने देखा था। मुलायम बाल। "हमारा मुसाई पानी और हवा का पण्डित है, काली बाबू।" मुसाई की प्रेममयी माझिन, गिधा और सीधा, दो नंगे बच्चे और बेशुमार दारिद्रय था। मुसाई ने बसाई के लिए सबकुछ छोड़ दिया था! भीरु, डरपोक व्यक्ति बसाई का अनुगत था। उसने सूर्य साउ को कुल्हाड़ी मारी और काट डाला? काली सूखे गले से बोला, "लगता है, बसाई है।"

"लगता है?"

"क्या कहूँ? चेहरा कहाँ है? क्या देखकर पहचानूँ? हर बार पहचानने में मुश्किल, आप लोग एक-एक बॉडी दिखाएँगे...मुद्रा-दोष मिल जाए...आइडेंटिफिकेशन प्वाइण्ट है।"

काली की आवाज में बहुत गुस्सा था। बहुत, बहुत अधिक गुस्सा। मरे हुए आदमी का चेहरा देखकर बहुत गुस्सा आ रहा था। गोली, गोली स्टॅमक रिप्ड ओपेन।[1] आँत निकल पड़ी थी। कमर में एक ओर चूर-चूर, दबाया हुआ। काली ने कहना चाहा—बूट से जब कुचला गया उस समय क्या वह जिन्दा था? लेकिन कहा नहीं। कोई आदमी, किसी इनसान पर पुलिस—आर्मी—उसके बाद मुठभेड़ में मरा'—मानव-देह अत्यन्त सुन्दर होती है। कहीं किसी पुस्तक में देखा माइकेल एंजेलो का 'पियेता'—असाधारण सुन्दरी मेरी की गोद में निर्दोष युवा शरीर के लेटे मृत यीशु! मानवदेह अत्यन्त सुन्दर हो सकती है। बसाई की तीसरी मृत्यु में 'एनकाउण्टर' नाम के लिजलिजे शब्द के अर्थ काली के भीतर घुस जाते हैं। उसकी सम्पूर्ण सत्ता

1. पेट फट गया था।

में इंजेक्ट हो जाती है पुलिस और आर्मी की क्रान्तिकारी विनाशक घृणा।

तभी नारी और शिशु-कण्ठ का रुदन 'हूँ-ऊँ-ऊँ-ऊँ' इस दृश्य की प्रत्यक्ष संगीत-रचना करता है। काली बिना मुँह फेरे बता सकता है कि वह मुसाई टूडू की माझिन और किसी लड़के का रोना है। समस्त आशाएँ, जीवित रहने का उद्देश्य, आकाश का सूर्य—सब मानो समाप्त हो गए हों। रुदन पृथ्वी के गर्भ का है।

"कौन रो रहा है?" एस.पी. पूछते हैं।

"मुसाई टूडू की माझिन," सोदन कहता है।

"बसाई टूडू के कोई है?"

"ना।"

"तब?"

"बसाई—उसे बच्चे बहुत प्यार करते थे।"

एस.पी. मुसाई की माझिन की ओर देखते हैं। काली भी। मुसाई की पत्नी के रुखे बाल जूड़े की तरह गोल बँधे हैं, सस्ती-सी मोटी सफेद धोती पहने है। बच्चों का मुँह अपने कलेजे से लगाए, दूर हटकर अँधेरे की ओर चेहरा कर लेती है। एस.पी. फिर मृतदेह के समीप आते हैं और कहते हैं, "बॉडी ले जाऊँगा।"

काली साँतरा घनी रात में छुटकारा पाता है और जीप में चढ़कर बैठ जाता है। बसाई—तीसरी मृत्यु। बसाई—तीसरी मृत्यु। लगा था कि नींद नहीं आएगी। लेकिन जीप में वह सो गया।

[11]

बाकुली के बाद काली के मन में सन्देह न रहा कि बसाई फिर मरेगा। अब वह बहुत शान्त हो जाता है। अपने शरीर और स्वास्थ्य के बारे में ध्यान देता है। एस. पी. उसके बारे में बहुत ही गड़बड़ रिपोर्ट देते हैं। काली के हर बार बसाई को 'बसाई' बताकर शनाख्त करने में कोई छिपा और गहरा मतलब है। हिसाब लगाने से बसाई टूडू की उम्र चवालीस होनी चाहिए। लेकिन बाकुली की मृतदेह की उम्र चालीस से अधिक न होगी। जिसका बसाई 'नहीं' होना ही स्वाभाविक है, उसे काली साँतरा 'बसाई' क्यों बता रहा है? काली साँतरा वह व्यक्ति है जिसे सेवेंटी से अपने पास आने को बसाई ने अलाऊ किया था। याद रखने का कारण है, बनारी-ऑपरेशन की कहानी काली को पता थी। कहने का मतलब है कि काली साँतरा का अपनी पार्टी-सर्किल में ही बहुत विश्वास नहीं है।

प्रशासन के सोचने का ढंग दुर्बोध और सुदूरगामी होता है। उस समय प्रशासन

सोच लेता है कि काली साँतरा का जिन्दा न रहना ही ठीक है। काली साँतरा की इमेज जागुला में बहुत अच्छी है। सब शासनों के लोग उसे बहुत महत्त्व देते रहे। प्रशासन चाहते ही काली को मीसा में गायब कर सकता था। वह अच्छा नहीं होता। सबसे ज्यादा मुश्किल तो यह हुआ कि काली को 'गुप्त नक्सलवादी', 'सुप्त नक्सलवादी', 'नक्सल को सहानुभूति देनेवाला' नहीं कहा जा सकता है। काली नाम में जो सुख है उसकी तरह 'नक्सल' नाम में क्या सुख है, कि पकड़ा जाए, मारा जाए, एनकाउण्टर करना पड़े। काली प्रशासन को वह सुख नहीं देता, इसलिए काली को रखकर उसके चारों ओर के, उसकी पार्टी के सबको घेर रखना अच्छा है। परिणामस्वरूप पार्टी-सर्किल में काली के प्रति घोर अविश्वास उत्पन्न होगा।

काली यह सब बिलकुल समझ न सका। प्रशासन उसे शहर के सारे आयोजनों में खुलकर बुलाता रहता। पार्टी में चुगलखोर तत्त्व काली पर चिढ़ता रहता। एक दिन ऐसी हालत हुई कि वे काली को मारने चले। तभी काली नल के नीचे फिसल गया और फ्रेक्चर होने से अस्पताल में पड़ा रहा। उससे गिनिमाला को बहुत चैन मिला और काली के अस्पताल में रहने के महीने को कुण्डू स्पेशल पर बेटे सहित कश्मीर भ्रमण को जाकर उसने काम में लगाया। घर खाली रहने से काली अस्पताल से बाहर आ घर न जाकर सदर-शहर में ममेरी बहन के घर गया। इस तरह शरारती लोगों की काली-हत्या की योजना कार्यान्वित हुई और प्रार्थित कार्य में उनका अनाड़ीपन देखकर प्रशासन ने चिढ़कर सबको मीसा में बन्द कर दिया। इससे उनका बड़ा उपकार हुआ। कभी भी अच्छे काडर[1] की तरह लिख-पढ़कर वे पार्टी के लोग न थे। नारे लगाकर जेल में भरकर वे वैगन-ब्रेकर, छेन्ताई गैंग[2] इत्यादि समाज-हितैषी लोगों को पाकर वे बिजली की तेजी से काम-काज सीखकर भविष्य-जीवन के विषय में निश्चिन्त होकर जेल की रोटी तोड़ते हैं।

गिनिमाला और काली साँतरा—दोनों अलग-अलग डेस्टिनेशन से घर वापस आए। उसके बाद पता नहीं किस तरह, जागुला के हरिभक्ति प्रदायिनी दल ने कॉलरा महामारी-सेवादल बनाने में काली को कमेटी का सभापति बना लिया। कॉलरा और चेचक के सेवा-कार्यों में काली को बहुत प्राचीनकाल से दक्षता थी। कॉलरा से उसने देउकी मिसिर के दामाद को भी बचा लिया जिसके परिणामस्वरूप देउकी के मन में टेंपरेरी कृतज्ञता-बोध जागृत हुआ और उसने भरे गले से 'जिला वार्ता' ऑफिस में आकर कहा, "आपके नाम से कितनी बातें कहीं, अच्छा नहीं किया। बहुत रिपोर्टें दी हैं। उस बसाई टूडू के दल में काम करते हैं सन्थाल लोग।

---

1. कार्यकर्ता
2. छीनकर भाग जानेवाले

उसमें भी आपका नाम शामिल कर दिया है, काट दूँगा।''

काली जानता है कि इसी तरह काम हुआ करते हैं। कहीं भी। लेकिन वह न तो जानना चाहता है, न कोशिश करता है। किन्तु जीर्ण जीवन में कहीं मरुद्यान की प्रतिश्रुति रह जाती है। चौहत्तर साल बीत जाता है। पचहत्तर में इमरजेंसी होने से अचानक प्रेस गैग्ड[1] हो जाता है। किन्तु काली का संघर्षशील इतिहास ऐसा उपेक्षणीय है कि 'जिला वार्ता' के सैकड़ों अर्थात् दो सौ सर्कुलेशन पर प्रभाव नहीं पड़ता। और किस तरह कृषि-ऑफिस और मत्स्य-अधिकारी 'जिला वार्ता' समाचारपत्र में विज्ञापन देकर काली को पैसे दिला देते हैं? जीवन-भर बिना पैसे पाए, जान लगाकर समाचारपत्र चलाकर, बान्धव प्रेस और सदानन्द घोड़ुइया के बर्तनों की दुकान और बसन्तिका आलता[2] का विज्ञापन वैशाख में छापकर उन विज्ञापनों के पैसे पौष में पाने का वह अभ्यस्त है। सहसा सरकारी विज्ञापन पाकर उसका दिमाग चकरा गय। और हाथ में रहने से कहीं नई चप्पलें और शर्ट खरीद न डाले, इस डर से उसने सारे रुपए दुखित पार्टी कार्यकर्ताओं को दे दिए। इससे कृषि-विभाग और मत्स्य-अधिकारी खफा हो गए और फिर विज्ञापन नहीं दिया। परिणामस्वरूप पार्टी में काली की इमेज फिर ऊँची हो गई। जेल में बैठकर बातचीत के दौरान सामन्त चिढ़ जाता है। और जेल के कई कॉमरेडों से कहता है, ''बहुत-से ढोंगी देखे हैं, पर काली-सा ढोंगी नहीं देखा।''

अज्ञता ही वरदान है। काली को पता नहीं कि मरियल पगलैट अस्तित्व को लेकर वह प्रशासन-पुलिस-पार्टी, सबके लिए कितनी असुविधा पैदा कर रहा है और अचानक उसने एक दिन सिनेमा देखने जाकर मुसीबत कर दी। अचानक उसकी गर्दन में दर्द हुआ, गर्दन और सिर झनझना उठे। काली कुर्सी पर लुढ़क गया। उसकी रक्तचाप की अधिकता का इसी से पता चला और काली फिर बिस्तर पर पड़ गया। इसके बाद ब्लडप्रेशर के बारे में काली को विशेष चिन्ता दिखाई पड़ी और खुद ही केले का थम्भ कूटकर रस निकाल पीकर वह रक्तचाप को कण्ट्रोल में रखने की कोशिश करता। इस प्रावस्था में उसने रक्तचाप के बारे में बहुत-कुछ पढ़ डाला। इसी समय सहसा अनिर्वाण ने एक स्कूल की अध्यापिका से शादी कर ली। इस ब्याह से काली फिर आश्चर्य से देखने लगा कि वह दुनिया द्वारा एकदम परित्यक्त है। बहुत आयोजन के साथ बहूभात[3] हुआ। तमाम लोग आए थे। काली को कुछ दिनों के लिए 'जिला वार्ता' ऑफिस में ही रहना पड़ा और अब पता चला कि

1. बन्द
2. महावर, अलता
3. विवाह के बाद नववधू के हाथ के भोजन की दावत

गिनिमाला सूद पर रुपए देती है। मुहल्ले के बहुत-से लोग उसके देनदार थे। ब्याह के बाद नए शादी के घर के प्रभाव से गिनिमाला ने साँई बाबा को पकड़ा। अब काली को लगा कि विवाह, विवाहित जीवन कुछ नहीं। उसका जीवन, उसका आदर्श, उनके विवाहित और संयुक्त जीवन के परिप्रेक्ष्य में क्या था! शाखा नदी? जो नदी किसी भी दिन मूल नदी की धारा में नहीं मिली? ऐसा सपाट उसका जीवन है? किसी भी दिन किसी बिन्दु से न मिला! किसी भी मध्यवर्गीय की तरह बिसमिल्ला का रेकॉर्ड फिट कर नन्हे-नन्हे बल्बों से घर को सजाकर काली के बेटे का बहूभात हुआ और काली अनभ्यस्त उजली धोती-कुर्ता पहन, चेहरे पर दीन मुस्कुराहट लाकर सबसे अधिक बाहरी व्यक्ति बना गेट पर खड़ा था। काली समझा कि दौड़ तभी ठीक रहती है जब दौड़ के अन्त में जीतने का लक्ष्य रहे। सारा संग्राम भी वही है। लक्ष्य रहना चाहिए। काली जीवन-भर भागता रहा, क्योंकि जवानी में उसने समझा था कि एक समाज-व्यवस्था बदलकर एक दूसरी समाज-व्यवस्था लाने का लक्ष्य उसके सामने है। गिनिमाला और अनिर्वाण ने लक्ष्य के रूप में अपने आगे कोई समाज-व्यवस्था नहीं देखी। काली ही उनका शत्रु था। उन हर चीजों का जो काली के लिए लक्ष्य थीं, उनके विरुद्ध उनका यही संग्राम था। क्रुद्ध, जिद्दी संग्राम। यह क्रोध-जिद-हिंसा सांसारिक उन्नति को जन्म देती है। काली ने बहुत-कुछ देखा था, उन्होंने केवल अपनी जाति-बिरादरी, परिवार की धन-दौलत, शिक्षा-दीक्षा देखकर और बड़े होने की कामना से हिंसा में असाध्य साधन किया था। हिंसा-क्रोध-जिद मनुष्य की उन्नति करते हैं, यह सोचकर भी हार-सी लगती है। लगता है कि जिसे हराना होगा वह 'समाज-व्यवस्था का परिवर्तित' रूप एब्सट्रैक्शन[1] होने पर काली की तरह जीर्ण, हारा, मोतियाबिन्द लिए, मोतियाबिन्द कटा कर, केले के थम्भ का रस पीकर पराजित और वैलिएण्ट फाइटर फॉर द काज[2] बनना पड़ता है। जिसे पराजित करना हो, वह अगर बराबर आँखों के आगे सीधा-सादा और निरीह (माँ कहा करती थी कि मेरा काली, गौ बेटा है) पति और पिता हो तो शक्ल कैडिलयुक्त रेक्सोना साबुन की तरह दिन-पर-दिन गिनिमाला और अनिर्वाण-सी चमकती है। एब्स्ट्रैक्शन और कंक्रीट। ब्रह्मवादी और मूर्तिपूजक। क्या ताज्जुब है कि मूर्तिवादियों की चिकनाहट संघबद्धता, शोरगुल बहुत अधिक है? मुकुन्द के सिवा कोई रवीन्द्रनाथ के गान की तरह घेरे को छोड़कर चलने के आनन्द में नहीं चल सकता। मुकुन्द काली साँतरा का ममेरा भाई था। वह जीरा और तेजपात खरीदने को निकलकर डेढ़ महीने-दो महीने उड़न-छू रहा। पहली बार के बाद फिर थाना-पुलिस

1. अलगाव, पृथक्करण
2. लक्ष्य के लिए लड़नेवाला वीर योद्धा

नहीं हुआ, क्योंकि वह कोई अपराध न करता था। पैदल-ही-पैदल चला जाता शिउड़ी, कटुआ, बढ़रवा। डेढ़ सौ-दो सौ मील। किसी तरह से खाने का जुगाड़ करता और पेड़ के नीचे सो जाता। क्यों जाता, इसका कोई ढंग का जवाब न दे सकता। पागल भी तो नहीं था। मुकुन्द इस समय सदर के स्कूल में बाबू है।

जो हो, इसी तरह इमर्जेंसी का दमघोंटू पचहत्तर साल बीता। इस बीच काली निरन्तर खेतमजूरों के बारे में चिन्तित रहा। लेबर-विभाग द्वारा प्रकाशित 1973 साल की एक रिपोर्ट उसके हाथों पड़ गई और जिसलिए काली मन-ही-मन एक दुःसाध्य व्रत में लगा था, बसाई की ओर से खेतमजूर समस्या से उत्पन्न क्रोध की बात को समझने की कोशिश में काली, खेतमजूर सम्बन्धी समाचारों को उत्सुकता से पढ़ता। काली की यह समझने की कोशिश बहुत ही आरोपित बात थी। वह बसाई की बात को बसाई-सी नहीं समझ सकेगा, क्योंकि वह आदिवासी नहीं है। आदिवासी होकर अगर कोई उत्पन्न हो तो वह जिस वंचना को लेकर जन्म लेता है उसका सहभागी कोई ऊँची जाति का हिन्दू नहीं हो सकता। यही वंचना बोध डेट्स फॉर बैक[1]। कृष्ण भारत के कृष्ण आदिवासी प्रथम सन्तान हैं। सब और उसके बाद हैं। उस आदिवासी को वंचित कर सबने सबकुछ ले लिया, बाँट लिया। उसी वंचना-बोध से आरम्भ है। उसके बाद प्रतिदिन। शक-हूण-पठान-मुगल—सभी भारत की देह में लीन हुए। और आदिवासी समस्त शासन-व्यवस्थाओं में ही वंचित होते रहे। अच्छे शासक, बुरे शासक, सकल मुनि से पजामम[2] कहनेवाले अशोक, सर्वस्वदाता हर्षवर्धन, बंगाब्द प्रचलित करनेवाले शशांक से आरम्भ कर शेरशाह-अकबर, वणिक मानदण्ड हाथ में लिए अंग्रेज—किसी ने इस समस्या की बात न सोची और सारे शासनों में ही आदिवासी समस्त मौलिक अधिकार सरेण्डर[3] करते-करते अत्यन्त कमर-टूटे, हीन-बल, नशे में चूर, महाजन के सूद और बेगार के शिकार बनकर जिस आशा में मिशन की ओर भागते, पर सफल न हो पाते। प्राचीन प्रोत्साहित करनेवाली बलिष्ठता जीवित रहने की प्रहसन-भरी चेष्टा में होली के दिन शिकार पर निकलते और आदिपुरुषों के बलिष्ठ हाथों से बर्छी या तीर की चोट खाए बाघ, भालू की याद में मछली की तिल्ली लिए, साही या बनबिलाव मारकर घर लौट आते, और खूब शराब पीकर स्वास्थ्य को तिलांजलि देते। अन्त में भारत की स्वतन्त्रता और आदिवासी कल्याण में प्रशासनिक प्रयत्न उनका अन्तिम संस्कार कर देता। आदिवासी सत्ता अणिमांडव्य[4]

1. बहुत प्राचीन है।
2. सब मेरी प्रजा है।
3. उत्सर्ग
4. एक ब्राह्मण ऋषि, जिन्हें कहा जाता है कि सूली चढ़ा दिया गया था।

है। राह में अन्याय का काँटा सदा से है। उसे निकालने की कोई राह नहीं है। दो-एक सन्थाल उपमन्त्री या मुण्डा आई.ए.एस. देखकर किस तरह लाखों-करोड़ों आदिवासी जीवित रहें? न, बसाई के मानसिक वंचना-बोध के ओरिएंटेशन[1] का भागीदार होना काली के लिए सम्भव न था। वर्ण–हिन्दू, उसी समाज-व्यवस्था में उत्पन्न जिसने आदिवासियों को समस्त अधिकारों से वंचित किया है। किन्तु बीच-बीच में मृत बसाई को शनाख्त करना पड़ता है, इसलिए खेतमजूर के बारे में परिचित रहने की जरूरत काली के अमाशय को न छोड़नेवाले दर्द की तरह दुखती रहती है। इसलिए वह 'जिला वार्ता' ऑफिस की सुरक्षा के लिए किरासिन की लकड़ी के शेल्फ पर यह सम्बन्धित कागज-पत्र सजाकर रखता और पढ़ता। पढ़ने बैठता तो बहुत दुःख से लगता कि बसाई जिस राह गया है उस राह मुक्ति नहीं मिलेगी। बसाई बार-बार क्यों मरता है और जलाया जाता है? अपनी शक्ति-भर जो कर सके वही करके अपने को पर्ज कर रहा[2] है? यह क्या रोमांटिसिज्म नहीं है? आज स्टेन, ब्रेन, मशीनगन के युग में प्रिमिटिव वेपन[3] देकर कहाँ गोरिल्ला[4] युद्ध सफल हो सकता है? लेकिन बसाई यह न सुनेगा। हाँ, वह रोमांटिक बन जाएगा। लास्ट सर्वाइविंग एलिफैण्ट[5]। वह तथाकथित सभ्यता का परित्याग करेगा, यह नहीं कहता, पर करता है। बसाई को किसी तरह बदला नहीं जा सकता। बदले में तो उसे कुछ दिया नहीं जा रहा है। बसाई की हालत क्या अमरीका के आदिम अधिवासी नवाजो या दूसरे रेड इण्डियनों की तरह होगी? कंजर्व : संरक्षण। म्यूजियम[6]। आओ, देखो। संरक्षित बस्तियों में ये मुण्डा हैं, ये सन्थाल हैं, ये मारिया हैं।

सोचकर भी दिमाग भन्ना उठता है। केले के थम्भ के रस से क्या दबाव कम नहीं हो रहा है? 73 के साल की लेबर डिपार्टमेण्ट की रिपोर्ट। मन्त्री महोदय का वक्तव्य है, "हमने लेबर डिपार्टमेण्ट की ओर से आर्गनाइज्ड सेक्टर में मजदूरी के ढाँचे को उठाने की ओर पूरा ध्यान दिया।...किन्तु यह स्वीकार करना पड़ेगा कि उद्योग के इन्फॉर्मल सेक्टर में, विशेष रूप से एग्रीकल्चरल सेक्टर में हमारा काम सन्तोषजनक नहीं है...कंट्रीसाइड की मेहनतकश जनता के आर्थिक उत्थान के बारे में कुछ न कर सकनें पर ग्रामीण वायलेंस रोक रखना, या सामाजिक व्यवस्था का वर्तमान रूप कायम रखना कठिन होगा।"

1. निर्धारण
2. छल रहा है
3. आदिम शस्त्रास्त्र
4. छापामार युद्ध
5. अन्तिम अवशिष्ट हाथी
6. अजायबघर

इसके बाद काली सोच सकता था कि यह मालूम होने पर बसाई कहता, "मैंने कहा था न? कोई साला कुछ नहीं करेगा।"

अब छिहत्तर साल है। चौहत्तर के साल में फिर खेतमजूरों की मजूरी संशोधित हुई। पश्चिमी बंगाल में सब जगह एक रेट चालू हुआ। प्रशासन समानता के गीत गाता और उसकी नजर में स्त्री-पुरुष का कोई अन्तर नहीं रहता। परिणामस्वरूप पुरुष और स्त्री श्रमिकों के लिए निश्चित होती प्रतिदिन की मजदूरी पाँच रुपए साठ पैसे और बच्चे-मजदूरों (कम-से-कम 14 वर्ष) के लिए चार रुपए। माहवारी बन्दोबस्त में बड़ों के अस्सी रुपए साठ पैसे और छोटों के लिए उन्तालीस रुपए निश्चित हुए। और भी कहा गया कि एक नॉर्मल वर्किंग डे की डेफिनिशन हुई कि बालिग काम करेगा साढ़े आठ घण्टे और बच्चा साढ़े छह घण्टे। सबको आधे घण्टे का विश्राम मिलेगा। यह आधा घण्टा श्रम के समय में से काटा जाएगा। खेत-मालिक के भरपेट खाना देने पर खाने का खर्च काटा जाएगा। नोटिफिकेशन में साफ कहा गया था कि जिन जगहों में मजदूरी कुछ धान में और कुछ नकद देने की प्रथा है वहाँ भी निश्चित मिनिमम वेज से कम नहीं दिया जाएगा।

छिहत्तर वर्ष आ पहुँचा। अब सरकार की ओर से मिनिमम वेज या एम.डब्लू. नाम की चीज केवल कागजों की शोभा बढ़ाए जाती और प्रशासन की विवेक तुष्टि जैसी लगती है। यह जानने के लिए एम.डब्लू. कार्यान्वित करने के कागजी उद्‌देश्य के लिए पश्चिमी बंगाल में 15 जिलों में प्रायः 75 लाख खेतमजूरों के लिए सोलह इंस्पेक्टर नियुक्त हुए। इंस्पेक्टरों में से कोई भी कलकत्ते के दो सौ मजे और भाग्य के लॉटरी-हाउस, राइटर्स बिल्डिंग[1] छोड़कर जिले में नहीं गया और खेत मजदूर पहले की तरह ही आठ आने-एक रुपया-दो रुपए पाते रहे।

1974 के अन्तिम नोटिफिकेशन ने वेज-रेट को कन्ज्यूमर प्राइस इंडेक्स फॉर एग्रीकल्चरल लेबर के साथ जोड़ दिया और कहा, "द मिनिमम रेट फॉर वेजिज सो रिवाइज्ड एबव आर ऑन द बेसिस ऑफ प्राइस इण्डेक्स (60-61 = 100) फॉर 1972-73 एट 233 प्वॉइण्ट्स, द मिनिमम रेट्स ऑफ वेजिज विल बि एडजस्टेड एट द रेट ऑफ 62 पैसे पर मन्थ पर प्वॉइण्ट-राइज ऑर फॉल ऑफ द कन्ज्यूमर प्राइस इण्डेक्स एबव ऑर बिलो 23 प्वॉइण्ट्स फॉर द एडल्ट्स एण्ड एट द रेट

1. पश्चिमी बंगाल सरकार का सेक्रेटेरिएट
2. इस प्रकार से ऊपर संशोधित न्यूनतम मजदूरी की दरें 233 बिन्दु पर 1972-73 के कृषि उगभोक्ता मूल्य सूचक अंक (60 61 = 100) पर आधारित हैं। मजदूरी की न्यूनतम दरें 233 बिन्दु से उपभोक्ता मूल्य के चढ़ाव या उतार के अनुसर 62 पैसे प्रति मास से वयस्क के लिए व्यवस्थित होगी और बच्चों के लिए 45 पैसे प्रति बिन्दु होगा। किन्तु किसी भी दशा में मजदूरी की न्यूनतम दरें उपर्युक्त दरों से कम न होंगी।

ऑफ 45 पैसे पर प्वाइंट फॉर द चिल्ड्रन। बट इन एनि केस द मिनिमम रेट्स ऑफ वेजिज विल नॉट बि लेस दैन द रेट्स मेन्शंड एबव।"[2]

यहाँ यह बता देना उपयुक्त होगा कि नोटिफिकेशन के मसविदे में गलती रह गई। वह 233 नहीं, 217 होगा। गलती रह जाना ही स्वाभाविक और प्रत्याशित था, क्योंकि गलती न रहे इसलिए सरकार बहुत खर्च कर लोगों को नियुक्त करती है। ये लोग वेतन, महँगाई भत्ता, हाउसिंग अलाउंस, चिकित्सा खर्च पाते हैं, इसीलिए 217 का 233 हो गया। इन सोलह नम्बर के अन्तर के बाद भी सैंतीस लाख से अधिक मनुष्यों के भाग्य का नियन्त्रण करते और सरकार के बाप बनकर रहते हैं।

उक्त नोटिफिकेशन के आधार पर 1976 साल के अप्रैल में एम.डब्लू. रेट दो बार संशोधन के बाद टिका, वयस्कों के बारे में दैनिक मजूरी पाँच रुपए साठ पैसे + दो रुपए पचास पैसे = आठ रुपए दस पैसे। मासिक मजदूरी बेसिक अस्सी रुपए साठ पैसे और महँगाई भत्ता पैंसठ रुपए दस पैसे = एक सौ पैंतालीस रुपए सत्तर पैसे। बच्चों के लिए दैनिक मजूरी चार रुपए और महँगाई भत्ता एक रुपया बयासी पैसे = पाँच रुपए बयासी पैसे। मासिक मजदूरी उन्तालीस रुपए और महँगाई भत्ता में सैंतालीस रुपए पच्चीस पैसे = छियासी रुपए पच्चीस पैसे। मिनिमम वेज के बारे में खेत-मालिक लोग तीन रजिस्टर रखने को विवश थे—मस्टर रोल, इंप्लाईज वेज रजिस्टर, जुर्माना-डिडक्शन-ओवरटाइम का रजिस्टर।

इतनी बातें पढ़ने के बाद, जैसा कि उसका स्वभाव है, काली को लगा कि इस बार जमींदारों की हार हुई। बड़ी खुशी से वह सदर गाँव में बेतूल के घर गया। बोला, "अब जो कानून बना है उससे भूयाँ भी हारा।"

बेतूल सूखे चेहरे पर गढ़े में धँसी सवेरे के तारे-सी आँखें झपकाते हुए काली को बड़ी करुणा के साथ देखते हुए बोला, "कैसे? काली बाबू, कैसे?"

"एम.डब्लू. वेज, समझे, बेतूल?"

"समझेंगे क्यों नहीं? उससे हमें क्या?"

"तुम्हें मिलेगा?"

"कुछ नहीं समझते! इसीलिए मिली हुई जमीन खोदी। कुछ भी नहीं समझते।"

"क्यों?"

"कानून से क्या होगा? देंगे नहीं।"

"नहीं देंगे?"

"न।"

अपार, असीम, प्रतिकाररहित, निरुपाय, दुःख के साथ बेतूल बोला, "एक तो उद्धव ने दुनिया-भर में पुलिस घुसा दी है। भूयाँ के धान हर बरस काटते थे, उसे

उस बार बसाई जो कुछ कर आया, उससे वह रास्ता भी नहीं रहा। सुमुन्दि की ससुराल गोलचाँपवेड़ा गाँव में है। वहाँ जा रहा था।''

''ताराचाँद भूयाँ वहाँ है? रामेश्वर का सगोती।''

''सब लंका जाकर रावण हो जाएँगे, काली बाबू।''

मन में दुखी होकर बेतूल ने काली की फेंकी सिगरेट का टोंटा उठा लिया, जलाया और दो-तीन बार जोरों से दम लगाकर सिगरेट बिलकुल खत्म कर दी। उसके बाद बुलाकर बड़े लड़के से कहा, ''काली बाबू चाय-चीनी लाए हैं। माँ से कह, बना दे।''

उन लोगों ने कपड़े के किनारे से पकड़कर अल्मूनियम के गिलासों में चाय पी। बेतूल बोला, ''हमारे उद्धव पर गाँव के लोगों को गुस्सा है। महीने के अन्त में राशन की चीनी देनी थी, वह नहीं दी। चाय पी सकें उसका भी ठिकाना नहीं।''

''क्या कह रहे हो?''

''अरे, हमारी मजूरी के लिए बसाई तीन बार मरा। सो बाद में इस साल क्यों तुम्हारी पार्टी के गोरा बाबू के सिर में खुजली उठी है कि वह इस बार बहुत घूम-फिर रहा है।''

हार। किसान-मजदूर प्रश्न पर एक ही जगह से गोरादास भाग-दौड़ कर रहा है, काली को पता नहीं।

''क्या कहा?''

''लड़का बताएगा।''

बेतूल का बड़ा लड़का बाप की ही तरह था, टूटी कमर। गोखरू या करैत नहीं, बिना जहर का ढोंड़ा साँप! कमर टूटी, जिसका परिणाम यह हुआ कि हालत बहुत पतली थी। लड़का उकड़ूँ होकर बैठा और बोला, ''वह बड़ी बातें हैं। मजूरी नहीं दी, मैं लूँगा, वकील से, या मजूरी निसपेट्टर से, ट्रेड यूनियन में नाम लिखा के, आज ही बताऊँगा, लेबर डिपाट को। न, न, गलत कहा, जिला जज के यहाँ अर्जी दूँगा। तब मुकदमा चलेगा। जज को बहुत राइट दिये हैं। जज, जमींदार को पाँच सौ रुपया फाइन कर सकता है, छह महीना जेहल भेज सकता है। हम फाल्स अर्जी देंगे तो हमें भी फाइन होगा। मजूर नालिस करेगा तो निसपेट्टर जमींदार को नोटिस देगा—क्यों यह काम किया, सबब बताओ! वह जवाब न दे तो केस लड़ा जाएगा।''

काली की टेम्परेरी खुशी खतम हो जाती है। बेतूल कहता है, ''अब तुम बताओ, कौन खेतमजूर जमींदार के नाम पर केस करेगा? रुपया कहाँ है? वकील कहाँ है? दीवानी केस में फैसला होता है? उसमें जो जमींदार, वही महाजन। उधार देता है। अगर उधार न दे? ना काली बाबू, अब मरना पड़ेगा।''

उपसंहार में बेतूल का लड़का बोला, "ताराचाँद इस बार मटर मोल ले रहा है। बाप रे, क्या हॉर्न बजा रहा है!"

काली पराजित होकर चला आया। वह खुद ही गोरादास के पास गया। किसी भी दिन मीसा में बन्द होने की सम्भावना में गोरा एक ओर हताश हो रहा था। दूसरी ओर बिगड़े मिजाज का था। वह काली से बोला, और जब बोलता तो इस तरह चिढ़कर बोलता था जैसे काली उसकी पार्टी का भला काडर न होकर शोषक कांग्रेस का सदस्य हो। उसने उँगली उठाकर कहा, "गरीब खेतमजूर जिस हाथ से खेती करता है, एग्रो-इकोनॉमी का बेस-आर्किटेक्ट उसे वेज न देगा? बदमाशी? कानून बनाया, काम में नहीं लाया गया? सैंतीस लाख लोगों के लिए सोलह इंस्पेक्टर? तुमसे कहे दे रहा हूँ कि पीछे शक्तिशाली संगठन नहीं है, इसीलिए इन पर यह अत्याचार है। समझ लो कि इतिहास इस अन्याय को क्षमा नहीं करेगा।"

"वह तो हमने भी नहीं किया, गोरा।"

"प्रतिक्रियावादी राय देने से कोई फायदा है?"

"किससे लाभ है?"

"तुम क्या समझोगे? नक्सलवादी लोगों के सिम्पैथाइजर! बसाई तुम्हारा हीरो है। रेनिगेड!"

"इतना खफा होकर, चीखकर क्यों बोल रहे हो?"

"बोलूँ नहीं? तुम्हारी तरह पेटी-बूर्ज्वा लोगों के लिए ही तो...।"

"इमर्जेंसी हुई?"

"इमर्जेंसी में तुम्हारे तो पौ-बारह हैं।"

"क्यों?"

"सरकारी विज्ञापन मिलता है। हरिसभा करते हो। बेटे के बहूभात में शहर-भर को न्यौता देते हो। देउकी मिसिर मिलने आता है।"

"यह तुम्हारा कहना है, या पार्टी का अभियोग है?"

"मैं नहीं बताऊँगा।"

"क्यों?"

"तुम अपार्चुनिस्ट हो।"

इस बात पर काली ने बहुत ही स्वभाव-विरोधी काम कर डाला। आगे झुककर गोरादास के भरे गाल पर जोरों से थप्पड़ मारा। गोरा ऐसा भौंचक्का रह गया कि वह कुछ भी न बोल सका। बड़े गुस्से में काँपते हुए काली बोला, "कभी मेरे दिन आएँगे। पूरी कमेटी के आगे मैं तुमसे जवाब तलब करूँगा और तुमसे माफी मँगवाकर छोड़ूँगा।"

इस तरह के काम से फिर काली का प्रेशर बढ़ गया और डॉक्टर के कहने से उसे एडेल्फेन[1] की टिकिया खानी पड़ीं। पता नहीं क्यों, अनिर्वाण की पत्नी उसकी सेवा करती और बहुत ही संकोच से काली वह सेवा लेता। सौभाग्य से इस बार काली आसानी से चंगा हो गया और गोरा मीसा में बन्द हो गया, बेतूल की पत्नी को सहसा डोमनाचिती साँप ने काट लिया। इस साँप के काटने से आदमी बचता नहीं। कहावत है कि 'जो काटे डोमना बुलाओ बाम्हना'–अर्थात् पुरोहित को बुलाकर शव को बहाकर क्रियाकर्म करवा दो। किन्तु काली एक उद्देश्य पाकर फिर चेत उठा और बेतूल की पत्नी को चंगा करने के काम में लग गया। डोमनाचिती अच्छी तरह काट न सका था, इसी से बेतूल की पत्नी अस्पताल में जी गई। उसे गाँव पहुँचाने जाने पर काली ने सुना, 'इस साल गाँव में साँपों का उपद्रव बहुत है।' वह फिर सदर-शहर लौट गया और मुकुन्द से रुपए उधार लेकर लेक्सिन लाकर सदर-गाँव में दो दिन-दो रात रहकर बेतूल के बेटे और दो युवकों को साँप के काटने पर लेक्सिन के प्रयोग की शिक्षा दी। सब लोगों ने स्नेह और विनम्रता के साथ जिस तरह उसकी बातें सुनीं उससे यह समझने को नहीं रह गया कि फिर डोमना के काटने पर दैतारि ओझा को ही बुलाएँगे। जागुला लौटने पर एस.आई. ने उन्हें बुलवा भेजा और अफसरी आवाज में बोले, "सदर ग्राम इज ऐन इलरेपुटेड विलेज। वहाँ आप क्या कर रहे थे?" काली के सच उत्तर पर उन्होंने विश्वास नहीं किया और बोले, "डोण्ट ट्राई एनीथिंग सिली। जमाना अच्छा नहीं है। थाने के पास इस समय बहुत ताकत है। याद रखिएगा।" "लेकिन मैं तो लेक्सिन लेकर...।" काली को यह बात कहने पर फिर डाँट पड़ी और समझा कि पश्चिम के रुपयों पर बनी सोसायटी के शून्यवादी लेखकों द्वारा प्रचारित 'एलिएनेशन'[2] को पूँजीवादी बुद्धिजीवियों का अप्रचार कहकर उड़ा देना ठीक नहीं। सब सबसे 'एलिएनेटिड' हैं। द्वीपवासी। द्वैपायन[3] सभ्यता। वह जो कुछ कहे सब सच, लेकिन वह, गोरा, एस.आई., गिनिमाला–सभी समान्तराल पथ पर चल रहे हैं। कोई भी कॉमन प्वॉइण्ट ऑफ एग्रीमेण्ट नहीं है, इसीलिए काली सारी भलमनसाहत लेकर सबके निकट अबोध्य है। वह बहुत ही आन्तरिक अभिलाषा से बोला, "विश्वास कीजिए, बेतूल की पत्नी...।" एस.आई. बोले, "हाँ, हाँ, उसी का लड़का तो नक्सलवादी है।" काली समझ गया कि अब वह कुछ भी समझा न सकेगा। उद्धव

---

1. रक्तचाप-रोग के निदानहेतु दवा
2. अजनबीपन, परायापन
3. ऋषिवेद व्यास का जन्म एक द्वीप पर हुआ था, इसलिए भारतीय सभ्यता को द्वैपायन कहा जा सकता है।

नक्सलवादी नहीं है। उसे बेकार में चमारहाट-कामारहाट केस में फाँसकर पुलिस तंग कर रही है। इसी एक केस में पुलिस आन्ध्र, दिल्ली, बिहार—सब जगह से बंगाली लड़कों को पकड़ लाकर चमारहाट-कामारहाट केस में फँसा रही है। इस केस में शेर और हिरन—सभी साम्यवादी नीति म ग्क हो गए हैं। यह सब बात कहकर वह एलिएनेशन या द्वीप की विच्छिन्नता ब‌ढ़ाए, या उठ जाए! उसी दिन तड़के फिर कांस्टेबल आकर उसे पकड़ लेता है, इस बार पूरे मीसा में। लेकिन कांस्टेबल उसे जीप में बैठा लेता है और एस.आई. बिलकुल भिन्न अन्दाज में कहते हैं, "बसाई टूडू जिन्दा है। एक बार चलिए, जरा हेल्प कीजिए।"

क्षण-भर में काली इस सिचुएशन के कण्ट्रोल में चला जाता है और कहता है, "कपड़े बदल लूँ, घर कह आऊँ।" अनिर्वाण की पत्नी पुलिस की जीप में ससुर जा रहे हैं, देखकर एकदम रो पड़ती है और काली उसके सिर पर हाथ फेरकर कहता है, "रोओ मत रेवा, कुछ नहीं होगा। मैं लौट आऊँगा।" नींद टूट जाने से गिनिमाला खीझकर कहती है, "तुम्हारी नजर तो उसने देखी नहीं है। इसी से रो रही है। लो, चप्पल बदल लो।"

काली जीप पर बैठा है और जीप चल पड़ती है। दिन जून के हैं, किन्तु मॉनसून अभी तक गांगेय पश्चिमी बंगाल नहीं पहुँचा है। ड्राइवर बोला , "पेड़ों को देख रहे हैं, सर? चैत के नए पत्ते झर गए हैं। आम तो इस बरस हुआ ही नहीं। घर पर जो बारहमासी बैंगन लगाए थे, वह और कुम्हड़ा—सब खाक हो गए। जमाना अच्छा नहीं है, सर। उस दिन मरा कौआ घूरे पर पड़ा हुआ था।"

"निताई की दुकान पर रोकना, चाय पिऊँगा।"

निताई की दुकान बस के रास्ते में हाईवे पर थी। रात-भर बसें और ट्रकें चलती रहतीं, खरीदार मिलते रहते। दुकान चौबीसों घण्टे चलती रहती। निताई की दुकान का तला मांस, तड़का, पराठा, मटर-पनीर, लस्सी आदि डेलीकेसी पंजाबी नमूने पर बनतीं और ट्रक रोककर पंजाबी ड्राइवर उन्हें खाकर जिस तरह तारीफें करते, उससे समझा जाता कि निताई परीक्षा में डबल पास है। जागुला अंचल नक्सलवादी सवाल पर पुलिस—आर्मी—गुण्डे—राजनीतिक गुरु और गुरु के माननेवाले सम्प्रदाय के आने-जाने की राह के किनारे स्थित होने से निताई के दिन गाने में बीत रहे थे। नौकर दुकान का काम देखते। निताई गाना गाता रहता। एक बार, किशोर कुमार की वह बहुत अच्छी नकल कर लेता है कहकर 'आसमान क्यों पुकारे' गाकर स्थानीय आयोजन जमा दिया। आजकल दुकान जोरों पर है। खास बिजनेस है अन्दर के कमरे में—जुआ और शराब का जोर। इमर्जेंसी के धन से निताई तरह-तरह से लाभान्वित हुआ और एशिया के मुक्ति-सूर्य

के सुपुत्र की फोटो पर वह माला पहनाए रहता। आजकल उसने दो शौकों में प्राण अर्पण कर रखे हैं। एक, मुर्दा फूँकना। एक सौ आठ मुर्दे फूँककर निताई स्वर्ग जाना चाहता है। उसका मुर्दा फूँकनेवालों का एक दल है। जिसकी जितनी सामर्थ्य हो, रुपए देने पर निताई बाकी रुपए खुद देकर लाश फूँकनेवालों का साथ देता, 'फिर कहो हरिबोल! प्रेम से बोलो हरिबोल!'[1] स्लोगन ठीक हो रहा है या नहीं, यह देखकर और अपनी·कमर मे गमछा बाँधकर 'बाँस के झूले चढ़े जा रहा है कौन रे' गीत बड़े स्वर के साथ गाकर वह लाश के पीछे-पीछे चलता। परिणामस्वरूप हरिबोल दान की निःस्व वृत्ति उक्त गीत का हलकापन गहरी दार्शनिकता द्वारा काउण्टरबैलेन्स हो जातां। शव के सबसे बड़े सप्लाई करनेवाले पुलिस और आर्मी की लाशें निताई को नहीं मिलतीं। किन्तु सब शासनों के गुण्डों की सप्लाई की युवक लाशें पाकर उसका कोटा पूरा हो गया था। निताई का दूसरा शौक तरह-तरह के भारतीय गाने अपने गले से गाना था। तले गोश्त और लाशों के बीच-बीच में वह मुकेश के सामान्य नक्की स्वरं में 'एक दिन बिक जाएगा माटी के मोल' की प्रैक्टिस करता। निताई इस अंचल का एक प्रभावशाली व्यक्ति था। पुलिस चाय माँगती तो वह तला मांस भी दे देता। वह भी बिना पैसे के। एस.आई. और काली साँतरा को देखकर ही वह तड़के की पवित्रता को सोचकर तापसी मांस नहीं लाया। दूध, चाय, सिगरेट, बिस्किट ले आया।

चाय पीकर भी एस.आई. का टेंशन दूर न हुआ। वे अन्यमनस्क भाव से आकर जीप पर बैठ गए, सिगरेट सुलगाई, "चलाओ" कहा और कई फूँक लगाकर सूखे गले से बोले, "उस वक्त क्या कहा था, भूल जाइए। इस वक्त आपकी हेल्प चाहिए।"

"क्या हेल्प?"

"बसाई टूडू को शनाख्त करना होगा।"

"मर गया?"

"न! गैंग्रीन हो गई है। बचेगा नहीं।"

"उसके बाद?"

"मुझे डर लगता है।"

"क्यों?"

"उस बार एस.आई....।"

"ओः!"

"देखिए, एक्शन में जाने पर...मेरी फेमिली है।"

"मुझे क्या करना है?"

---

1. बंगाल में 'राम नाम सत्य' के स्थान पर कहा जाता है।

"आप दयाकर उससे सरेण्डर करने को कहें।"

"उसके मतलब?"

"कदमकुआँ गाँव जानते हैं?"

"नाम सुना है।"

"गॉड फारसेकन जगह। नियरेस्ट पुलिस आउटपोस्ट पचादी से ग्यारह मील अन्दर। दो बार चरसा पार करना पड़ता है। वहाँ नदी ने दो बार मोड़ लिया है। नदी पारकर अन्दर तीन मील जाने पर गाँव है।"

"अरे, हमारे एमेले[1] का गाँव न?"

"हाँ, मशाई, एमेले का गाँव है, उससे क्या? मोस्ट नेगलेक्टेड गाँव। एमेले का घर तो गाँव के बाहर है।"

"ओः!"

"लगा तो है एमेले के बाप के साथ। उस खित्ते का बड़ा महाजन है। जमीन भी है। लेकिन महाजनी कारबार में बड़ा आदमी है।"

"पता है न कि बाण्डेड लेबर समाप्त हो गया है?"

"कानून बन गया है।"

"अच्छा बताइए तो! कोई एक्ट बने तो और किसी को पता नहीं हो सकता है, लेकिन पतित बाबू को पता न रहने का कोई आर्गुमेण्ट है? तुम्हारा बेटा एमेले है। तुमको तो पता होना ही चाहिए?"

"उससे क्या हुआ?"

एस.आई.बड़ी मुसीबत में थे। लड़के थे। डर गए। जीप की तेजी से ठण्डी हवा का झोंका लगा। सिर में तरावट आ रही थी। फिर भी एस.आई. पसीना पोंछ रहे थे। काली ने समझा कि एमेले के बाप के बाण्डेड लेकर एक्ट न जानने की बात पर उन्हें विश्वास हो गया है। विश्वास कर परेशान हो गए हैं।

"सब सुने बिना नहीं समझेंगे।"

बात यों ही थी कि फिर सिगरेट सुलगाने में एस.आई. की उँगलियाँ काँप गईं और वह माथे का पसीना पोंछने लगे। उसके बाद बोले।

कहानी संक्षिप्त और व्यंजक थी।

इस साल बरसात नहीं हुई माने, अधिकांश जगहों में नहीं हुई। कदमकुआँ के सोलह मील उत्तर में आमतोड़ ब्लॉक में कैनाल के पानी से खेती हुई। आमतोड़ में हबीबखाँ और इरफानमुल्ला दो बड़ी जमीनों के मालिक हैं। पचादी पुलिस-आउटपोस्ट, आमतोड़ और कदमकुआँ के बीच में है। पचादी और कदमकुआँ और लगा हुआ

1. एम.एल.ए. का

नदी-बेल्ट जमींदारी अबॉलिशन के पहले तक एमेले पतितपावन लोहारी के पितामह की जमींदारी में था। कदमकुआँ उसी जमीन के टुकड़े के अन्तर्गत है जिस जमीन की गोद में चरसा नदी ने कई बार अपने बहाव का रास्ता बदला था। नदी जब धार मोड़कर दूसरी ओर चली जाती तो, जो अपने किनारे छोड़ जाती उसमें कुछ पानी रह जाता। कुछ दिनों में वह पानी रिसकर जमीन के नीचे चला जाता और वन के रूप में शोभित होता है। वन माने वृक्ष। वृक्ष के अर्थ होते हैं भूगर्भ में जलसंचय। उसके बाद कुछ काल के पश्चात वहाँ एक मनोरम वनभूमि उत्पन्न हो जाती है। बकुल, पारुल, शाल, पियाल के और आँवले के उस जंगल में लोहारी जमींदार शिकार खेलते। उस समय भी कुछ जंगली सूअर, हिरन, चीते, कभी-कभी रॉयल बेंगाल। साही बहुत अधिक थीं। जाड़े की बलुही धरती की गोद के निकट का वन यायावर पक्षियों से भर जाता। बीच-बीच में डी.एम. या कलेक्टर, या कमिश्नर, या पड़ोसी जमींदार लोहारियों के प्रसिद्ध पौष काली-पूजा में आमन्त्रित होते और शिकार करने आते। इसलिए इस वन में लोहारी बाबू लोगों ने एक बँगला भी बनवा दिया था। सरकार के जमींदारी ले लेने के बाद वन और बँगले को बाद में वन-विभाग ने ले लिया। स्वॉइल-टेस्ट[1] में मिट्टी को उपयोगी बनाने के लिए अनगिनत खैर के पेड़ लगाए गए। पेड़ हुए। खैर को केन्द्र बनाकर कोई कुटीर उद्योग नहीं बना। जब तक आजादी नहीं आई, जंगल डाकुओं का अड्डा था। यद्यपि जंगल बहुत-सा काट डाला गया है, फिर भी अब तक उसका नाम अच्छा नहीं है।

पतितपावन के पितामह अन्यायी थे। लड़का जगत्तारण भी उसी परम्परा का पालन कर रहा है। जमींदारी चले जाने पर, रात बीतने पर, महाजन बनने की अक्ल सबमें नहीं रहती है। पर जगत्तारण में थी। यथार्थतः उन्होंने इस प्रकृत सत्य को जल्दी समझ लिया कि जमींदारी चलाने का झंझट बड़ा भारी है। पचास बीघे के लगभग जमीन खुराकी धान के लिए रखकर उन्होंने सारी जमीन निकल जाने दी। पहले रुपए देकर बस, दुकान, ठेकेदारी के काम—इस तरह के कुछ प्राइवेट एंटरप्राइज को सहारा दिया। उसके बाद जिसने चाहा उसे खुले हाथों उधार दिया। इस तरह से उन्होंने एक चक्रवृद्धि ब्याज के साम्राज्य की स्थापना कर ली।

आमतोड़ के हबीबखाँ और इरफानमुल्ला जमींदार महाजन न थे। नक्सल जमाने में उन्हें पुलिस के हाथों बहुत-कुछ नुकसान उठाना पड़ा और इस्लाम के प्राचीन मूल्यबोध में विश्वास रखने के कारण आश्रित दो घर काउराओं[2] को पुलिस के हाथों न देकर पुलिस और प्रशासन की आँखों का काँटा बन गए। यही एकमात्र

1. धरती का परीक्षण
2. एक नीच जाति

आंचलिक जमींदार थे जिन्होंने घोषणा कर इस बार छिहत्तर में संशोधित न्यूनतम मजदूरी दी। दे रहे हैं। मतलब था प्रशासन की अच्छी नजरों में फिर से आ जाना। उसका परिणाम हुआ कि कुछ खेतमजूर जी उठे। आमतोड़ भी कदमकुआँ जागीर में था। इस बार मजदूरी देने के वक्त हबीबखाँ और इरफानमुल्ला ने खेतमजूरों से बात कर ली। हाँ, वे रिवाइज्ड रेट देंगे। लेकिन ज्यादा लेबर नहीं लेंगे। दोनों परिवार मिलकर सतत्तर लोगों से काम कराएँगे।

जगत्तारण लोहारी के गाँव में केउटपाड़ा के दो आदमी, सन्थाल या माझीपाड़ा के दो आदमी उक्त सतत्तर लोगों में शामिल थे। वे भी भागकर सम्मिलित हो गए।

काली बोला, "भाग क्यों गए?"

"वे जगत्तारण के बाण्डेड लेबर थे। जगत्तारण के पितामह ने उनके पुरखों को धान, रुपए आदि उधार दिए थे।"

"कितना धान! कितने रुपए?"

"धान हो सकता है मन-भर होंगे और रुपए शायद बहुत हुए तो सौ के लगभग होंगे। मुझे पता नहीं।"

"उसके बाद?"

"चार पीढ़ियों में भी असल नहीं चुका, सूद भी नहीं। जो हो, जगत्तारण के बाप के जमाने से वे अँगूठा-निशानी देकर लेबर देते थे। माने, जिन लोगों ने शुरू में लिया था, वे तो थे नहीं। उनके वंशज अँगूठा लगाते। जब तक मूल सहित सूद अदा न हो वे आकर बेगार देंगे।"

"ठहरिए, ठहरिए, जगत्तारण के पितामह ने कहा था न?"

"हाँ।"

"जमींदार और प्रजा हैं यह?"

"जगत्तारण के पितामह भी महाजन थे। बाद में जमींदार बन गए। उनका लड़का भी जमींदारी कर ही गया।"

"यह कहिए। मैं कन्फ्यूज हो रहा था कि जमींदारी चले जाते ही जगत्तारण महाजन कैसे बन गया। अब समझा कि दादा का खून उसकी नसों में था।"

"आप तो मशाई, खून देख रहे हैं। उधर...हटाइए, बाण्डेड लेबर का मजाक तो जानते हैं। सात पुश्तों में भी उधार नहीं चुकता। जगत्तारण अच्छा खेल खेलता है। उसकी जमीन की उसके बाण्डेड लेबर की बारह फेमिली खेती करती हैं। खाने पर।"

"न मजदूरी, न बटाई, नो खेतमजूर?"

"नथिंग।"

"उसके बाद?"

"जितनी फेमिली बाण्डेड लेबर हैं, वे कभी वेज बेल्ट में जाने की हिम्मत नहीं करतीं। लेकिन इस बार एक केउट फेमिली, तीन माझी फेमिली के छह आदमी, वे घोषित मजदूरी मिलेगी, यह सुनकर आमतोड़ चले गए। जगत्तारण ने पहले तो उन्हें धमकाया। उन्होंने कहा कि बाण्डेड लेबर एक्ट बन गया है, उससे ही लगता है कि उसके पीछे बसाई टूडू मार्का कोई आदमी है। इस पर जगत्तारण ने फिर धमकाया। उस पर उनमें से आठ आदमियों ने कहा कि घर-द्वार छोड़कर चले जाएँगे।"

"उसके बाद?"

"जगत्तारण गुस्से में आ गया। उसके घर बात करने आने पर आठ केउट और सान्ताल लोगों को रोककर घर में बाँध रखा। उनके घर जला दिए।"

"वाह, पुलिस को पता था?"

"न।"

"उसके बाद?"

"तीन दिन के बाद उसके घर पचास-साठ आदमी आए। उन्होंने डिक्लेयर किया कि बेगार नहीं देंगे, उन लोगों को छोड़ो। तीर छोड़कर जगत्तारण के लोगों को घायल कर उन्हें छुड़ाया। सारी बाण्डेड फेमिली जाकर उस जंगल में घुस गईं। जगत्तारण ने नेचुरली बेटे को बताना था। लड़के ने जोड़-तोड़ बिठाया। पचादी आउटपोस्ट की पुलिस और जगत्तारण के आदमी एक ओर थे। दूसरी ओर बसाई था। वहाँ एक्शन हो रहा है।"

"बसाई टूडू है, यह कैसे मालूम हुआ?"

"अरे, वह खुद लीड करके गया था। सुना कि वह घायल है। अब तक सरेण्डर नहीं किया है।"

"पुलिस के पास तो बन्दूकें हैं।"

"माझिने बच्चे लिए आगे बैठी हैं, मशाई। पुलिस...नक्सल टाइम तो नहीं है...औरतें, बच्चे, बच्चियाँ—पुलिस के बढ़ते ही वे तीर छोड़ते हैं। कहते हैं कि तुम्हारे साथ हमारा कोई झगड़ा नहीं है। जगत लोहारी गैरकानूनी काम कर रहा है। उसे पकड़ो। पुलिस को घायल नहीं करते। पुलिस भी कहती है कि औरतें कुछ नहीं करतीं। इतने गवाहों के आगे गोली से औरतों, बच्चों, बच्चियों को नहीं मारेंगे। गोलियाँ कई राउण्ड चलीं जरूर, पर अब नहीं चल रही हैं।"

"गवाह माने?"

"तमाशा देखनेवाले लोग तो हैं।"

"जोरों से खाँसिए।"

"ठहरिए, चाय पिऊँगा।"

फिर जीप रुकी। छोटी-सी दुकान थी। चाय, पान, साबुन, मोमबत्ती। दुकानदार की मनहूसों की-सी शक्ल थी। पुलिस की गाड़ी देखकर दुकानदार की शकल भावहीन और निष्फल क्रोध से बिगड़ गई। सम्भवतः उसकी दुकान सौ रुपए पूँजी की थी। गाँव के लोग पैसे देकर चाय पीते थे। पुलिस पैसे देती नहीं। सवेरे से पुलिस चाय पीकर दुकान की बोहनी करे तो दिन खराब बीतता है, यह इन लोगों का विश्वास है। काली को पता है। एस.आई. के जानने की बात न थी। काली ने आगे बढ़कर चाय के पैसे दिए। वह आदमी देखने लगा। काली ने सिगरेट और दियासलाई खरीदी। जीप में आकर बैठा। जीप चल दी।

एस.आई. फिर दुःखी स्वर में बोलने लगे, "आमतोड़ और कदमकुआँ गाँव के सारे लोग, एमेले भी तो नार्थ बंगाल का टूर कैंसिल कर वहाँ थे। सभी दूर खड़े देख रहे थे।"

"मुझे क्या करना है?"

"बसाई टूडू से सरेण्डर करने को कहें।"

"वह क्यों सुनेगा?"

"मुझसे किसी ने कहा है, आपकी बात मानेगा।"

"चलिए। फायदा नहीं है। बीच में खड़े होकर तीर खाऊँगा।"

"अच्छा, काली बाबू?'

"कहिए।'

"इस बसाई टूडू का काम क्या है? पता है, उसके बारे में जिसे कहते हैं, मुझमें एक सुपर्सिटशस डर है। उसके विरुद्ध एक्शन लेने जाने में एस.आई. जिन्दा नहीं रहता।"

"यह कैसे?"

"देखिए न, मेरे पहले के एस.आई...।"

"मुझे आप लोग क्यों खींच रहे हैं?"

"आप उसे जानते हैं।"

"और बहुतेरे लोग जानते हैं।"

"आपके साथ लास्ट मुलाकात हुई थी।"

"जोर देकर क्या कुछ कहा जा सकता है? मैं ही किस तरह कहूँगा?"

"मुझे क्या लग रहा है, जानते हैं? असली बसाई टूडू मरा नहीं है। उसे कोई इंपर्सनेट कर रहा है।"

"बार-बार, तीन बार?"

"कौन जाने, मशाई? सारे सन्थालों को अगर जेल में भरा जा सकता।"

"क्या ऐसा हो सकता है?"

"क्यों नहीं हो सकता? मान लीजिए, सब सालों को एक जगह रखा जाए और चारों ओर से दीवारें उठा दी जाएँ। उसके बाद..."

"बुरा खयाल नहीं है।"

"न, मेरी फेमिली है..."

जीप बेढब जगह पर पहुँच गई। कदमकुआँ पहुँचने में दो बार चरसा पार करना होता है। कदमकुआँ में जीप पहुँची। पैदल का रास्ता। 'वर्क मोर, टॉक लेस' और 'द नेशन इज ऑन द मूव' लिखी दो बसें खड़ी हैं। उनमें भी निश्चय ही पुलिस आई है। घटनास्थल नजदीक ही है। बहुत अजीब-सी एक तसवीर क्रम से दिखाई देती है।

चरसा नदी को छोड़कर आधा मील जाने पर चरसा की छोड़ी हुई पतली-सी धार है। धार के बाद वह थोड़ी साफ है। उसके बाद वन-भूमि है। वन और बालू के तट की सीमा-रेखा पर बैठे हैं स्त्रियाँ और बच्चे। धार के उस पार दस के लगभग पुलिसवाले हैं। एक एस.आई. है। पतितपावन लोहारी है। उसे घेरे हुए उसके आदमी हैं। धार से बहुत दूरी पर बहुत-से लोग हैं। समझ में आता है कि उन्होंने खा लिया है, पी लिया है। साल के पत्ते और कागज के दोने हैं। बालू के किनारे बैठी औरतें काफी थकान दूर किए हुए हैं।

काली और जागुला के एस.आई. बातों के झगड़े में जा पड़ते हैं। पुलिस गोली क्यों न चलाए, इसको लेकर पतितपावन सम्भवतः पचादी के एस.आई. से कुछ कह रहा है। इस एस.आई. का भी कांग्रेसी खूँटा रहना स्वाभाविक था। वह बहुत जोरों से डपटकर बोले, "आप एमेले हैं। लेकिन मैं आपके आगे जवाबदेह नहीं हूँ। एस.पी. का ऑर्डर ले आइए, गोली चला दूँगा। आपकी बात पर हाट में गोली चलाकर हाजरा का डिमोशन हो गया न? जितना हमला है सब पुलिस पर।"

"ऑर्डर मैं ले आऊँगा।"

"हाँ-हाँ, उस वक्त भी किया था। गोली तो परसों चली थी। उनके तीरों से कोई घायल हुआ था?"

"ठहरिए, पाकपुर से पुलिस आ रही है। डी.एस.पी. हैं।"

"आएँ। तब एक्शन दिखाऊँगा।"

"मेरे बाबा को प्रोटेक्शन नहीं देंगे।"

"नहीं दूँगा माने...?" तभी किनारे से जैसे किसी ने ललकारकर कहा।

"जगत लोहार कहाँ है? पोटेक्शन किसे देगा? ओ एमेले! तुम्हारा बाप तो घर पर सज रहा है।" जनता इस बात पर 'इयाः ह ह' कर हँसने लगी। बालू-तट की औरतें भी हँसने लगीं।

जागुला के एस.आई. को देखकर पचादी के एस.आई. आगे आए। दोनों में कुछ बातें हुईं। बिचपई का सिद्धान्त हुआ। पचादी के एस.आई. ने मुँह के आगे एक चोंगा लगाकर जोरों से कहा, "बसाई टूडू, बसाई टूडू, बसाई टूडू!"

कुछ देर बाद एक प्रौढ़ा अन्दर चली गई और लौटकर बोली, "टूडू कह रहा है कि पुलिस को हटाओ, नहीं तो कोई बात नहीं होगी।"

"तीन दिन हो गए, हमें पता है कि तुम घायल हो।"

"वह बात नहीं सुनेंगे।"

पतितपावन आगे आता है और कहता है, "किसी को बेगार नहीं देनी होगी। मैं वादा करता हूँ।"

इस बार अन्दर से गरजने की आवाज आई, "इन लोगों के घर जला दिए, हरजाना कहाँ है?"

एस.आई. पचादी : "सब होगा। तुम बाहर आओ।"

"पुलिस का विश्वास नहीं है।"

"किस बात से विश्वास करोगे?"

"कौन हो?"

"हबीबखाँ, हरफानमुल्ला, आमतोड़ स्कूल के हेडमास्टर—किससे बात करोगे?"

जवाब नहीं कोई, आवाज नहीं।

एस.आई. जागुला : "मैं एस. आई. जागुला हूँ। काली साँतरा से बात करोगे? वह आए हैं।"

खामोशी। खामोशी। चुप्पी का बड़ा दबाव। उस दबाव से काली का कलेजा फटा जा रहा था।

"काली साँतरा अकेले आए।"

काली और एस.आई. एक-दूसरे की ओर देखते हैं। जागुला बोले, "आप बढ़िए, पीछे फोर्स रहेगा।"

"ना, कोई नहीं जाएगा। मैं अकेले जाऊँगा।"

"अकेले? यह नहीं कर सकते।"

"कौन कहता है?"

चुप्पी। दोनों एस.आई. लाचार हैं। जागुला : "अच्छा, आप उससे बाहर निकलने को कहेंगे।"

"उसकी बात सुनूँगा। नहीं तो, कुछ नहीं कह सकूँगा।"

काली ने जोरों से कहा, "बसाई, मैं काली साँतरा हूँ। मैं आ रहा हूँ—अकेले। अकेले आ रहा हूँ।"

दुबला-पतला, झुकी कमर, लम्बा-चौड़ा, मोटा चश्मा पहने आदमी रेत पार कर चला। वह बालू के तट पर पैर रखता बढ़ रहा था। शोरगुल। पैरों की आवाज। 'पु—लिस! पुलिस!' चिल्लाहट। 'पाकपुर से पु—लिस।' डी.एस.पी.। बीस पुलिसवाले। "फायर! फायर!" कहते-कहते पुलिसवालों के साथ डी.एस.पी. तेजी से बढ़े। दो एस.आई. और दस स्टेशनरी पुलिस सहसा ऊपरवाले के आ जाने से सक्रिय हो उठे। सब गोलियाँ दागने लगे। भयंकर शोरगुल, "माँ—रे!"..."स्टॉप शूटिंग।" सब रुक गए। चुप्पी। गरारे की आवाज। एस.आई. जागुला बालू पर चले जाते हैं।

"बेटन चार्ज!"

जंगल में पुलिस। औरतों और बच्चों का करुण चीत्कार। "कहाँ है बसाई?"

"यहाँ, कमरेट।"

काली साँतरा आगे बढ़ता है। पेड़ से टिका। बायाँ पैर बुरी तरह से सूजा हुआ है, बैंगनी हो रहा है, नाभि के नीचे पेट का हिस्सा फूला हुआ है, बायाँ पैर अस्वाभाविक रूप से लटका है। पुलिस ने घेर लिया। युवक शरीर। भौंहों का जोड़ा। बसाई की दूसरी शनाख्त में द्रौपदी के हाथों में हाथ थे। चमकती काली आँखें एकाग्र थीं। युगों-युगों-युगान्त आगे। जोड़ी भौंहें। बसाई टूडू ने आँखें उठाईं। तरुण कण्ठ में मृत्यु का कफ था। बोला, "मैं मरकर लाश हो गया हूँ। इसीलिए शनाख्त करने आए हो, कमरेट?" कहकर उसने बड़े गुस्से से हवा का गला मरोड़ा, पीस डाला। उसके बाद निकटतम पुलिसवाले की ओर इशारा कर थूका।

बसाई को पचादी आउटपोस्ट लाया गया। पाकपुर अस्पताल। गैंग्रीन। डेथ ऑफ द पार्ट ऑफ द टिशूज ऑफ द बॉडी। सामान्यतः कम खून मिलना गैंग्रीन का कारण होता है, किन्तु बीच-बीच में इसका कारण प्रत्यक्ष चोट होता है (बसाई के बारे में गोली)। कम रक्त मिलने से हो सकता है कि ब्लड-वेसल दबाव के कारण (इस मामले में एक जोड़ा 303 लगी थीं), गीले गैंग्रीन में टिशू सारे फ्लूड से स्फीत होकर वेन्स का ड्रेनेज अपर्याप्त हुआ। पैर को अलग नहीं किया जा सकता। गैंग्रीन पेट के निचले हिस्से में भी फैल गया। मरने तक बसाई ने फिर एक बार भी मुँह न खोला और 'जगत्तारण ने बेगार-लोगों को छोड़ दिया' जानकर मुँह मोड़ लिया। मर गया। आइडेंटिफिकेशन-पैरेड में द्रौपदी नहीं रही। गायब थी।

[12]

बसाई की चौथी मौत के बाद प्रशासन ने एक निश्चय किया और काली को कुछ

भी नहीं बताया गया। एस.आई. पुलिस की गोली से ही मारे जाने के परिणामस्वरूप ऑपरेशन-कदमकुआँ की खबर फाइल में रह गई। इस समय प्रेस पर भारी सेंसर था, इसलिए खबर सीधे नहीं निकली और खबर को घुमा-फिराकर भी प्रकाशित नहीं किया गया। किंवदन्ती के अनुसार 'समाज विरोधी और पुलिस के सम्मुख-संघर्ष में कर्तव्यपरायण पुलिस के वीरोचित मृत्युवरण' समाचार में भी प्रकाशित नहीं हुआ। कारण एमेले था। पहले से औरतों और बच्चों पर गोली न चलाने के परिणामस्वरूप उसके मन में हुआ कि पुलिस जन-विरोधी, अविश्वसनीय और अन्यायी है। उसने राइटर्स बिल्डिंग में जो कुछ किस्से फैलाए, उनसे डी.एस.पी. बहुत ही फूल गए। इस बारे में कुछ किया भी नहीं जा सकता था, क्योंकि एमेले बहुत वोटों का कण्ट्रोलर था। नतीजा यह हुआ कि डी.एस.पी. को किसी पुलिस प्रशिक्षण संस्था में चला जाना पड़ा। वहाँ वह पुलिस को खड़े किए फूस के बने आदमी पर गोली चलाना सिखाते और मन-ही-मन राज्य के बदलने की प्रार्थना करते।

उसके पहले बसाई टूडू के बार-बार मृत्यु-पुनरुज्जीवन-एक्शन और शनाख्त करने को लेकर कलकत्ता में एक उच्चस्तरीय आलोचना हुई। वह बहुत ही गोपनीय है—इस तरह का समाचार निकल गया। निश्चित हुआ कि असली बसाई जीवित और सक्रिय है। काली साँतरा की भूमिका बहुत ही उछाली गई और निश्चय हुआ कि बसाई किसी दिन पकड़ा जाएगा ही। काली साँतरा का जीवित रहना जरूरी है। बसाई को, असली बसाई को जीवित पकड़कर काली साँतरा से लड़ाया जाएगा। तब एक विस्फोटक योजना निःसन्देह उद्घाटित होगी। उसके बाद दोनों को मीसा और वैनिश[1]। एक को मीसा, दूसरे को वैनिश। बसाई को एमेले, काली को वैनिश। काली को म्युनिसिपैलिटी का चेयरमैन, बसाई को वैनिश, या मौके के मुताबिक किया जाएगा। पर जगत्तारण लोहारी को बेगार लेने देना ठीक न होगा। इससे जगत्तारण को दुःख होगा, इसलिए पतितपावन को फौरन ताड़ के गुड़ के कुटीर उद्योग के उपलक्ष में स्मॉल स्केल इण्डस्ट्री या कुटीर उद्योग, या मछली की ट्रॉली खरीदने के अव्यवहृत फण्ड से कुछ लाख रुपए देना उचित होगा, इस प्रस्ताव पर सबके सिर सम्मिलित रूप से हिले।

काली को कुछ पता न था।

बसाई की चौथी मृत्यु से बाकुली गाँव के माझीपाड़ा में कुछ अधिक दिनों तक शोक की छाया घायल बाघ की तरह गुस्से में घुमड़ती रही और गायब छलना माझी की माँ कुछ दिनों तक रोती-रोती फिरती रही।

इसी बीच 1976 साल के धान काटने का मौसम आ पहुँचा। काली साँतरा के

1. गायब कर देगा

दिमाग में जड़हन के पके धान की पृष्ठभूमि में बसाई के गैंग्रीन के पैर और भौंहों का जोड़ा और मृत्यु-भय से फँसी आवाज में 'क्यों कमरेट'-सी कुछ बातें पर्मानेंट हो गई हैं। इसी से धान के मौसम में वह अपनी कोशिश से एम.डब्लू. सम्बन्धी खोज-खबर लेता रहता। जागुला में पानी की बहुत ही कमी थी। आई.आर.-एट धान में काफी पानी की जरूरत होती है। 'जागुला में यह धान होना सम्भव नहीं,' कहकर जो हाल में जवान एमेले हैं, और जिन्होंने नजरूल के सिवा कुछ नहीं पढ़ा है, वे हार मानने से इनकार करते हैं और कहते हैं, "क्या? हमारी कांस्टीट्यूएंसी पीछे रहेगी? यहाँ के किसान गरीब बने रहेंगे?" जोश में आकर वह मुस्तैद होते हैं और शिक्षा-मत्स्य-मोटर वेहिक्ल-हाउसिंग, तरह-तरह के दफ्तरों से घूँसा मारकर रुपए लाते हैं। कल्याणी विश्वविद्यालय के एक लड़के को कृषि-दफ्तर में घुसा दिया। वह लड़का बड़ा अच्छा है। वह अपने डरपोक स्वभाव के कारण विनीत भाव से समझाना चाहता था कि 'इस स्वाइल में आई.आर.-एट नहीं होगा, सर!' उससे एमेले उसे 'प्रतिक्रियावादी, भारत की उन्नति में रुकावट, डिसलॉयल' इत्यादि जो कुछ अंग्रेजी-बंगला जानते—सबकुछ कहकर धमकाते। लाचार होकर लड़का तीन एकड़ खाद्य जमीन में एक डीप-बोर ट्यूबवेल लगाकर 'सुफला' और 'यूरिया' और सरकारी रुपयों का श्राद्ध करता है और मौके के वक्त (उसके लिए हर वक्त मौके का वक्त था) किताबें और अखबार पढ़कर वक्त काटता। 'जिला वार्ता' अखबार में वह 'आई.आर.-एट की प्रोग्रेस' के बारे में सूचनाएँ देने आता और इस तरह उसकी काली से पहले बातचीत और बाद में गहरी दोस्ती हो गई। लड़के को करने को कुछ रहता नहीं था, इसीलिए वह काली के प्रभाव में खेतमजूरों की मजूरी के बारे में उत्सुक हुआ। उसका कलकत्ता आना-जाना होता रहता, इसी से काली उससे जरूरी समाचार मँगाता रहता। लड़का खुद भी मौका मिलते ही कलकत्ता आता-जाता रहता। एमेले उसे आई.आर.-एट में उलझाकर उस बात को भूल गए और एक दिन जागुला आकर धान का खेत देखकर ताज्जुब में आ उस लड़के से बोले, "वाह, खेती की अच्छी कोशिश कर रहे हैं। क्या यह सब आप खुद ही देखते हैं?" उसके परिणाम में लड़का काफ्का[1] की मिनेस्ड रियलिटी से उत्पन्न हलूसिनेशन के-से संसार में चला जाता है और डर जाता है। वह जल्दी-जल्दी कलकत्ता जाता रहता है और सम्बन्धित दफ्तर में आवाजाही कर कलकत्ता से बदली कराने की कोशिश करता है। यह निश्चय करता है कि मौका मिलते ही नौकरी छोड़कर बैंक में चला जाएगा। एम.डब्लू. सम्बन्धी खोज-खबर वह सीधे लेबर डिपार्टमेण्ट से ले आता और काली को दे देता। काली क्रम से इस विषय में बहुत ही जानकार हो गया और एम.डब्लू. के सम्बन्ध में सरकारी नीति के स्वरूप की असलियत निकालकर

1. एक जर्मन लेखक; जन्म से चेकोस्लोवाकियन

उसकी मानसिकता दिखा देता। नीति का स्वरूप बहुमुखी दैत्य के समान था। उसके लाख से अधिक हाथ और लाख से अधिक पैर थे। गंगा के हृदय बंगभूमि के पैर सारे क्षेत्र में धँसे थे। लाखों से अधिक हाथों से वह खेतमजूरों को पकड़कर सैकड़ों मुँहों से उनका खून पी रहा था और उसका और अधिक निगल जानेवाला मुँह शरीर के ऊपर उठ रहा था। सिर से लगा मुँह फैला हुआ था।

लड़के ने उसको जो बताया उससे बहुत बातों का पता चला। बहुत हाल में एग्रीकल्चरल मिनिमम वेज इंस्पेक्टर के पद पर तीन सौ पैंतीस लोग रखे गए। अर्थात्, औसतन ग्यारह हजार अड़तालीस खेतमजूरों पर एक इंस्पेक्टर हुआ। ब्लॉक और सब-डिवीजनल स्तर पर तीस असिस्टेंट लेबर कमिश्नर के पद खोले गए। इंस्पेक्टरों का वेतन-क्रम 300-600 रुपए तथा अन्यान्य भत्ते थे। इनकी नियुक्ति में स्टेट पब्लिक सर्विस कमीशन का कोई हाथ न था। इनका पद बनने के पहले कई शर्तों की आलोचना हुई। वह जबानी आलोचना तक ही सीमित रही। किसी गम्भीर कारण से वह रेकर्डेड नहीं हुई।

वे शर्तें थीं—(क) निर्वाचित कर्मचारी किसी भी दशा में जमीन के मालिकों के परिवारों के व्यक्ति नहीं होंगे। (ख) जहाँ तक सम्भव हो, वे डिप्रेस्ड कम्यूनिटी के लोग होंगे। (ग) सरकार द्वारा घोषित खेतमजूरी प्रभावपूर्ण करने के काम में उनका यूलॉजिकल मोटिव[1] रखना होगा।

कार्यकाल में दो सौ पैंतीस पदों पर लोग लिए गए। अधिकांश इंस्पेक्टर जमीनों के मालिकों के परिवारों के आदमी थे। सामान्य कुछ लोग डिप्रेस्ड कम्यूनिटी के आदमी थे। नियुक्तियों का स्वरूप राजनीतिक था और इंस्पेक्टर लोग अधिकांश कांग्रेस-युवा-शाखा के व्यक्ति थे।

तीस असिस्टेंट लेबर कमिश्नर के पदों में दो पदों पर लोग लिए गए।

कोई-कोई मन्त्री इंस्पेक्टरों के कामों में अकारण व्यक्तिगत दिलचस्पी दिखाते रहते। सामान्य प्रशासनिक चैनल को चुटकियों में उड़ाकर बहुत कुछ मन्त्री और बहुत कुछ इंस्पेक्टर आपस में खर्च होने की व्यवस्था बनाते। एक विशेष जिले के इंस्पेक्टरों के प्रति राजनीतिक सर्कुलर था : 'डोंट रश मैटर्स फॉर द न्यू रेट्स ऑफ वेजिज (8-10 रु.)। इट्स ए न्यू थिंग एण्ड शैल टेक ए लाँग टाइम टु बि एक्सेप्टिड बाई द लैंड-ओनर्ज बट सी टु इट दैट द खेतमजूर्स गेट ए लिटल मोर दैन व्हट दे गेट एट प्रेजेंट।''[2]

1. प्रशंसात्मक रवैया।
2. मजदूरी की नई दरों (रु. 8-10) के विषय में जल्दी मत करो। यह नई चीज है और भूस्वामियों को मानने में बहुत समय लगेगा। लेकिन इसका ध्यान रखिए कि खेतमजूरों को उससे कुछ अधिक मिले जितना अब मिल रहा है।

डिप्टी-लेबर कमिश्नर इन्चार्ज ऑफ एन्फोर्समेट लॉ एण्ड एडमिनिस्ट्रेशन ऑफ मिनिमम वेजिज ने बात को बड़ी सहानुभूति के साथ देखा और इंस्पेक्टरों से कहा, ''निडर होकर काम करो। मैं पीछे हूँ।'' नतीजा यह हुआ कि उसकी दूसरे पद पर बदली कर दी गई और छिहत्तर के नवम्बर में उन्होंने इस्तीफा दाखिल कर दिया।

लड़का बोला, ''समझ रहे हैं न, काली बाबू? एम.डब्लू. एक्ट को सरकार ने किसी भी दिन काम में नहीं लाना चाहा।''

''तुम भाई, इस बारे में और किसी बात का पता चले तो मुझे बताना न भूलना।''

खबर आ जाती है। सब लोगों के जड़हन धान खत्तियों में जाने के पहले ही। रामेश्वर भुइयाँ का साला जीप से उतरकर भागा-भागा आगे आया। बोला, ''आपने बताने को कहा था, जमाई दादा।''

''क्या?''

''उस बार जिन लोगों ने मारा था, सब लोगों को दंगे के मुकदमे में फँसा दूँगा। इस बार भाग न सकेंगे।''

''क्या हुआ?''

''सब लोगों को फाँस दूँगा।''

रामेश्वर का साला जल्दी ही चला गया। आई.आर.-एट पर लड़के के आकर रोशनी न डालने तक काली बहुत ही परेशान रहा। लड़के ने कहा, ''ऑल ओवर।''[1]

''ओवर?''

''हाँ।''

''उसके मतलब?''

''सुन आया। पियासोल गाँव के जमींदार हरिधन सरदार, जानते हैं न?''

''नाम मालूम है। बहुत बदमाश आदमी है। छह हजार बीघा जमीन है। लठैत रखता है।''

''बीरू पाठक ने उस वक्त उसे मारा था।''

''मरा नहीं! जिन्दा लौट आया था।''

''वह कलकत्ता जाकर बैठा है। वकील लगाए हैं। उसे यह अक्ल दी है जगत्तारण लोहारी और उसके बेटे ने। वह एमेले ही इशू को परसू करता है। उन्होंने बहुत उथल-पुथलकर 1974 के ऑर्डर की शब्दावली में एक गलती निकाली है। उसमें लिखा था : एग्रीकल्चरल कंज्यूमर प्राइस इन्डेक्स 233 प्वॉइण्ट है।

1. सब समाप्त

असल में यह गलत है। 217 प्वॉइण्ट सही है। इसके आधार पर हरिधन सरदार ने एम.डब्लू. के खिलाफ इंजेक्शन चाहा था। हाइकोर्ट ने इंजंक्शन दे दिया। इसलिए सरकार किसी तरह इंजेक्शन के दौरान एम.डब्लू. देने को किसी को बाध्य न कर सकेगी। इतने दिनों से जहाँ-जहाँ एम.डब्लू. लेकर खेतमजूर खुद या कोई यूनियन लड़ी थी, वहाँ-वहाँ अब जमींदार धड़ाधड़ केस कर रहे हैं। खेतमजूर और यूनियन के कार्यकर्ताओं को फौजदारी में फाँस रहे हैं।

"तब?"

"तब काली बाबू, यह इंजंक्शन वेस्ट बंगाल में एम.डब्लू. का एपिटाफ[1] बनेगा।"

"एपिटाफ!

एपिटाफ!

एपिटाफ!"

"हाँ, एक छोटी-सी अच्छी खबर सुनाता हूँ। मुझे बैंक में चांस मिल गया है। जा रहा हूँ।"

"एक बात तो बता जाइए।"

"क्या बात?"

"जवाब मुझे भी मालूम है। फिर भी आपके मुँह से सुनना चाहता हूँ। अपनी सफाई के लिए।"

"कहिए न।"

"एक जमींदार है, उसने एक मोस्ट वाइटल एक्ट की वर्डिंग में गलती निकालकर गवर्नमेण्ट के खिलाफ इंजंक्शन ले लिया। ले ले। सरकार क्या यह वर्डिंग सही कर बात को रिइटरेट[2] नहीं कर सकती?"

"जरूर कर सकती है। सैंतीस लाख लोगों के भाग्य का विचार जरूर कर सकती है। कौन कहेगा? सरकार हृदयहीन है। ठीक। असल में किसी ने सरकार से किसी के लिए कुछ करने की अपेक्षा नहीं की। लेकिन आप लोगों का किसानों का संगठन? वे कहाँ हैं? कुछ कह क्यों नहीं रहे हैं?"

"शायद सैंतीस लाख लोग एक्सपेण्डेबल[3] हैं। एक जमींदार एक्सपेण्डेबल नहीं है।"

"काली बाबू! यह और आपके मुँह से?"

---

1. समाधिलेख
2. फिर से कहना
3. बेकार

"कुछ गलत कहा? मुझे सीरियसली न लें। इस शहर में कहीं कोई मुझे सीरियसली नहीं लेता। सभी मुझे पागल समझते हैं, जानते हैं न? प्लीज, प्लीज, डोण्ट टेक मी सीरियसली।"

अत्यन्त अभिभूत होकर लड़का चला गया। काली बहुत देर तक मेज पर सिर टिकाए बैठा रहा। हाथ में जलन लगते ही चौंककर देखता है कि दो उँगलियों के बीच में जलती सिगरेट जलते-जलते बढ़ आई है। और आग की भाषा में छौंक लगाकर वक्त की याद दिलाकर कहती है–'काली साँतरा, बहुत देर से बैठे हो।'

[13]

उस दिन काली के शरीर और दिमाग का सम्बन्ध टूट गया था। मानव-शरीर के प्रत्येक ऐच्छिक और अनैच्छिक आचरण के पीछे दिमाग चलानेवाला रहता है। लेकिन हाथ में जलन लगने पर भी काली ने सिगरेट फेंकने में देर की। फेंक देना उचित ज्ञान में और हिलने में चेष्टा करते, पर न कर सके। सिगरेट कुछ देर अपेक्षा कर ज्ञान की परवाह न कर खुद ही फर्श पर गिर गई और कागज के एक टुकड़े को जलाकर उससे भी काली को झकझोर न सकने पर खुद ही जलकर राख हो गई। ब्रेन! एनसेफ्लान[1]। केन्द्रीय स्नायुतन्त्र का वह भाग जो करोटि के गह्वर में है। उसमें सेरिबरम, सेरिबेलम, पोन्स वेरोलाट, मेसेम-सेफेलान एण्ड मेडुला ओबलेंगेटा है। शेष तीन विभाग बी.स्टम. बनाते हैं।

यह ब्रेन कुछ देर, कुछ ज्यादा ही देर परेशान और विवश था। ऐच्छिक और अनैच्छिक पेशियों को उसने कोई सूचना नहीं दी और काली बहुत देर तक कुर्सी को छोड़कर उठ न सका। कुछ देर में अँधेरा घना हो गया। काली के पैरों को मच्छर काट रहे थे। चाय की दुकान का जो लड़का प्रेस का कमरा साफ करता था, वह कमरे में आकर बोला, "यह क्या? बाबू। नशे में बैठे हैं?" पर काली उठ न सका। सहसा शिशु-कण्ठ से, "माँ कहाँ गई?" रोने से उसे होश आया। अहीरों की लड़की रो रही थी।

इसके बाद छिहत्तर का मन्वन्तर समाप्त हुआ। सतत्तर का वर्ष आया। पीपुल्स मैण्डेट।[2] फिर विधान सभा। पीपुल्स मैंडेट। पश्चिम बंगाल में चुनाव के बाद की कोई खुशी नहीं। बहुत गम्भीर टोन। इस बार वे टिकने आए हैं। सामन्त,

1. दिमाग, मस्तिष्क
2. जनता का आदेश

गोरा नकुल–सभी को मार्च के बाद मुक्ति मिल गई। सामन्त जागुला का हीरो था। रामेश्वर भुइयाँ की गाड़ी से घर आया और उसी की जीप में चुनाव-अभियान किया। रामेश्वर और काली अब एक ही पार्टी में हैं। पार्टी माँ। सब तरह के लड़कों के लिए ही उन्होंने गोद फैला दी है, यह समझा गया। सामन्त जीत गया।

सबकुछ थिर जाने पर पहले के शासन की तरह एक ही रंग-ढंग से प्रशासन चलने लगा। सत्तर-इकहत्तर-बहत्तर-तिहत्तर के बन्दी लड़के कैदी ही बने रहे। धीरे-धीरे तेल दुष्प्राप्य हो गया, दाल और दूसरी खाने की चीजें ऊँचे चढ़ गईं, लोकल ट्रेनें, बेवक्त हो गईं, सड़कों पर बसें कम हो गईं और गैरेजों की शोभा बढ़ाने लगीं। न्याय और व्यवस्था अपने ढंग से चलने लगे, गुण्डे, लफंगे मामूली तौर पर दबे रहे। बिजली बन्द होना लोगों के लिए बन्धन से मुक्त होने का साधन बन गया। काली साँतरा ने डरते-डरते एक दिन अखबार में पढ़ा कि सरकार ने कहा है कि हाईकोर्ट के एक इंजंक्शन से एम.डब्लू. देना इस समय सम्भव नहीं है। काली साँतरा सरकार के रुख को देखता रहा। जिस दिन देखा कि सरकारी न होने पर भी सरकारी डिरेक्टिव हुआ, इंजंक्शन रहा, खेतमजूर जो जिस तरह से हो अपना हक लें, तो विध्वंस पूरा हुआ। काली ने सामन्त से मुलाकात का समय लिया और सामन्त के घर गया। लम्बी बातें हुईं। तमाम शब्दों का लाँग मार्च था। मार्च के अन्त में जो जहाँ था वह उसी स्थिति में रहा। काली साँतरा घर लौट आया।

"क्यों काली, कैसे हो?"

"ठीक ही हूँ।"

"लड़के की शादी कर दी?"

"शादी की।"

"बड़ा अच्छा लड़का हुआ।"

"हाँ।"

"बताओ तो क्या चाहिए? तुम्हारा अखबार...?"

"पर्सनल काम से नहीं आया हूँ।"

"गोरा ने तुमसे क्या वाही-तबाही बकी थी?"

"पर्सनल नहीं था।"

"ओह! अच्छा, कहो, क्या है?"

"एक काम करना होगा।"

"क्या काम?"

"मेरे मन में कई सवाल हैं।"

"कहो।"

"एम.डब्लू. को लेकर जागुला ब्लॉक में भी तो...।"

"हाँ, नक्सलवादी उपद्रव हुआ है।"

"देखो सामन्त, इशू लाइव इशू है। कहते हो, नक्सल उपद्रव हुआ है। कहते हो, वह हुआ है। तो अगर हुआ भी है, तो इशू नक्सलवादियों का बनाया नहीं है। उन लोगों ने मौजूदा समस्या की बेल्ट में समस्या लेकर उपद्रव किया है। अब वे नहीं हैं। लेकिन इशू मॉरल है।"

"कहो न, तुम हमारी पार्टी के मॉरलिस्ट हो।"

"पार्टी का पगलैट, नक्सल-सपोर्टर नहीं?"

"नहीं काली, पर्सनल बात...।"

"वह बात रहने दो। इतने दिनों बाद मैं अपने को विंडिकेट[1] करने नहीं जाऊँगा। मुझसे अधिक गोरा, तुम, पार्टी के लिए अधिक मूल्यवान बनकर रहो। मुझे उससे कोई ईर्ष्या...ईर्ष्या नहीं, कोई रुचि नहीं।"

"दो, गालियाँ दो, मैं तुम्हारे लिए कितना लड़ता हूँ...चाय पियोगे?"

"नहीं।"

"कहो।"

"एम.डब्लू. रुका हुआ है एक इंजंक्शन पर। कांग्रेस रेजीम में गियासोल के हरिधन सरदार ने हाईकोर्ट से इंजंक्शन लिया था। इंजंक्शन की ग्राउण्ड 1974 के एम.डब्लू. रिवीजन में एक नम्बर में गड़बड़ थी।"

"पता है।"

"अब तो हमारी सरकार है।"

"निश्चय। और हम टिकने आए हैं।"

"टिको सामन्त, टिको। लेकिन क्या यह सरकार उस गलत शब्दावली को संशोधित कर इंजंक्शन को हटवा नहीं सकती? एम.डब्लू. की रुकावट, न देने पर सब्जेक्ट टु सीवियर पेनाल्टी करने की? यही बात तुम विधान सभा में उठाओ। मैं यही चाहता हूँ।"

"सम्भव नहीं है।"

"सम्भव नहीं है! क्यों?"

"सम्भव नहीं है।"

"सैंतीस लाख खेतमजूरों के मुकाबले में कई हजार जमींदारों के हित के राज्य में ज्यादा जरूरी हो सकता है। अब भी वही है? सामन्त, अब भी वही है?"

1. समर्थन करने

"सम्भव नहीं है।"

"इस सरकार के इस रुख के माने क्या हैं?"

"कौन-सा रुख?"

"खेतमजूर लड़कर हक लेंगे?"

"सरकार उन्हें मदद देगी।"

"दूसरी पार्टी खेतमजूरों को लेकर उनको हक दिलाने में बराबर मदद पाएगी?"

"निश्चय।"

"पुलिस नहीं जाएगी? वे विक्टिमाइज[1] नहीं होंगे?"

"नहीं।"

"मेरा डिडक्शन[2] क्या है, जानते हो?"

"क्या?"

"जिस पार्टी के झण्डे-तले भी जाएँ, खेतमजूर-खेतमजूर ही रहेंगे। वे ही लड़ेंगे, जो शोर मचानेवाले हैं, अक्खड़ हैं। सामन्त, क्या सरकार चाहती है कि जो उपद्रवी हैं वे मारपीट कर मरें, शोर-शराबा, दंगा-फौजदारी के अपराध हों, पुलिस उन्हें पकड़े, जमींदार बड़े आराम से कायम रहें?"

"काली, तुम एण्टी-पार्टी[3]...।"

"एण्टी-पार्टी, रिएक्शनरी, डीवियेशनिस्ट, नक्सलवादी–जिस नाम से चाहो, पुकारो, लेकिन मेरी हर बात सच है। तुम जवाब नहीं दे सके।"

"जवाब नहीं होता, काली। फिर भी मैं बात भूलूँगा नहीं।"

"चलूँ। तुम्हारा बहुत वक्त लिया।"

"फिर आना।"

काली चला आया। धान-बुआई के समय उसकी अपेक्षा या अनुमान को पूरा कर जेठ के आमन फसल की बुआई के वक्त गड़बड़ हुई, लाशें गिरीं, पुलिस आई, दल समझकर उग्र लोगों को पकड़ लिया गया। काली समझा, यह तो अभी शुरुआत है। धान के खेत लाल-लाल हो जाएँगे। जड़हन के धान के समय। 'और न देंगे, और न देंगे, खून से सींचा धान, हमारी जान हो'–यह बात काली के जीवन-विस्तार में गीत ही बनकर रह गई।

चरसा के जंगल में रात काटी। बेतूल उठ बैठा। बोला, "चलिए, बहुत सो

1. शिकार, अन्याय पीड़ित
2. निष्कर्ष, विशेष अनुमान
3. पार्टी-विरोधी

लिये। निन्दरा में जब-जब सपना देखे, उद्धव की माँ राँध रही थी, मोहे पुकार रही थी। पेट की ज्वाला से भात का सपना, समझे? बहुत देखा।''

बाहर निकलकर बेतूल ने काली साँतरा को दिशा-निर्देश दिया। बोला, ''उधर उत्तर की ओर चले जाना। उसके बाद एक के बाद तीन पाकड़ के गाछ हैं। उसके बाद जमीन नीची हो गई है। उतार में पच्छिम का किनारा पकड़ना होगा। चढ़ते ही गिनकर बीस कदम चलने पर बसाई का ठिकाना है। कुछ कहे बिना घुस जाना।''

''तुम नहीं चल रहे हो?''

''नाः। भैंस को लेकर नदी पार करूँगा। घर जाकर, कुछ खाकर फिर आऊँगा। साँझ होते-होते। आज भी आपको बिना खाए जाना पड़ेगा। कोई चारा नहीं। साँझ होते वहाँ पहुँचेंगे। आपको ले जाऊँगा। और हाँ, उद्धव को देखकर कुछ समझाना। आँधी-पानी की रात देखने पर उसकी माँ मिल जाए। चुड़ैल बहुत रोती है।''

''ठीक है।''

''मैं चला, काली बाबू। वह भैंस अगर चिल्लाएगी तो सब ला–श हो जाएँगे।''

''चले जाओ।''

काली चलने लगता है। बेतूल कहता है, ''सोंराल पहचानते हैं? देखकर उखाड़ लेना और कपड़े से पोंछकर जड़ खाना। ऊख में रहता है। प्यास दूर करता है, खाने में भी अच्छा होता है।''

''तुम जाओ, बेतूल।''

काली समझता है कि उसकी आँखें थकी हैं, धुँधली हो रही हैं। दोनों ओर मीठी जड़ोंवाली सोंराल लता हो सकती है। लेकिन काली को वह छोड़कर जाना पड़ेगा। तमाम चीजों की तरह, बहुत-सी प्राणदायिनी मधुर और मतलब की चीजों की तरह। मीठी और रसीली सोंराल कन्द भी उसे छोड़नी पड़ेगी। खाने से जान बचती। कितना कुछ करने से कितना कुछ होता, कुछ भी नहीं किया। क्यों नहीं हुआ? काली को कौन बताए?

बहुत तड़के भी जंगल में अँधेरा था। पेड़-पौधों के बीच से सूर्य का प्रकाश जल्दी नहीं घुस पाता। साँपों के लिए हाथ में ली हुई डाल खटखटाना उचित है। काली सावधानी से आगे बढ़ता है।

'उत्तर की ओर जाने पर दलदल है।' दलदल वर्षा का पानी बटोरकर भर जाती है। काली सावधानी से दलदल में उतरकर निकल जाता है। पाकड़ के तीन

पेड़। जमीन बलुहो होकर उतार पर हो जाती है। दोनों ओर घनी-घनी घासों के पास नीले-नीले फूल हैं। जमीन ढालू होकर नीची हो गई है और धीरे-धीरे ऊँची हुई है। पच्छिम का किनारा पकड़कर काली धीरे-धीरे चढ़ता है और ठहरकर साँस लेता है। अच्छा, दलदल में जब उतरा था, तो पानी क्यों नहीं पी लिया? याद ही नहीं आया। मतलब की चीज बड़ी हो या छोटी हो, इस जीवन में वक्त पर याद नहीं आती, अभी भी नहीं आई। फिर जल निर्मल था, कलौंछ-सा, वह जल डटकर पीने से प्यास बुझती।

अब काली गिन-गिनकर बीस डग चलता है। कलेजे में असम्भव प्रत्याशा है। खून तेजी से चल रहा है। हार्ट, होलो और मस्कुलर ऑर्गन रक्त-संवाहक पम्प को धीरे-धीरे चला रहा है—कभी धीरे, कभी तेज। भीषण प्रत्याशा है। भीषण दबाव है। चुपचाप।

बरगद-पाकड़ की जड़ों का जाल काटकर सामने गुफा की तरह है। अन्दर कोई नहीं है। द्वार पर द्वारपालिका है। काली की क्षीण, व्यतीत व्यर्थ सत्ता का समस्त भार, समस्त विनाश की ग्लानि के ऊपर से इस समय झीनी-झीनी वृष्टि हो रही है, कोई कोमल हाथ फेरता है। मिट्टी नम हो जाती है।

द्रौपदी और काली साँतरा एक-दूसरे को देखते रहते हैं। देखते रहते हैं, देखते रहते हैं।

काली धीरे-से पूछता है, "चला गया?"

द्रौपदी गरदन हिलाती है।

"रात को?"

द्रौपदी गरदन हिलाती है।

"पियासोल में हरिधन सरदार?"

द्रौपदी गले पर उँगली रखकर खींचकर दिखाती है, कहती है, "पूरब में पुलिस है। पच्छिम में जाओ," कहकर वह क्षण-भर में गायब हो जाती है। कहीं नहीं रहती, कहीं नहीं थी। सिर्फ रह जाती है वन-भूमि, रह जाता है काली साँतरा। अब काली साँतरा को चलने का कोई काम नहीं रहता। इस बार बसाई भाग गया, पियासोल गया, हरिधन सरदार का इन्तजाम करने के बाद गया। काली को सहसा लगता है कि उसकी उम्र इकसठ है, वह बहुत थका हुआ है।

बहुत, बहुत, बहुत थका हुआ। फिर लौटना होगा। फिर बसाई की शनाख्त करना पड़ेगी। इस बार शरीर ठीक से छोड़ना होगा। लेकिन अभी काली थोड़ा बैठेगा। धीरे-से वह जटाजाल से बनी प्राकृतिक गुफा में घुसता है। कच्ची मिट्टी की कब्र परिचित-सी थी।

प्रत्याशित—बहुत ही प्रत्याशित। कोने में बैण्डेज है। खून से सनी। टूटा एम्पूल है। काली होशियारी से उन्हें जमा रहता है, कब्र में रख देता है प्रत्याशित। पाँचवीं मौत से बसाई मृत और समाधिस्थ है। रात में। थोड़ी रात में बसाई माँद छोड़कर पलातक। षष्ठ-सप्तम-अष्टम् मरण कहने को कुछ नहीं रे, कमरेट। जिन्दा रहने पर तमाम गड़बड़ रहती है। बसाई ने द्रौपदी से ब्याह करना चाहा था। द्रौपदी ने दुलना से ब्याह कर लिया। ऑपरेशन-कदमकुआँ।

काली बड़े सन्तोष के साथ कब्र पर हाथ रखता है। मिट्टी हटा देने पर वह किसे देखेगा? यह कौन-सा बसाई है? दुलना से भी जवान? हाइट? माथे पर चोट का निशान? रिचुअल एक ही है। हवा का गला ऐंठना। पाँचवीं मृत्यु में कोई पुलिस, कोई काली साँतरा, कोई और आदमी न था। अन्धकार। कुछ साथ के लोग थे। अँधेरे में किसी सन्थाल को वायु का गला ऐंठते देख सकने की बात नहीं है, फिर भी काली को पता है, बसाई ने इस बार भी अन्धकार का गला दाबकर मरोड़ दिया था। हवा को मरोड़कर हवा को किसी दिन आकृति देगा, अन्धकार का गला मरोड़कर उसे अग्नि बनाएगा। उस रात को पंचम बसाई को गाड़कर छठा बसाई बनकर चला गया, वह कैसे? बहुत सुन्दर होगा वह। बहुत तरुण। बहुत काला रंग, बहुत सुन्दर, बहुत युवा, बहुत, बहुत, बहु—त! नींद आ रही है।

काली जड़ों से टिककर सो गया। मुँह थोड़ा खुला, गले की हड्डी उठ रही है, बैठ रही है, मोटे और घिसे चश्मे के शीशों के पीछे आँखें मुँदी हैं। नींद के बाद भी शरीर टेंस था, रहता है, उसके बाद धीरे-धीरे शरीर में ढीले होने का आत्मसमर्पण आता है। नींद के बाद ही काली उठेगा और चला जाएगा। इस बार वह सोंराल की जड़ ठीक से तलाश कर सकेगा। सारा दिन किसी तरह बिता देगा। शाम होने पर बेतूल तो आएगा ही। इस बार उद्धव की बात द्रौपदी से नहीं कही गई। न सही। उस बात को पूछने, कहने का अवसर काली को इसी जीवन में मिल जाएगा।

काली सो रहा है। पूरब की ओर से, सूर्य की ओर पीछे लौटकर एक छोटी पुलिस की टुकड़ी जंगल में घुसती है और असाधारण, अमानुषी दक्षता से जहाँ काली है, उस ओर बढ़ती है। उनके पाँवों की चाप से गीली धरती पर कोई शब्द नहीं होता।

द्रौपदी

नाम दोपदी माझिन, वयस सत्ताईस, पति दूलन माझी (निहत), निवास चिराथन, थाना बाँकड़ाझाड़, कन्धे पर चोट का निशान (द्रौपदी के गोली लगी थी), जीवित या मृत पता देने पर और जीवित अवस्था में गिरफ्तारी में सहायता देने पर एक सौ रुपए...!

दो तमगे लगाए वर्दीवालों में बातचीत।

एक तमगेवाला : सन्थालिन का नाम दोपदी, क्यों? मैं जिन नामों की लिस्टी लेकर आया हूँ उसमें तो ऐसा नाम नहीं है? लिस्टी में न हो, ऐसा नाम कोई रख सकता है?

दूसरा तमगेवाला : दोपदी माझिन। उसकी माँ जिस साल बाकुली के सूर्य साउ (निहत) के घर में धान कूटती थी, उस साल उसका जन्म हुआ। सूर्य साउ की पत्नी ने उसका नाम रखा था।

एक तमगेवाला : अहलकारी अपचर केवल अँगरेजी लिखना जानते हैं। इसके नाम को ऐसा लिखते हैं?

दूसरा तमगेवाला : मोस्ट नटोरियस लड़के-लड़कियाँ। लाँग वांटेड इन मेनी।

डासियर[1] : दूलन और दोपदी ठेके पर काम करते थे, बिट्वीन बीरभूम-बर्धमान-मुर्शिदाबाद-बाँकुड़ा रोटेट[2] करते-फिरते। 1971 साल में प्रसिद्ध ऑपरेशन-बाकुली में जब तीन गाँव बुरी तरह घेरकर मशीनगन किए गए, उस समय ये दोनों भी मरे हुए का बहाना कर पड़े रहे। असल में यही प्रमुख अपराधी थे। सूर्य साउ और उसके बेटे का खून, सूखे के समय ऊँची जात का कुआँ और ट्यूबवेल के दखल करने में—सबमें ही ये प्रमुख थे, उन तीन लड़कों को पुलिस के हाथ सरेण्डर न कराने में भी। और ऑपरेशन-बाकुली के आर्किटेक्ट कैप्टेन अर्जनसिंह के, सवेरे लाशों की

1. मिसल, प्रमाणपत्र
2. चक्कर लगाते

गिनती करने जाने पर, पति-पत्नी को न पाकर, फौरन ब्लड-शुगर से पीड़ित होकर फिर प्रमाणित हुआ कि बहुमूत्र सचमुच फिकर और घबराहट की बीमारी होती है। बहुमूत्र की बीमारी बारह-भतारी होती है। उसका एक भतार दुश्चिन्ता है।

दूलन और दोपदी बहुत दिनों तक नियानडरथल[1] अन्धकार में गायब रहे और विशेष फौज ने उस अन्धकार में सशस्त्र खोज में पकड़ने जाकर पश्चिमी बंगाल के विभिन्न जिलों में बहुतेरे मजदूर सन्थाल-सन्थालिनों को उनकी अनिच्छा से सिंबोंगा के पास जाने को विवश किया। भारत के संविधान में जाति-धर्म-निरपेक्ष सभी मनुष्य पवित्र हैं, यह होने पर भी यह घटित हो गया। कारण दो तरह के हैं : एक--गायब दम्पती के अपने को छिपाए रहने में असाधारण होशियारी। दूसरा--विशेष फौज की आँखों में सन्थाल ही क्यों, अस्ट्रो-एशियाटिक मुण्डा कुल की सारी सन्तानों की ही शकल एक लगना।

यथार्थ में, बाँकड़ाझाड़ थाने के अण्डर (कनखजूरा भी इस भारत में किसी न किसी थाने के अण्डर है) स्थित बदनाम झाड़ियों के जंगल के चारों ओर, और-तो-और आग्नेय और नैऋत्य कोण में भी, थाना-आक्रमण, बन्दूक छीनना (जिसलिए छीनकर अधिकार में करनेवाली पार्टी विशेष रूप से सुशिक्षित नहीं है इसलिए बन्दूक के बदले में 'चेम्बर ही दे दीजिए' भी कहते हैं)--खलिहान के मालिक, जमींदार, महाजन, शान्ति-रक्षक, कागजवाले बाबू उस छुरा भोंकनेवाली हत्या आदि का अपराधी बताकर जिन पर सन्देह किया जाए, उनके सम्बन्ध में जमा किए हुए प्रत्यक्षदर्शी के बयान से पता चला कि बहुत कुछ बढ़ा-चढ़ाकर कही बात है। दो काले स्त्री-पुरुषों ने घटना के पहले साइरन के शोर में शोर मिलाया था। कितने ही असभ्य संथालियों के पास दुर्बोध्य भाषा में उन्होंने मारे हुओं को घेरकर उल्लास संगीत गाया था। जैसे :

'सामारे हिजूले नाको मार् गोयेकोपे'
और
'हेन्दे रामूरा केचे केचे
पुण्डि रामूरा केचे केचे।[2]

इससे निस्सन्देह प्रमाणित होता है कि यही कैप्टेन अर्जनसिंह के बहुमूत्र के कारण हैं। प्रशासनिक कार्यपद्धति की संख्या के आदमियों, या गुण्डे दर्शकों की

---

1. मानव-विकास की आदिम अवस्था
2. अपने सामना करनेवालों को मार दो।
   काले उर्द टेढ़े-टेढ़े
   सफेद उर्द टेढ़े-टेढ़े

नजरों में अन्तोनियो की पहले की फिल्मों की तरह दुर्बोध्य समझकर प्रशासन फिर अर्जनसिंह को ही ऑपरेशन-फारेस्ट-झाड़खाली को भेजता है और गुप्तचर दफ्तर के पास उक्त कलकल करने और नाचनेवाले दम्पती ही भाग जानेवाली दो लाशें हैं, यह जानकर अर्जनसिंह कुछ देर 'जोम्बी'[1] हालत को पहुँच जाता है और कृष्णांग लोग उसमें ऐसा अकारण डर पैदा कर देते हैं कि लँगोटी लगाए काले आदमी देखते ही वह 'जान ले ली' कह सन्न होकर जल्दी-जल्दी पेशाब करता और पानी पीता। क्या यूनीफार्म, क्या ग्रन्थ साहब—उसका इस अवसाद से कोई भी उद्धार नहीं कर पाता। उसके बाद प्रिमेच्योर फोर्स्ड रिटायरमेण्ट का डर दिखाकर उसे बंगाली, प्रौढ़, समर और वामपन्थी उग्र राजनीति में स्पेशलिस्ट सेनापति की मेज के सामने हाजिर किया गया। सेनानायक विरोधियों के रंग-ढंग और ज्ञान की दौड़ विरोधियों से भी अच्छा जानते थे। इसीलिए उन्होंने अर्जनसिंह की पहले सिख जाति की युद्ध-प्रतिभा के सम्बन्ध में प्रशंसा की। बाद में समझा दिया कि क्या केवल विरोधियों के समय ही बन्दूक की नली क्षमता का स्रोत है? अर्जनसिंह की क्षमता भी तो बन्दूक के मेल ऑर्गन से निकलती है। हाथ में बन्दूक न रहने पर इस युग में 'पंच ककार' तक निकम्मे और बेकार हैं। यह सारी वक्तृता वे औरों के आगे भी करते, जिसके परिणामस्वरूप लड़ने जानेवाली वाहिनी के मन में फिर 'आर्मी हैण्डबुक' की किताब में विश्वास लौट आता। किताब सामान्य लोगों के लिए नहीं थी। उसमें लिखा है, आदिम अस्त्रादि लेकर गोरिल्ला पद्धति[2] से युद्ध सबसे अधिक निन्दनीय और घृणित है। उक्त पद्धति में योद्धा के दर्शनमात्र से निधन होना सेनामात्र का परम कर्तव्य है। दोपदी और दूलना उक्त योद्धाओं की कैटेगरी में आते हैं, क्योंकि वे भी कुल्हाड़ी, हँसुआ, तीर, धनुक इत्यादि लेकर मृत्यु का काम करते हैं। यथार्थ में उनकी शिकारी क्षमता बाबू लोगों से अधिक होती है। सारे बाबू चेम्बर वेधने में निपुण नहीं होते, वे सोचते हैं कि बन्दूक पकड़ने से ही क्षमता आप-से-आप निकलेगी। यहाँ यह बता देना ठीक होगा कि इस सेनानायक को विरोधी तुच्छ मानता हो, लेकिन यह मामूली आदमी नहीं था। यह प्रैक्टिस में चाहे जो करें, थियरी में विरोधियों के आदर्श पर श्रद्धा करते हैं। इसलिए श्रद्धा करते हैं कि 'वह कुछ नहीं, सिरफिरे लड़के बन्दूक लेकर खेलते हैं'—यह प्रवृत्ति लेकर चलने पर उनको नहीं समझा जाएगा। दुश्मन को खत्म करने के लिए, एक दुश्मन बन जाओ। इसी से वे उनमें से एक होकर (थियरी में) उन्हें समझते हैं। और भविष्य में इसे लेकर लिखने-लिखाने की कामना रखते हैं। तब

1. शव, जो मन्त्र-शक्ति से परिचालित हो

2. छापामार तरीका

(उस लिखे में) बाबू लोगों को ध्वस्त कर कटैया-मजूरों के वक्तव्य को बढ़ाएँ-चढ़ाएँगे, यह भी उन्होंने तय कर रखा है। उनके सोचने की और सारी प्रक्रिया शुरू से उलझी लग सकती है, लेकिन असल में वे बहुत ही सरल हैं और केउटे साँप का मांस खाकर अपने सँझले दादा की तरह वे भी खुश रहते। असल में उन्हें मालूम है कि प्राचीन गणना गीत की तरह जमाना करवट बदलेगा। और सारे जमाने में उन्हें सम्मानसहित कायम रहने लायक कागज-पत्तर चाहिए। जरूरत हुई तो वे भविष्य को दिखा देंगे कि उन्होंने ही चीजों को कितने उचित पर्सपेक्टिव[1] में देखा था। आज वह जो कुछ कर रहे हैं वह भविष्य का मनुष्य भूल जाएगा, इसमें उन्हें जरा भी सन्देह नहीं है; और एक जमाने से दूसरे जमाने में सबके रंग में जो मिल सके वही उस जमाने के प्रतिनिधि बन सकेंगे, यह भी वे जानते हैं। आज 'एप्रिहेंशन एण्ड इलिमिनेशन'[2] कर वे युवकों को समाप्त कर रहे हैं जरूर, लेकिन मानव-रक्त की स्मृति और शिक्षा शीघ्र ही भूल जाएगी, यह भी वे जानते हैं। और एक साथ ही वे भी शेक्सपीयर की तरह युवकों के हाथों में पृथ्वी की लीगेसी[3] उठाकर देने में विश्वास करते हैं। वे भी प्रास्पेरो हैं।

जो हो, इसके बाद पता लगा कि बहुत-से युवक-युवती जत्थे के बाद जत्थे में जीप पर चढ़कर एक के बाद दूसरे थाने पर हमला बोलकर अंचल को एक ही समय संत्रस्त और उल्लरित कर झाड़खानी के जंगल में गायब हो गए। जिसलिए बाकुली से गायब होने के बाद दोपदी और दूलना प्रायः सारे जमींदारों के घर में काम करते, उसी लिए वे हन्तव्य लोगों के बारे में मारनेवालों को फौरन सूचना देते और गर्व के साथ घोषणा कर वे भी सेनानी, रैंक एण्ड फाइल बने थे। अन्त मे दुर्भेद्य झाड़खानी जंगल सेनाध्यक्ष द्वारा चक्रव्यूह में डाल दिया गया, आर्मी अन्दर घुसी और रणभूमि को फाड़-फाड़कर भागनेवालों की तलाशी करती। साथ ही नक्शेवाले जंगल का नक्शा बनाते रहते और सेनाएँ पानी के सहारे झरनों और गढ़ैयों की ओट में रहकर पहरा देतीं, आज भी देती हैं, आज भी तलाश करती हैं। उसी तरह की एक खोज में सेना के खोजी दुखीराम धड़ारी ने देखा कि समतल पत्थर पर औंधे होकर लेटा एक सन्थाल युवक मुँह डुबोए पानी पी रहा है। उसी हालत में उसे गोली मार दी गई और वह 303 की चोट से उछलकर जाते दोनों हाथ फैलाकर बड़ी गरज के साथ 'मा—हो' कहकर फेनिल रक्त फेंककर निश्चल हो गया। बाद में मालूम हुआ कि वही कुख्यात दूलन माझी था।

---

1. परिप्रेक्ष्य
2. गिरफ्तार कर समाप्त कर देना
3. विरासत

इस 'मा–हो' शब्द के माने क्या हैं? यह क्या आदिवासी भाषा में उग्रपन्थी नारा है? इसके माने क्या हैं, यह सोचकर शान्तिरक्षक दफ्तर को बहुत-कुछ सोचकर भी उसकी गम्भीरता का पता नहीं चला। आदिवासी-विशेषज्ञ दो व्यक्तियों को कलकत्ते से तुरन्त लाना हुआ और वे हाफमन जेफर-गोल्डेन पामर आदि महोदयों द्वारा रचित कोश लेकर परेशान रहे। अन्त में सर्वज्ञ सेनानायक ने चमरू को बुलाया। कैम्प का पानी ले जानेवाला सन्थाल चमरू दो विशेषज्ञों को देखकर फुसफुसाकर हँसने लगा, बीड़ी से कान खुजाते हुए बोला, "वह मालदा के सन्थाल लोग उन्हीं गांधी राजा के समय लड़ाई में जाते हुए बोले थे जरूर! वह लड़ाई की ललकार है। सो यहाँ कौन साला 'मा–हो' कह रहा है? मालदा से कोई आया है?"

समस्या साफ हो गई। उसके बाद दूलन की शव-देह उस पत्थर पर डालकर सेनावाले हरी वर्दी के कामोफ्लाज में हर पेड़ पर चढ़कर पैन देवता की तरह पेड़ को पत्तों सहित आलिंगन में लपेटकर असभ्य स्थान पर पेड़ के चीटों का तलाश करके काटना सहते-सहते इन्तजार करने लगे। देखा कि मृत-देह को लेने कोई आता है या नहीं? यह जिस तरह शिकार का तरीका है, उसी तरह युद्ध का नहीं। किन्तु सेनानायक जानते हैं कि किसी भी जाने-बूझे तरीके से ही उपद्रवियों को समाप्त नहीं किया जाएगा। इसीलिए उन्होंने लाश का चारा दिखाकर शिकार को खींचकर लाने को कहा। वे बोले, सब साफ हो जाएगा। दोपदी ने जो गीत गाए थे उनके माने भी निकाल लिए।

उनकी बात मानकर सेना मुस्तैद हो गई। लेकिन दूलन की मृतदेह लेने को कोई नहीं आया। इसके अतिरिक्त रात के अँधेरे में खिचपिच, सुनकर सेना के गोली छोड़ने पर उतरकर देखा कि उन्होंने सूखे पत्तों के बिस्तर पर संगमरत साही-दम्पती को मार डाला है। जंगल में सेना को रास्ता दिखानेवाले खोजी दुखीराम घड़ारी ने विरक्त के समान दूलन माझी की बख्शीश लिए बिना मानो गले को किसी के हँसुए में दे दिया हो। दूलन की लाश को उठाकर लाते-लाते सेना को लाश के खाने में रुकावट मिलने पर चींटों के काटने से साँप के जहर-सा दर्द हुआ। लाश लेने 'कोई नहीं आया' सुनकर सेनानायक पेपरबैकवाली एन्टी-फासिस्ट 'डेपुटी' किताब को जोरों से बन्द कर 'व्हॅट' कह चीख उठे और तभी एक आदिवासी-विशेषज्ञ ने आर्किमिडीज की तरह नंगे और शुभ्र आनन्द में आगे आकर कहा, "उठिए, सर! उस हेनूदे रामूब्रा के माने निकाल लिए हैं। वह मुण्डारी लैंग्वेज है।"

इसलिए दोपदी की तलाश चलती रही। झाड़खानी जंगल-बेल्ट में ऑपरेशन चलता रहा–चलता रहा–चलेगा। वह प्रशासन के नितम्ब में फोड़ा था। वह अच्छे

1. प्रावस्था

मरहम से दूर होनेवाला नहीं, तुख्ममलंगे से फूटनेवाला नहीं। पहले फेज[1] में पलातक जंगल की टोपोग्राफी न जानने से धड़ाधड़ पकड़े गए और आमने-सामने के संघर्ष के नियम से उनके शरीर करदाताओं के खर्च या श्राद्ध कर गोली से मारे गए। सम्मुख-संघर्ष के नियम के अनुसार उनके शरीर के चक्षुगोलक, पौष्टिक नली, पाकस्थली, हत्पिण्ड, जनन-स्थन आदि सियार, गिद्ध, लकड़बग्घा, बनबिड़ाल, चींटे और कीड़े-मकोड़ों के भोजन हुए और बिना मांस का शुभ्र कंकाल लेकर खुश होकर डोम उन्हें बेचने गए।

बाद के फेज में वे सम्मुख-संघर्ष में पकड़ में न आए। उससे अब लगता है कि उन्हें कोई विश्वस्त कूरियर[1] मिल गया था। वह दोपदी थी। यह सम्भावना रुपए में नब्बे पैसे थी। दोपदी दूलन को जान से ज्यादा चाहती थी। अब वही उन्हें निश्चित रूप से बचा रही है।

"उनकी बात भी हाइपॉथेसिस[2] ही है।"

"क्यों?"

"ओरिजिनली कितने लोग गए थे?"

उत्तर चुप्पी। इस विषय में बहुत कहानियाँ गढ़ी गईं, बहुत-सी किताबें छप रही हैं। सारी बातों पर विश्वास न करना ही ठीक है।

"छह बरसों में कितने लोग सम्मुख-संघर्ष में मारे गए?"

उत्तर नीरवता।

"सम्मुख-संघर्ष के बाद कंकालों के हाथ टूटे या कटे क्यों थे? लूले क्या सम्मुख-संघर्ष कर सकते हैं? गले की हड्डी झूलती हुई और पसलियों की हड्डियाँ पिसी हुई क्यों थीं?"

उत्तर दो तरह का। चुप्पी। आँखों में अभिमानपूर्ण तिरस्कार, "छिः! ये सब बातें क्या कहने की होती हैं? जो होना था वह तो...।"

"इस समय कितने लोग जंगलों में हैं?"

उत्तर नीरवता।

"वे क्या लीजन[3] हैं? उनके कारण करदाताओं के खर्च से एक बड़ी फौज हमेशा उस जंगल के वन्य-परिवेश में नियुक्त रखना क्या जस्टिफाइड[4] है?"

उत्तर : ऑब्जेक्शन। 'वन्य-परिवेश' बात ठीक नहीं है। नियुक्त फौज को

---

1. सन्देशवाहक
2. परिकल्पना
3. असंख्य
4. न्यायसंगत

उत्तम खाद्य-चिकित्सा के कायदे में होने की सुविधा है, विविध-भारती सुनना और 'यह है जिन्दगी' फिल्म में संजीव कुमार और भगवान श्रीकृष्ण को आमने-सामने देखने के अवसर की सुविधा रहती है न! परिवेश 'वन्य' नहीं है।

"कितने लोग हैं?"

उत्तर चुप्पी।

"कितने लोग हैं? एट ऑल कोई है?"

उत्तर बहुत बड़ा।

मसलन : वेल, एक्शन चल रहा है। महाजन, जमींदार, खलिहान के मालिक, कलवार-वेश्यालय के बेनामी मालिक—अतीत के झगड़ालू, ये आज भी डर रहे हैं। भूखे-नंगे आज भी उद्दण्ड हैं और झुकनेवाले नहीं हैं। कटैया किसी-किसी पॉकेट में अच्छा वेज पाते हैं। भागनेवालों के प्रति सहानुभूतिशील गाँव आज भी चुप हैं और दुश्मन हैं। इन सारी घटनाओं को याद रखने के कारण हैं...।

इस तसवीर में दोपदी माझिन कहाँ रहती है?

वह निश्चय ही पलातक लोगों के साथ है। डर की बात दूसरी जगह है। जो हैं, वे बहुत दिन से जंगल के आदिम संसार में हैं। साथ करते हैं दरिद्र मजदूरों और आदिवासियों का। इस साहचर्य के परिणामस्वरूप वे निश्चय ही किताबी शिक्षा भूल गए हैं। जिस धरती पर रह रहे हैं, उसके साथ शायद किताबी शिक्षा का ओरिएन्टेशन[1] कर नए सिरे से संग्राम-पद्धति और जीने के नियम सीख रहे हैं। बाहरी किताबी शिक्षा और अन्तर का उत्साह, यही जिनका सम्बल है, उन्हें गोली से समाप्त किया जा सकता है। जो लोग अभ्यास और प्रशिक्षण से काम करते हैं, वे इतनी जल्दी समाप्त होनेवाले नहीं हैं।

इसलिए ऑपरेशन-झाड़खानी फारेस्ट रुक नहीं सकता, क्योंकि आर्मी हैण्ड-बुक की सावधान वाणी है।

[2]

"दोपदी माझिन को पकड़ो, वह उन्हें पकड़ा देगी।"

दोपदी धोती में भात बाँधे धीरे-धीरे चल रही थी। मुसाई टूडू की पत्नी ने भात राँध दिया था। बीच-बीच में दे देती थी। ठण्डा होने पर दोपदी ने धोती में भात बाँधा और धीरे-धीरे चली। चलते-चलते वह सिर के बालों में उँगली फिरा जुएँ

1. नवीकरण

निकालकर मार रही थी। थोड़ा-सा मिट्टी का तेल मिल जाए तो सिर पर लगाने से जुएँ खतम हो जातीं। उसके बाद सोडा से सिर रगड़ लिया जाता। लेकिन हरामी लोग झरने के हर मोड़ पर चक्कर लगाते रहते हैं। पानी में मिट्टी के तेल की गन्ध पाकर वे सूँघते-सूँघते चले आएँगे।

"दोपदी!"

दोपदी ने जवाब नहीं दिया। अपने नाम से बुलाए जाने पर कभी जवाब नहीं देती थी। अपने नाम के ईनाम की घोषणा का कागज आज पंचायत ऑफिस में देख आई है। मुसाई टूडू की पत्नी कह रही थी, उसने क्या देखा? कहाँ की दोपदी माझिन! उसको पकड़ा देने पर रुपए।

"कितने रुपए?"

"दो–सौ!"

बाहर आकर मुसाई की पत्नी बोली, "इस बार अच्छी तैयारियाँ की जाएँ। स–ब नई पुलिस है।"

"हूँ।"

"तू अब न आना।"

"क्यों?"

मुसाई की पत्नी सिर झुकाकर बोली, "टूडू ने बताया है कि वह साहब फिर आया है। तुझे पकड़ने पर गाँव-बस्ती..."

"फिर परेशान ही करेगा।"

"हूँ। और दुखीराम की बात...।"

"साहब को पता है?"

"सोमई और बुधना ने हरामीपन किया है।"

"वे कहाँ हैं?"

"ट्रेन पकड़कर भाग गए हैं।"

दोपदी ने कुछ सोच लिया। उसके बाद बोली, "घर जा। पता नहीं क्या होगा, मैं पकड़ी जाऊँ तो तुम लोग पहचानना मत।"

"तू भाग नहीं सकती?"

"नाः। कितनी बार भागूँगी, बता? पकड़ ही लेंगे तो क्या करेंगे, बता? काउण्टर[1] कर देंगे, कर दें।"

मुसाई की पत्नी बोली, "हमें कहीं जाना नहीं है।"

दोपदी धीमे-से बोली, "किसी का नाम न बताऊँगी।"

1. प्रत्याक्रमण–आमने-सामने की लड़ाई

दोपदी जानती है, इतने दिनों से सुन-सुनकर सीखा है, किस तरह दमनकारियों का सामना किया जाए? यदि दमन-ही-दमन में शरीर और मन टूट जाए तो दोपदी अपनी जीभ दाँतों से काट डालेगी। उस लड़के ने अपनी जीभ काट फेंकी थी। उस पर काउण्टर कर दिया। काउण्टर करने पर तुम्हारे हाथ पीछे बँधे रहते हैं। शरीर की हर हड्डी चूर-चूर रहती है, यौनांग में बहुत-सी चोटें—किल्ड बाई पुलिस इन एन एनकाउण्टर...अननोन मेल...एज ट्वेन्टी टू...।[1]

यह सब सोचते-सोचते राह चलते-चलते दोपदी ने सुना कि कोई उसे बुला रहा है, "दोपदी!"

उसने जवाब नहीं दिया। अपने नाम से बुलाए जाने पर वह जवाब नहीं देती। यहाँ उसका नाम उपी माझिन है। लेकिन कौन बुला रहा है?

उसके मन में सन्देह का काँटा बराबर चुभता रहता। 'दोपदी' सुनकर सन्देह का तीखा काँटा साही के काँटे की तरह खड़ा हो गया। चलते-चलते वह मन-ही-मन पहचाने हुए चेहरों की फिल्म-रील खोलते हुए चली। कौन? सोमरा नहीं है, सोमरा पलातक। सोमई और बुधना पलातक, दूसरे कारणों से। गोलक नहीं है, वह बाकुली में है। यह कोई बाकुली का है? बाकुली छोड़कर निकलने के बाद से उसका और दुलना का नाम हो गया था—उपी माझिन, माता माझी। यहाँ एक मुसाई और उसकी पत्नी के सिवा असली नाम कोई नहीं जानता। बाबू लड़कों में पहले के बैच के सभी को नहीं मालूम था।

वह वक्त बहुत गड़बड़ का था। दोपदी को सोचने में परेशानी होती। बाकुली में ऑपरेशन-बाकुली। सूर्य साउ ने बिड्डी बाबू के साथ साँठ-गाँठ कर दो बरस में घर की चहारदीवारी में दो ट्यूबवेल बैठा लिये, तीन कुएँ खोदे। कहीं पानी नहीं, बीरभूम में सूखा था। सूर्य साउ के घर अथाह पानी था, कौए की आँखों की तरह निर्मल।

"कनाल टैक्स देकर पानी लो, सब जल गया।"

"टैक्स के पानी से खेती बढ़ाकर हमें क्या फायदा?"

"सब जल गया।"

"जाओ, जाओ। तुम लोगों की पंचायती बदमाशी को मैं नहीं मानता। पानी लेकर खेती बढ़ाऊँगा? आधा धान अधियार लेगा। कम धान से सब मुट्ठी में हैं। तब धान घर दो, रुपए दो, हें! तुम्हारे लिए अच्छा काम कर हमें सीख मिल गई है।"

"तुमने क्या अच्छा काम किया?"

"गाँव को पानी नहीं दिया?"

---

1. मुठभेड़ में पुलिस द्वारा मारा गया...अज्ञात पुरुष...आयु बाईस...।

"भगुना समधी को दिया था।"

"तुमको पानी नहीं मिलता है?"

"नाः। डोम-चंडालों को पानी नहीं मिलता।"

इस बात पर झगड़ा हो गया। सूखे में सहन-शक्ति सहज ही जल जाती है। गाँव के सतीश-युगल बाबू लड़के हैं, शायद राना उनका नाम है, वे बोले, "जमींदार-महाजन कुछ न देंगे, खतम करो।"

सूर्य साउ का मकान रात में घेर लिया गया। सूर्य साउ ने बन्दूक निकाली थी। बैलों की रस्सी से सूर्य पीछे से बाँध दिये गये थे। आँखों के डेले सफेद, डबडबा रहे थे, कपड़े फट रहे थे। दुलना ने कहा, "पहली चोट मैं मारूँगा। मेरे बाप के बाप ने सूद बढ़ाने का धान लिया था, वह उधार चुकाने में आज भी बेगार दे रहा हूँ।"

दोपदी ने कहा था, "मेरे शरीर को देखकर उसके मुँह में लार आती थी, उसकी आँखें मैं निकालूँगी।"

सूर्य साउ! उसके बाद सिउड़ी से टेलीग्राफिक मेसेज। स्पेशल ट्रेन। आर्मी। जीप बाकुली तक आती नहीं। मार्च-मार्च-मार्च। नालदार बूटों के नीचे कंकड़ियों की किच-किच-किच। कॉर्डन अप[1]। माइक पर आदेश—युगल मंडल-सतीश मंडल-राना बनाम-प्रवीर बनाम दीपक-दुलना माझी-दोपदी माझिन-सरेंडर, सरेंडर! नो सरेंडर-सरेंडर। मो—मो—मो डाउन दि विलेज[2]। खटाखट-खटाखट—हवा में कार्डाइट[3]—खटखट-राउंड द क्लॉक-खटखट। फ्लेम थ्रोअर[4]। बाकुली जल रहा है। मोर मेन ऐण्ड वीमेन, चिल्ड्रेन...फायर—फायर। क्लोज कनाल एप्रोच। ओवर-ओवर-ओवर बाई नाइटफॉल। दोपदी और दुलना पैदल भाग रहे थे।

बाकुली के बाद वे पलताकुड़ी नहीं पहुँच सकते थे। भूपति और तपा ले गए। उसके बाद निश्चय हुआ कि दोपदी और दुलना झाड़खानी बेल्ट के आसपास काम करेंगे। दुलना ने दोपदी को समझाया, "यही अच्छा है रे। इससे हमारी गृहस्थी और बाल-बच्चे न होंगे। कौन कह सकता है कि किसी दिन जमींदार-महाजन-पुलिस सब मिट न जाएँगे?"

लेकिन आज उसे पीछे से किसने पुकारा?

दोपदी चलती रही। ग्राम-प्रान्तर, झाड़-झंखाड़ और खोयाई पी.डब्ल्यू.डी. का

1. घेरा डाल दो।
2. गाँव को रौंद डालो।
3. कारतूस
4. आग का गोला

खम्भा–पीछे छूट जाने की आवाज। एक आदमी ही आ रहा है। झाड़खानी का जंगल अभी भी करीब एक कोस है। अब उसको लगा कि जंगल में घुस जाने पर बच जाएँगे। उन्हें कहना होगा कि पुलिस ने फिर उनके नाम नोटिस जारी किया है। कहना होगा कि वह हरामी साहब फिर आ गया है। हाइड-आउट[1] बदलना पड़ेगा। उसके सिवा सान्यारा में खेतमजूरों के रु ग्यों को लेकर झगड़ा हुआ, उसके बाद वहाँ लक्ष्मी बेरा, नारायण बेरा को सूर्य साउ ढ ग देने का प्लान भी समाप्त करना होगा। सोमाई और बुधना को सब पता था। दोपदी के कलेजे के नीचे भयंकर मुसीबत की अर्जेंसी[2] थी। अब उसे लगा कि सोमाई और बुधना जो हरामीपन करेंगे, उससे उसे सन्थाल होकर शरम की कोई बात नहीं। दोपदी का रक्त चम्पाभूमि[3] का पवित्र, काला, शुद्ध रक्त है। चम्पा से बाकुली, कितने लाख चाँदों के उदय और अस्त की राह है। रक्त में मिलावट होती तो दोपदी के पुरखों के लिए गर्व होता। वे काली घुँघची से औरतों के रक्त पर पहरा देते थे। सोमाई और बुधना जारज हैं। लड़ाई की पैदावार। शियनडाँगा की अमेरिकी फौजियों का राढ़भूमि[4] के लिए उपहार हैं। नहीं तो कौआ अगर कौए का मांस खाए, तो सन्थाल–सन्थाल को पकड़ाने पर हरामी न होगा।

पीछे पैरों की आवाज। आवाज और दोपदी के बीच में अन्तर है। पल्ले में भात, टेण्ट में तमाखू का पत्ता। अरिजित, मालिनी, शामू, मन्टू–कोई भी बीड़ी, सिगरेट, चाय नहीं पीता। तमाखू का पत्ता और चूना। टेण्ट में कागज के ठोंगे में लपेटा अलकुली का बीज खाते। बिच्छू के डंक मारने की अचूक दवा। कुछ नहीं दिया जाएगा।

दोपदी बाईं ओर घूमी। दोपदी का हाथ कमर पर था। हथेली में गोल चाँद-सा हँसुआ। हँसुए का बच्चा। झाड़खानी के लोहार बहुत अच्छा गढ़ लेते हैं। 'ऐसी सान दे दूँगा उपी, कि सैकड़ों दुखीरामों को...।' दोपदी भाग्य से बाबू न हुई। इसके बदले वे ही समझे कि सबसे अच्छे दाँतेदार हँसुआ कास्ते-हँसुआ-कुल्हाड़ी-छुरी होते हैं। चुपचाप काम कर जाते हैं। दूर पर कैम्प की रोशनी। दोपदी उधर जा ही क्यों रही है? तू ठहर, फिर मोड़ घूम जाता है। आः–हा! रातभर मैं आँखें मूँदे फिरती रहती हूँ। जंगल में नहीं जाऊँगी, राह नहीं भटकूँगी। दम नहीं निकल जाएगा। तू साले खुचड़िये, दुनिया-भर की माया में मरेगा, तू घूमेगा? दम निकालकर तुझे गड्ढे

1. छिपने का स्थान
2. तकाजा
3. आधुनिक भागलपुर
4. बंगाल में गंगा के पश्चिम का अंचल

में फेंककर खतम कर दूँगी।

कुछ नहीं कहा जाता। दोपदी नया कैम्प देख आई है। बस-स्टेशन पर बैठकर बीड़ी का दम लगाकर पता लगा आई है कि कितने कानवाय[1] पुलिस आई, कितने वायरलेस-वैन। चार विलायती कुम्हड़े, सात प्याज, पचास मिर्च, सीधा हिसाब है। कुछ भी पता नहीं चलेगा। वे जरूर समझ लेंगे कि दोपदी माझिन काउण्टर हो गई। तब भागेगी। अरिजित की आवाज : 'अगर कोई पकड़ा गया, टाइम समझकर दूसरे हाइड-आउट चेंज[2] कर देंगे। कॉमरेड दोपदी अगर देर से आती है, तो हम यहाँ नहीं रुकेंगे। कहाँ जा रहे हैं, निशानी छोड़े जा रहे हैं। कोई कॉमरेड अपने लिए दूसरे को खतम नहीं होने देगा।'

अरिजित की आवाज। जल का कल-कल शब्द। पत्थर उठाकर नीचे रखे लकड़ी के टुकड़े के तीर का फल जिस ओर है, उधर के हाइड-आउट में जाना हुआ है।

यह दोपदी की पसन्द है, रामझ की बात है। दुलना मर गया। किसी को मारकर नहीं मरा। पहले से यह सब दिमाग में नहीं आया, इसलिए वह उसके कारण हमले पर जाकर काउंटर में मारा गया। अब बहुत-से निष्ठुर नियम हैं, सहज और समझ में आनेवाले हैं। दोपदी लौटे तो अच्छा है, न लौटे तो बुरा। हाइड-आउट बदल दो। निशानी ऐसी होगी कि अपोजीशन[3] देख न पाए, देखकर समझेगा नहीं।

पीछे पैरों का शब्द। दोपदी फिर घूमी। यह साढ़े तीन मील के विशाल टीले और घने जंगल में घुसने की अच्छी राहें हैं। दोपदी वह सब पीछे छोड़ आई है। सामने थोड़ा समतल है। उसके बाद फिर ऊँचा-नीचा। ऐसे ऊँचे-नीचे में कभी आर्मी कैम्प नहीं लगाया गया। इधर सूना है। भूल-भुलैयाँ। सारे टीले देखने में एक-दूसरे की तरह हैं। ठीक है, दोपदी सियार को मरघट ले जाएगी।

पतितपावन को तो श्मशान काली के नाम पर बलि दिया गया था।

"ऐप्रीहेंड!"[4]

एक टीला उठ खड़ा हुआ। एक और। और एक। प्रौढ़ सेनानायक एक साथ खुश और निराश था। इफ यू वांट टु डेस्ट्रॉय एनेमी बिकम वन।[5] वे वही बन गए। छह बरस पहले भी वे उसके प्रत्येक मूत्र को ऐंटीसिपेट कर सकते थे, अभी भी कर

---

1. दस्ते
2. छिपने की जगह बदल देंगे।
3. विरोधी
4. हिरासत में ले लो।
5. अगर दुश्मन को खत्म करना है तो दुश्मन बन जाओ।

पाते हैं, खुश। साहित्य से जुड़े रहने के परिणामस्वरूप 'फर्स्ट ब्लड' पढ़कर उन्होंने उनके विचार और उद्देश्यों का समर्थन देखा था।

दोपदी उन्हें धोखा न दे सकी, दुःख और निराशा की बात है। कारण दो तरह के हैं। छह बरस पहले मस्तिष्क-कोष में संगृहीत तथ्यों के आधार पर लिखा उनका प्रबन्ध प्रकाशित हुआ था। उन्होंने सिद्ध किया था कि वे इस संग्राम के समर्थक हैं, कटैयों के परिप्रेक्ष्य से। दोपदी कटैया मजदूरिन है। वेटरन फाइटर। सर्च ऐंड डेस्ट्राय। दोपदी माझिन ऐप्रिहेंड होने चली है। डेस्ट्राय होगी। अफसोस है।

"हाल्ट!"

दोपदी ठिठककर खड़ी हो गई। पीछे के पैरों की आवाज सामने आकर खड़ी हो गई। दोपदी के कलेजे में कनाल का बाँध टूट गया। सत्यानाश। सूर्य साउ का भाई रतनी साहु। सामने के दो टीले आगे आए। सोमई और बुधना। वे ट्रेन से नहीं भागे।

अरिजित की आवाज : 'जब जीते वैसा समझो, जब हारे तो समझकर दूसरों के स्टेज से काम करो।'

दोपदी ने अब दोनों हाथ फैलाकर आसमान की ओर मुँह उठा, जंगल की ओर घूमकर, सर्वसत्ता की शक्ति की ओर कलकल शब्द किया—एक बार, दो बार, तीन बार। तीसरे कलकल से झाड़-खानो जंगल के अंचल के पक्षी रात की नींद से उठ पंख फड़फड़ाकर उठ बैठे। कलकल की प्रतिध्वनि बड़ी दूर तक गई।

[3]

शाम के छह बजकर सत्तावन पर दोपदी माझिन ऐप्रीहेंडेड हुई। उसे लेकर कैम्प तक पहुँचने में लगता था एक घंटा। ठीक एक घंटा पैदल चले। किसी ने उसके शरीर को हाथ नहीं लगाया। और उसे कैन्वस के स्टूल पर बैठाया गया। आठ बजकर सत्तावन पर सेनानायक का डिनर-टाइम हुआ और 'उसे तैयार कर ले आना। डू द नीडफुल' कहकर वे अन्तर्धान हो गए।

उसके बाद क्षण-भर के लिए चाँद क्षीण हो गया। एक क्षण चान्द्र वर्ष। लक्ष आलोक-वर्ष के बाद द्रौपदी ने आँखें खोलीं, बड़े आश्चर्य से आकाश और चाँद को ही देखती रही। धीरे-धीरे उसके मस्तिष्क से ललछौंहा आलपीन का सिरा खिसक-खिसक जाता था। हिलने पर वह समझती थी कि अभी भी उसके दोनों हाथ दो खूँटों में और दोनों पैर दो खूँटों में बँधे हैं। कूल्हों और कमर के नीचे कुछ

चिपचिपा-सा था। उसी का खून था। सिर्फ मुँह में कपड़ा न था। बड़ी प्यास। कहीं 'पानी' न कह उठे, इस डर से वह दाँतों को भी होंठों से दाबे हैं। समझ गई कि योनिद्वार से रक्तस्राव हो रहा है। बहुत-से लोग उसे ठीक कर लेने आए थे!

शर्म से उसकी आँखों के कोरों से आँसू बहने लगे। मटमैले चाँद के प्रकाश में धुँधली आँखें नीचे की ओर झुकाने पर अपने दोनों स्तनों पर उसकी नजर गई। वह समझ गई कि हाँ, उसे अच्छी तरह ठीक किया गया है। अब वह सेनानायक को अच्छी लगेगी। दोनों स्तन काटकर क्षत-विक्षत और दोनों वृन्त छिन्न-भिन्न थे। कितने लोग थे? चार-पाँच, छह-सात—उसके बाद द्रौपदी को होश न रहा।

एक ओर आँखें फेरकर उसने कुछ सफेद-सफेद देखा। उसका ही कपड़ा था। और कुछ नहीं देखा। उसने सहसा दैव-कृपा की आशा की। सम्भवतः वे लोग उसे फेंक गए हैं, यह सोचकर कि सियार नोचकर खा जाएँगे। लेकिन उसके कानों में पैरों के घिसटने की आवाज आई। गरदन घुमाती है और बेनेट पर झुका सन्तरी खड़ा उसकी ओर देखता है और मुस्कुराता है। द्रौपदी आँखें बन्द कर लेती है। बहुत देर इन्तजार नहीं करना पड़ा। फिर ठीक करने की प्रक्रिया शुरू हुई। चलती रही। चाँद कुछ चाँदनी को उलटी कर सोने चला गया। रह गया सीधा अन्धकार। थोड़ा लाचार होकर पैरों को फैलाकर निश्चल शरीर होकर चित पड़ा रहा। उसके ऊपर सक्रिय मांस का पिस्टन उठता था और गिरता था, उठता था और गिरता था।

उसके बाद सवेरा हो गया।

उसके बाद द्रौपदी माझिन को तम्बू में लाया गया और सूखी घास पर छोड़ दिया गया। शरीर पर कपड़ा डाल दिया गया।

उसके बाद ब्रेकफास्ट, अखबार पढ़ना, रेडिओ मेसेज, 'द्रौपदी माझिन ऐप्रिहेंडेड' खबर भेजना इत्यादि हो जाने पर द्रौपदी माझिन को लेकर आने का हुक्म होता है।

लेकिन यहाँ पर सहसा गड़बड़ शुरू हो गई।

'चल' कहते ही द्रौपदी उठ बैठी और पूछती है, "कहाँ चलने को कहता है?"

"बड़े साहब के तम्बू में।"

"तम्बू कहाँ है?"

"वह।"

द्रौपदी लाल-लाल आँखें निकालकर पास ही तम्बू देखती है। कहती है, "चल, मैं आ रही हूँ।"

सन्तरी पानी का लोटा बढ़ा देता है।

द्रौपदी उठ खड़ी होती है। पानी का लोटा जमीन पर उलट देती है। धोती

दाँतों से खींच-खींचकर फाड़ती है। इस तरह की हरकत देखकर सन्तरी 'बावली हो गई'—कहकर भागा हुआ हुक्म लेने जाता है। वह कैदी को ले जा सकता है, लेकिन कैदी अगर नासमझ हरकत करे, इसे वह नहीं जानता। इसीलिए ऊपरवालों से पूछने जाता है।

जिस तरह जेल में पगली घंटी बजने पर होता है, भाग-दौड़ शुरू हो जाती है, उसी तरह फौज का अफसर ताज्जुब से निकलकर देखता है कि सूर्य की तेज रोशनी में नंगी द्रौपदी सीधे उसी की ओर आ रही है। संत्रस्त सन्तरी उससे कुछ दूर पर है।

''यह क्या?'' कहते-कहते वह कुछ रुक जाते हैं।

द्रौपदी उनके आगे आकर खड़ी हो गई। नंगी। अरू और योनिकेशों में थक्के-के-थक्के रक्त। दोनों स्तन घायल।

''यह क्या?'' उन्होंने डाँटा।

द्रौपदी और पास जाती है। कमर पर हाथ रखकर खड़ी हो जाती है, हँसकर कहती है, ''तेरी तलाश का मानुस, दोपदी माझिन। ठीक कर लाने को कहा था, सो किस तरह ठीक किया है, देखेगा नहीं?''

''उसकी धोती कहाँ है, धोती?''

''पहन नहीं रही है, सर। फाड़ डाली है।''

द्रौपदी का काला शरीर और समीप आता है। द्रौपदी दुर्बोध्य है, फौज के अफसर के निकट एकदम दुर्बोध्य हँसी से काँपती है। हँसने में उसके विक्षत होंठों से खून बहता है और वह खून हथेली से पोंछकर द्रौपदी कलकल की आवाज लगाने की-सी भीषण, आकाशभेदी, तीखी आवाज में बोली, ''धोती, क्या होगी धोती? नंगा कर सकता है, कपड़े क्यों पहनाएगा? तू मरद है?''

चारों ओर देखकर द्रौपदी खून से सने थूक को थूकने के लिए फौजी अफसर की सफेद बुशर्ट चुन लेती है और उस पर थूककर कहती है, ''यहाँ कोई आदमी नहीं जो शर्म करूँ। धोती मुझे पहनने को मत देना। और क्या करेगा? ले, काउण्टर कर ले, काउण्टर कर...!''

द्रौपदी दोनों मर्दित स्तनों से फौज के अफसर को धकियाती रहती है और यह पहला अफसर निरस्त्र टार्गेट के सामने खड़े रहने में डर रहा है, बहुत डर रहा है।

जल

आदमी का नाम था मघई। जात से डोम था। उम्र अस्सी वर्ष। चेहरा जले हुए पुराने ठूँठ बरगद की तरह पुराना और झुलसा। चरसा गाँव के डोमपाड़ा में आज भी उसका सम्मान है। उससे पूछे बिना कोई किसी कामकाज को नहीं करता है।

मघई का शरीर दुहरा हो गया था, छाती के बाल सफेद। बाँस चीरकर टोकरी, सूप, फूल रखने की डलिया, छोटी टोकरियाँ बनाने के सिवा दुनिया में वह अधिक फैलाव न कर सका। फिर भी वह इस प्रकार से लोगों का आदर पाता कि लगता कि सहज अधिकार से राजा राज कर ले रहे हों। मघई की आँखों में वही सहज अधिकार की दृढ़ता रहती।

मघई गुणी था। उसे पाताल के पानी का पता था। रात-भर उपवास कर सवेरे स्नान कर धुला कपड़ा पहनता, पलाश के पत्ते पर चावल-घी-चीनी लेता, मन्त्र पढ़ता और चलता रहता। उसके बाद जहाँ रुककर अंजली खोलकर चावल छिड़कता वहाँ डाइनामाइट से उड़ा देने पर पानी निकल पड़ता, कुआँ बन जाता।

चरसा सूखे और अनावृष्टि की धात्री भूमि था। चारों ओर धूप से जली, ललछौंही, हिंस्र और वन्ध्या भूमि थी। क्षितिज तक लेटेराइट जोन[1], बीच-बीच में क्रिस्टलाइन रॉक फोल्ड[2]। गरमी की रातों में अमावस्या में भी काला नहीं दिखाई देता था। धूमिल आकाश। आदिवासी कहते : 'सिम्बोडा ने धरती सिरजते समय चरसा को गलती से बना दिया।'

चरसा ब्लॉक की छाती पर से बहती थी चरसा नदी। आषाढ़-श्रावण और भादों में वह बाढ़ में डूबा देती। शरत् में पानी की कमी, जाड़ों में पतली धार, वैशाख और ज्येष्ठ में वह नैरंजना रहती।

चरसा में हर बरस रिलीफ आता। रिलीफ के रुपए लेता सन्तोष पुजारी। तीन

---

1. लौहवत भुरभुरा पीला रंगमंडल
2. रवादार पत्थर

पीढ़ियों से रिलीफ ही उसका पेशा था। रिलीफ के रुपयों से हर साल इस गाँव में बहुत-से कुएँ खुद गए।

बहुतेरे कुएँ थे, बहुत-सा पानी था। चैत-वैशाख में पानी बहुत कम हो जाता था, फिर भी रहता था। आषाढ़-श्रावण में पानी अगाध रहता।

कुओं की बात सोचकर मघई के कलेजे में दर्द होने लगता। पेट की सन्तान को जन्म देने के बाद उसे दूसरों को दे देने की-सी व्यथा। हर बार कुआँ खोदने के पहले सन्तोष पुजारी उसके पास आता था।

"चलो भाई, गाँव के भगीरथ!"

"क्यों, ठाकुर?"

"पानी का पता लगा दो।"

मघई ने पूछा, "कहाँ कुआँ बनेगा?"

"वह तो तुम बताओगे, भाई।"

"कुआँ! कुएँ से हमें पानी मिलेगा?"

"क्या तुम्हें पानी नहीं मिलता है?"

मघई इस बात का जवाब न दे सका। पानी न देकर अगर सन्तोष पुजारी जान-बूझकर कहे, "तुम्हें क्या पानी नहीं मिलता?" तो मघई जवाब न दे सका।

लेकिन मघई का लड़का धूरा बोला, "हमें पानी नहीं मिलता, आप लोग पानी देते नहीं, फिर बेकार की खोज का काम क्यों किया जाए, ठाकुर?"

सन्तोष पुजारी की आँखें लाल हो गईं। बोले, "पानी नहीं देते? किसे पानी नहीं देते?"

"डोम, चमार, चंडालों को पानी नहीं मिलता।"

"पानी के बिना कीड़े-मकोड़े तक नहीं जिन्दा रहते। तू पानी के बिना जिन्दा है, धूरा?"

"न। चरसा की छाती फोड़कर सोता निकालते हैं, उसमें रातभर पानी जमा होता है, उस पानी का हमें पता है। पंचायती कुआँ, सबका कुआँ, उससे पानी नहीं मिलता। दिन में तुम लोग गाय-भैंसों को नहलाते हो, वहाँ से रखवाला लाठी लेकर भगा देता है। रात को जाएँ तो बालटी की आवाज सुनकर तुम कुत्ते लगा देते हो। पानी लेने के लिए, ठाकुर, रात में चोरी करनी पड़ती है, फिर भी..." धूरा गुस्से में भरा, रूखी आवाज में कह रहा था, "फिर भी सारे कुएँ मेरे बाप ने दिखाए थे। उससे बने थे।"

"इसीलिए तू इतना गरम हो रहा है?"

"नाः। उससे गरम नहीं, ठाकुर। गुस्सा मुझे अपने बाप पर है। इतना होने पर

भी उसे अकल नहीं आती। फिर भी वह तुम्हारे कहने पर पानी दिखाने चला जाता है।''

मघई बोला, ''चुप हो जा, धूरा।''

प्यार-भरे स्वर में नहीं, वह समाज के शीर्ष-स्थान मघा डोम की आवाज में बोला था। वह आवाज दबाने, डराने, धमकानेवाली थी।

धूरा चुप हो गया।

मघई उसी आवाज में सन्तोष से बोला, ''तुम घर जाओ, ठाकुर। धूरा झूठ नहीं कहता है। पानी तुम नहीं देते, दोगे भी नहीं, फिर उस पर बात क्यों बढ़ाई जाए?''

''तुम नहीं चलोगे?''

''जाऊँगा। यह मेरे वंश का काम है, वह काम करूँगा। नहीं तो पुरखों का अपमान होगा।''

मघई फिर गया। चरसा गाँव के लोगों ने मघई की 'जल की खोज' बहुत देखी थी। हर बार आश्चर्य में पड़ गए थे। इस बार भी देखी, नस सिरे से ताज्जुब में पड़े।

ताज्जुब में आने की ही बात थी। चारों ओर आग फुँक रही है। धरती हो, खेत हो--सब जैसे धूप में जलकर राख हो गये हों। पेड़ तक बदरंग, बौने, बिना पत्तों के हो रहे थे। ऐसे में पानी कहाँ रह सकता है, यह किसी की कल्पना में नहीं आ सकता।

सवेरे से पहले ही चरसा के लोग आकर जमा हो गए। जमा हो गए 'पहाड़ी' के ऊपर।

किसी दिन शायद मघई की जवानी में चरसा की छाती में बड़े जोर की बाढ़ आई थी। मटमैले पानी के पहाड़-के-पहाड़ बड़े क्रोध से चले आ रहे थे। गाँव की अधिष्ठात्री देवी बड़ाम्-मा भागकर न रोकतीं तो बाढ़ चरसा गाँव को डूबा देती। सवेरे देखा गया कि बड़ाम्-मा की नाक में नथ नहीं है, आँचल खिसका हुआ है।

उस बार पानी उतर जाने के बाद शरत् में मघई आदि ने तय किया कि बाढ़ रोकने के लिए गाँव के पच्छिम की ओर पाड़ उठाएँगे। तभी बाँध या 'पहाड़' बनाना शुरू हुआ। कातिक से चैत तक काम चला। वैशाख-ज्येष्ठ में 'पहाड़' सूखता। बरसात में जो मिट्टी बह जाती, उसे जाड़ों में ठीक कर देते। कुछ दिनों में मिट्टी सूखकर पत्थर-सी हो जाती। फिर वह मिट्टी बरसात में न गलती।

'पहाड़' बनाने में मघई जो मिट्टी खोदता, उसके गड्ढे में पानी भरकर कुआँ-सा हो जाता। वह गड्ढा बहुत दिनों तक मघई के काम आता। उसके बाद बरसात में मिट्टी खिसककर गड्ढे में भर जाती। कीचड़-मिला पानी रह जाता।

उसमें डोमपाड़ा के सूअर लोटते रहते।

'पहाड़' लड़के-बच्चों और बकरी के बच्चों की उछल-कूद करने की अच्छी जगह थी। उन्हीं 'पहाड़ों' पर सवेरा होते ही गाँव के सब लोग आकर जमा हो जाते। उसके बाद डिम्-डिम्-डिम् और सिंगी की आवाज सुनाई देती। एक छोटा-सा जुलूस डोमपाड़ा की ओर से आ रहा था। आगे नथुनी दुसाध ढोल पर चोट लगा रहा था, पीछे पारस डोम सिंगी बजा रहा था। बीच में मघई था। वह साफ धोती पहने था जो आगे दो हाथ फैली थी, हाथों की अंजुली में पलाश का पत्ता था। पत्ते में चावल, घी, चीनी थी।

मघई की आँखें आधी खुली थीं। माथे पर पसीने की बूँदें थीं। वह ऐसे सीधा चल रहा था, जैसे कोई आदमी सपने में चलता हो, सुबकता हुआ घूमता है, घूमने की थकान की मेहनत से पसीना बहता है और वह दीन होकर प्रार्थना करता चलता है :

'हा मा पाताल-गंगा
इतना पुकारता हूँ, उत्तर दे।
बोल तो मा पाताल-गंगा
तेरे हाथ में है राखन-पालन,
रक्षा-सिरजन-जीवन-मरण।'

इस मन्त्र से वह पाताल-निवासी जल को पुकारता और दया करने को कहता। वह जानता था कि बाहर की यह सूखी, जली, गेरुआ मूर्ति पाताल-गंगा की छलनामात्र है। इस दग्ध श्मशान के नीचे रूपान्तरित शिला और बाढ़ की मिट्टी की बनी शिला कहाँ बहकर सबटरेनियन[1] नदी, कहीं पेरेनियल[2] जलस्रोत है–वह मघई को मालूम है। वह जल की अधिष्ठात्री निराकार पाताल-गंगा देवी हैं। वह ही सारे गुप्त जल की धात्री हैं और संरक्षयित्री हैं। मघई डोम उनका भगीरथ है।

मघई की पुकार पर देवी प्रसन्न होती हैं। मघई खड़ा हो जाता है। उसकी अंजुली से चावल-घी-चीनी गिर पड़ते हैं। मघई थरथर काँपने लगता है। काँपते-काँपते स्थिर हो जाता है। उसके बाद लड़के के हाथ से सब्बल लेता है। धरती में तीन चोट मारता है और वहाँ एक पत्थर रख दिया जाता है।

मघई सूखे गले और सूखे होंठों से कहता है, "यहाँ पूजा करके धरती खोदना।" धरती की पूजा कर 'जल के लिए खोद रहे हैं माँ, बुरा न मानना' कहकर माफी माँगी।

1. भूमि के नीचे बहनेवाली
2. सदा बना रहनेवाला

मघई की भूमिका यहाँ समाप्त हो जाती है। परवर्ती भूमिका सन्तोष के साले ठेकेदार की है। वह आदमी लाकर मिट्टी ड्रिल कर डाइनामाइट ब्लास्ट करता है। ब्लास्ट करते ही पानी निकलने लगता है।

उसके बाद आती है राज-मिस्तरी की भूमिका। कण्ट्रैक्टर सन्तोष का चचेरा भाई था। कुआँ बना। पक्का कुआँ, कुएँ के नीचे का हिस्सा भी पक्का। उस कुएँ में बहुत पानी था।

मघई रात में कुदाली लिये चरसा की छाती में सोता खोदने चला। चरसा और उसका सम्बन्ध अद्भुत है। सोत खोदते-खोदते मघई को अँधेरे में दिखाई दिया कि चरसा नदी नहीं है, कुलबुल करती व्यक्तित्वमयी प्रणयिनी युवती है। चरसा खिलखिलाकर हँस रही है और शब्दहीन भाषा में कह रही है :

देहौं न सहज ही जल
पताले रखे हौं जल।
पहिले हमार छाती फोड़ौ
तब हीं देहौं जल।
देहौं नाही तोहे
तोरे बहू-बिटियै दे हौं।

मघई बड़बड़ाकर बोला, "वे लोग जल नहीं देते, इससे तेरे पास आए हैं। तू ऐसा क्यों कर रही है? ऐं—कलेजे में जोर से चोट मारूँ? लेः, कुदाली चलाऊँ?"

धूरा एक और स्रोत खोदते-खोदते बाप का प्रलाप सुन रहा है और कहता है, "पानी-पानी-पानी करते-करते पागल हो गए हो। किससे बातें कर रहे हो?"

मघई अँधेरे में मुस्कुराता है।

रातभर में चरसा के सोते में बूँद-बूँद कर पानी निकलता है। सवेरा होने के पहले डोम-चमार-चंडाल लोगों की लड़कियाँ, पत्नियाँ, माताएँ वह पानी भर लेती हैं। पूर्व के आकाश को लाल करते हुए तेज गरमी का सूर्य दहकता हुआ उदय होता है। गरमी से सोते का पानी सूख गया। पहाड़ से औरतें बर्तन लेकर लौटने लगीं। आकाश की पृष्ठभूमि उन्हें भ्रान्ति लगी।

आषाढ़ के अन्त में चरसा में बाढ़ न आने तक पानी के लिए यही प्रागैतिहासिक परिश्रम चलता रहता।

आषाढ़ में चरसा में बाढ़ आने पर मघई पहाड़ पर बैठकर बाढ़ देखता और स्वैरिणी नदी को गालियाँ देता।

[2]

जितेन माहिती ने मघई को पहली बार इसी हालत में देखा।

वे चरसा ब्लॉक के बुनियादी प्राइमरी स्कूल के मास्टर थे। चरसा में बुनियादी स्कूल चलाने आकर धीरे-धीरे उनके दिमाग में कुरेदन हुई कि भारत पर शासन करना मुश्किल काम है। अलगाव और भेदाभेद ज्ञान मनुष्य के रक्त में है।

संविधान जो भी कहे, जितना भी कहे, संविधान की दृष्टि में सुजात-कुजात में कोई अन्तर नहीं है—काम के समय उनकी झोंपड़ी में पतित, सन्तोष-पवन के बाल-बच्चे पढ़ने नहीं आते। वे तेनूखाली ब्लॉक के स्कूल में जाते हैं। उस गाँव में ऊँची जात के हिन्दुओं की संख्या अधिक है। उनके बाल-बच्चे स्कूल में पढ़ते हैं।

उनके स्कूल में आते डोम-चमार-चंडाल-दुसाध। बाल-बच्चों की एक समस्या और थी। छात्र-छात्री आज आते, कल बकरियाँ चराने चले जाते, परसों लकड़ी जमा करने जाते, तरसों पढ़ने आ जाते। दूसरे दिन चरसा के किनारे केकड़े पकड़ने चले जाते।

कभी-कभार कोई लड़का वजीफे की परीक्षा देता। वह गाँव, स्कूल, विद्यार्थी, अध्यापक—सबके लिए ऐतिहासिक घटना होती। लेकिन इस तरह की एक घटना से इतिहास तो आगे नहीं बढ़ता। जितेन माहिती ने देखा कि लड़के अशिक्षित रहने पर खेती-बारी या ऐसा ही कुछ करते। थोड़ा-कुछ सीखकर वैसा नहीं करते और गाँव के लिए अनुपयुक्त हो जाते। बहुत अधिक पढ़-लिखकर कुछ न करने पर देखा कि पीछे से सहारा देनेवाला न रहे तो उनके लिए संरक्षित काम मिलना भी सम्भव नहीं।

परिणाम यह हुआ कि जितेन माहिती को दोनों ओर से कष्ट मिला। इनमें सबको 'वन में रहता बाघ, पेड़ पर रहता पाखी' पढ़ना-लिखना सिखाने में विद्यार्थी का भविष्य अँधेरा, न सिखाने पर उस पर अन्याय करना होता। न सिखाने पर बहुत अनुचित काम, सिखाने पर गड़बड़। इसलिए संशय में पड़े मन को 'चुप रहो' डाँट लगाकर वह प्राइमरी चलाते रहे।

स्कूल सरकारी योजना का परिणाम था। सरकारी योजना बीज-धान खाद्य शस्य, खाद, कुटीर उद्योग में प्रोत्साहन मघई आदि को तो नहीं मिलता, लेकिन इसलिए स्कूल की सुविधा क्यों न मिले?

बरसात में विद्यार्थी पानी में छपछप करते, मछली पकड़ने भागते। तब जितेन माहिती भी निकल पड़ते। अभ्यास था। बहुत दिनों तक ग्राम-सेवक थे। बयालीस में जेल काटी थी। छियालीस में दंगा-विरोधी जुलूस निकाला था, सैंतालीस से

ग्रामसेवक समिति बनाई। वहाँ रहनेवाले बहुत लोग रहने पर भी बुनियादी शिक्षा के मामले में अपने को समर्पित कर सबको छुटकारा दे दिया था। सब लोग उनसे खुश थे, क्योंकि बयालीस में एक बरस जेल में रहने का रेकॉर्ड रहने से जितेन माहिती ठेकेदारी, बड़ी नौकरी, जो भी चाहते वही कायदे से देनी पड़ती। कुछ भी न माँगकर साधु की भाँति उन्होंने देश के लिए फिर अपने को समर्पित करना चाहा। कैसी शान्ति है, कैसी शान्ति है! खद्दर नहीं पहनते। डबल शान्ति। खद्दर पहने कोई साधु आदमी भागे और लड़कों को पकड़ लाए और 'वन में रहता बाघ' पढ़ाए, अपने हाथों भात और जंगली तरकारी पकाकर खाए, इससे दूसरे खद्दरधारियों की मुसीबत होती।

इस तरह जितेन माहिती ने मेघावृत आषाढ़ की एक सवेरे देखा कि उनके सारे विद्यार्थी कोठरी के बाहर चले गए। काले-काले बादलों से चरसा के उस पार अँधेरा था। वे भी निकले। पहाड़ी पर चढ़कर चरसा की बाढ़ देखेंगे। सहसा देखा कि पत्थर के टूटने से बनी गूर्ति की तरह फटे हुए चेहरेवाला एक बूढ़ा, खजूर के पत्तों के बने छाते के नीचे बैठा अनार्य भाषा में चरसा नदी को 'आवारा' कहकर गाली दे रहा है।

जितेन बाबू की लिखाई-पढ़ाई विद्यार्थी-जीवन में समाप्त हो गई थी। उस समय उनको जो कुछ अच्छा लगता, आज भी वही अच्छा लगता है। चारों ओर प्रकृति की अपार रूप लहरी बहती हुई भी वह मन-ही-मन वड्र्सवर्थ और रवीन्द्रनाथ का पाठ कर प्रकृति-लाभ की पुनरावृत्ति करते रहते। यहाँ चुनकर मन-ही-मन 'फॉर हर द विलो वेण्ड' बोले। मन की दशा हिलकोरें ले रही थी। ऐसे समय एक ऊबड़-खाबड़ बूढ़ा नदी को 'आवारा' कह रहा है, सुनकर वह बहुत अधिक चौंक उठे।

परिवेश अनुकूल था। पहाड़ी से चरसा बहुत अच्छी दिखाई दे रही थी, आकाश और चारों ओर सीमाहीन हो रहे थे। जितेन माहिती क्षणभर में मघई की ओर आकर्षित हो गए। दूर से देखा था। मघई माने जल। वह पाताल-गंगा का भागीरथ था। उन्हें देखकर मघई बोला, "बीड़ी पिऊँगा, लेकिन साली दियासलाई नहीं लाया। एक तीली देंगे?"

मघई ने उन्हें मोल ले लिया। जन्म से साधु जितेन माहिती शिक्षा-प्रसार का पराजित योद्धा था। मघई पानी के मामले में पराजित योद्धा था। जितने माहिती का युद्ध आधुनिक मानव की सृष्टि था। मघई का संग्राम प्रागैतिहासिक था। बड़े बाघ ने छोटे बाघ को अधीन कर लिया।

दोनों ने आसपास बैठकर अत्यन्त सौहार्द से बहुत-सी बातें कीं। पृथ्वी के नीचे का जल, चरसा का जल, गढ़ैया का पानी—तमाम जलों के बारे में मघई की बातें सुनकर जितेन माहिती समझे कि वह एक छाते के नीचे बैठकर एक दुर्लभ

आदमी से सोंधी बीड़ी पी रहे हैं। मघई दुर्लभ व्यक्ति है, क्योंकि वह ओरिजिनल है। इस भारत में लगता है कि उस समझ को लेकर केवल गोंडवाना युग के डाइनोसर[1] के लिए ही जिन्दा रहना हो सकता है, क्योंकि सबके लिए रहने पर भी प्रामिथियस का आग का युद्ध जिस प्रकार उसके अकेले का था—जल के साथ मघई के ये प्रेम-भक्ति-राग-दुःख-निराश जटिल सम्बन्ध, उसके अकेले के हैं।

जितेन माहिती से मघई ने बहुत दिनों तक मसले की व्याख्या की, क्योंकि उनमें बहुत दोस्ती हो गई थी। बहुत दिनों से जितेन माहिती डोमपाड़ा में आते-जाते हैं। मद्यपान की बुराइयों के बारे में व्यर्थ उनका ध्यान खींचते हैं। उनका भोजन सूअर का मांस खाते। पारस डोम के बेटे को साँप के काटने से मरने-मरने होने पर उसे थप्पड़ मारकर लेक्सिन के प्रयोग से जिला लिया और सारे लोगों की नजर में देवता बन गए। डोमपाड़ा-दुसाधपाड़ा में आग लगने पर उनके पहले हाथ लगाने पर पंचायती कुएँ के पानी से आग बुझाई गई, जिसका नतीजा हुआ कि सन्तोष पुजारी के बिगड़ने और सदर में चुगली खाने से हाकिम की डाँट पड़ी। उसके नतीजे में एक घटना और हुई।

रात के दस बजे मघई धान की शराब पीकर अपनी शक्ति के नशे में जितेन माहिती के पास आकर बैठा और अपने मन की जटिल कन्दराओं से निकालकर एक स्यमन्तक मणि के प्रकाश में मघई ने मास्टर को जल-दान के बारे में प्रकाश दिखाया।

वह बोला, "मास्टर! तुम क्या सोचते हो? सन्तोष हम लोगों को पानी क्यों नहीं देता है?"

"क्यों?"

"पाकिस्तान बनने के बाद से सरकार ने जात-पाँत उठा दी है, क्या कहते हो?"

"हाँ।"

"उन अखबारों और रेडियो के बाबू लोगों से कहता हूँ।"

मघई ने अखबार और रेडियोवालों को 'आवारा रण्डी के बीमार बच्चे' कहकर गाली दी। उसके बाद नशे में कुछ देर बेहोश रहकर बोला, "जात-पाँत की हेकड़ी में वे हमें पानी नहीं देते हैं। फिर भी हाकिम कह गया है, वह सब गलत बात है। सरकारी रेकॉर्ड में लिखा है कि पच्छिम बंगाल में हरिजन निकाले नहीं गए हैं। यह मदराज नहीं है।"

"मद्राज नहीं, तमिलनाडु।"

---

1. आदियुगीन पशु

"वही होगा। मैंने साला पुरुलिया शहर नहीं देखा। किसी के लड्डू से मुझे क्या?"

"और क्या कहा?"

"और भी बातें हैं।"

मघई चतुर और तीखी हँसी हँसा। बोला, "वह इकहत्तर की बात है। मेरा लड़का धूरा बिगड़ा हुआ, बिसखोपड़ा था। चरसा के मोड़ पर बाँस के जंगल में कुछ शहरी लड़के पुलिस से भागे हुए आए थे। वह जाकर उनको खाना-पानी दे आता। उसके बाद अँधेरे में उन्हें ले जाकर स्टेशन पर चढ़ा आया करता। उसके बाद खुद जाकर स्टेशन पर मेरी फुफेरी बहन के घर शराब पीकर नशे में पुलिस को ठेंगा दिखाकर लौट आता। लौण्डा कैसा बेवकूफ है!"

"वे नक्सल थे?"

"वह कँक्सल-अँक्सल नहीं जानता। लो, नशा उतार दिया न। नशा रहते-रहते बताए दे रहा हूँ।"

"बताओ।"

"उस पर सन्तोष को बड़ा गुस्सा था। उसे भी वह पानी नहीं देता था।"

फिर मघई धूर्त और तीखी हँसी हँसा। उसके बाद बोला, "धूरा ने कहा—पानी मत दिखाओ। देखो मास्टर, अपने पुरखों का सिखाया काम है। यह काम न करने से हमें पाप लगेगा, करने पर भी पानी नहीं मिलता। पानी की परेशानी, बहुत परेशानी है।"

"तुम लोग कुआँ क्यों नहीं खोदते?"

"जल दिखा सकते हैं। कुआँ नहीं खोद सकते। दो हजार रुपए! कौन देगा?"

जितेन माहिती ने मघई के चले जाने के बाद पानी के बारे में सोचना शुरू किया।

पानी—धरती के भू-स्तर का सत्तर भाग पानी है। पानी के आने-जाने से भूमि बराबर कटती रहती है, धँस जाती है, फिर जमा हो जाती है। और मघई आदि को पानी नहीं मिलता। आबोहवा में जल की भूमिका महत्त्वपूर्ण है। मघई आदि को पानी नहीं मिलता था। मेंह, नमी और बरसात आबोहवा को प्रभावित करते हैं। मघई जल दिखाता है। जल जीवन-धारण के लिए आवश्यक है। कुआँ खोदा जाता है। जीव और उद्भिद् के प्रोटोप्लाज्म[1] का बड़ा अंश पानी है। प्लांट-सैप[2] और जीव-रक्त में जल का रहना और फोटोसिंथेसिस[3] आवश्यक है। कुआँ खोदा जाता

1. प्राण-रस
2. पौधों का शक्तिधारक रस
3. पौधों को हवा, धूप और पानी मिलना

है रिलीफ के रुपयों से। जमा किया पानी निर्मल होना अनिवार्य है। शहर के पानी के वितरण की व्यवस्था में विशुद्धिकरण की प्रक्रिया...।

रिलीफ मिलती है अंचल के लिए, लेकिन रिलीफ का काम कराके अंचल के आदमियों को मजदूरी देने की शर्त रहने पर भी सन्तोष के रँगरूटी कण्ट्रैक्टर बाहर से मजदूर लाते। उससे भी गाँव के रहनेवालों को जलन थी।

कुओं पर ऊँची जाति के हिन्दुओं ने कब्जा कर रखा था। थियरी, रेकॅर्ड, अखबारों की रिपोर्ट में पश्चिमी बंगाल में हरिजनों पर अत्याचार नहीं है; जाति के विषय में सहनशीलता है।

जितेन माहिती का दिमाग फिर गया था।

वह जागने पर पानी पीते। एक गिलास पानी उन्हें बहुत ताजगी देता। जल जब निर्मल होता है, तो वह गन्धहीन, स्वादहीन, स्वच्छ तरल पदार्थ होता है। थोड़ी मात्रा में जल वर्णहीन होता है, बहुत जल होने पर गहराई में निलछौंहा होता है।

बाहर जल का शब्द केवल थप्-थप्-थप् होता है।

तमाम जल देखा है जितेन माहिती ने। वर्षा के बरसने में इतना जल, चरसा की बाढ़ में बहुत जल, हिमालय की निर्जन गहनता में बर्फ के गलने से बने सैकड़ों-हजारों झरनों की बाढ़ से बरबादी—मघई आदि को पानी नहीं मिलता! जितेन माहिती को मघई की कही बातें याद आईं।

''पहले सिंबोङा ने धरती सिरजी। उन्होंने धरती पर पाप सिरजा—यह सन्थालों की बात है। उसके बाद धरती जल गई। उसके बाद पानी में डूब गई। उसके बाद केंचुए के मुँह और पिछले भाग में जो मिट्टी रहती है उससे नई धरती बनी। सो इतना पानी जाएगा कहाँ?

''अब हमारी बात। पाताल-गंगा ने सारा जल लेकर धरती में जमा कर लिया। मनुष्य ने उसे देखा नहीं। इसी से देवमूर्ति नहीं गढ़ी। इस धरती की गहराई में पत्थरों के नीचे बहु—त जल है। मुझे पता है। मेरे पुकारने पर जल आवाज देता है।

''तुम पूछोगे, कैसे मालूम? मालूम है रक्त से। किन्तु इत—ना जल! इत—ना जल! हमें जल क्यों नहीं मिलता? पानी मिलेगा या नहीं, यही सोचने में जीवन बीता जाता है, कब दूसरी बातें सोचें? वे शहरी लड़के तो धूरा से तमाम बातें सोचने के लिए कह गए। बदमाश मुझसे नहीं बताता।''

जितेन माहिती समझे कि वे मघई की ओर झुक रहे हैं। उन्होंने निश्चय किया कि सदर में स्कूल की ग्राण्ट के लिए प्रयत्न करने के लिए जाने पर एस.डी.ओ. से बात करेंगे।

[3]

एम.डी.ओ. बोले, "नॉनसेंस?"

"नॉनसेंस क्या?"

"देखिए, इस जिले में बहुत समस्याएँ हैं। ड्राउट-ड्राउट-फ्लड-फ्लड-ड्राउट-ड्राउट-फ्लड। चरसा ब्लॉक को नियमित रूप से रिलीफ मिलती है।"

"ब्लॉक को नहीं मिलती, एक आदमी को मिलती है।"

"सरकार रिलीफ किसके हाथों में दे? ब्लॉक में पढ़ा-लिखा कहने को वही आदमी है।"

"इसी से रुपए खा जाता है।"

"ओहो, मालूम है, मालूम है। इसे बी.डी.ओ. को देखना चाहिए। लेकिन सिस्टम ऐसा ही है।"

"मैं कहता हूँ, जात का मामला है।"

"नहीं।"

"नहीं?"

"ऑफिशली जब नहीं है, तब नहीं है।"

"मैं देखता हूँ कि है।"

"ओहो, अनऑफिशयली कहता हूँ कि रहेगा ही। आदमी के खून का संस्कार क्या कानून से चला जाएगा?"

"इन्तजाम कीजिए।"

"कैसे?"

"दबाव डालिए।"

"मशाई, कुछ होना नहीं है। कानून से कृषि-ऋण समाप्त हुआ। बेगार उठ गई। असल में हुआ क्या?"

"क्या हुआ?"

"वही महाजन-जमींदार उधार दे रहे हैं। वही अनरिकडेण्ड नियम से सूद खाते हैं। आदमी मरता है।"

"इन्तजाम कीजिए।"

"मशाई, मैं कौन हूँ? आप क्या कहेंगे, क्या मुझे मालूम नहीं है? जिले के करोड़ों रुपए सूद में जा रहे हैं और उसका हिसाब नहीं।"

"तो फिर?"

"हमारे करने को कुछ नहीं है। आपकी आँखों को अगर देखने में तकलीफ

होती है, तो पातुल चले जाइए। अच्छा गाँव है, कास्ट हिन्दू मेजॉरिटी है। बस-रूट पर है। स्कूल पक्का है, अलग सैनिटरी-पैखाना मिलेगा।''

''नहीं, मशाई।''

''लेकिन उन्हें भड़काइए मत।''

''नहीं।''

यथासमय खबर सन्तोष पुजारी को मिली। यह खबरों के आने-जाने का काम बड़ी तेजी से होता है। हुआ यह कि सन्तोष ने एक दिन जितेन माहिती को बुलाकर दावत दी। खिला-पिलाकर बोला, ''आप मेरे पीछे क्यों पड़े हैं?''

''आपके पीछे?''

सन्तोष पुजारी ने अत्यन्त विनम्रता से कहा, ''देखिए, इन जिले के लोगों से 'क्या करते हो' कहने पर कहते हैं–'रिलीफ करते हैं'। अनावृष्टि में सूखा, अधिक वर्षा होने पर बाढ़, यही हमारा रोजगार है। आप उसमें अड़चन डालते हैं। क्यों डाल रहे हैं, यह अच्छी तरह समझता हूँ। दूसरे की रिलीफ के दस आना-छह आने में क्यों आते हैं?''

जितेन माहिती की उम्र पचास बरस थी। वे अठारह बरस की उम्र से बेकार के काम करते रहे हैं। पहले उनका खयाल हुआ कि सन्तोष पुजारी मजाक कर रहा है। उसके बाद जब समझे कि मजाक नहीं है तो कुछ देर आश्चर्य में पड़े रहे।

उसके बाद बिगड़कर बोले, ''कह क्या रहे हैं? रिलीफ चोरी करने को कह रहे हैं? मुझसे?''

सन्तोष पुजारी उनको बिगड़ा देखकर हक्का-बक्का हो गए। उसके बाद अत्यन्त सरलता से बोले, ''मशाई! रिलीफ न होती तो खाता क्या? ऐं? बहन का ब्याह, लड़की का ब्याह, तीस लोगों का खाना कहाँ से होता? इस बीहड़ गाँव में नौकरी मिलेगी नहीं, रोजगार होगा नहीं। रिलीफ हमारे पुरखों का दिया काम है। आपको इसमें बुरा क्यों लगा? मैं कहता हूँ, इसलिए मन में जलन हुई हो तो हाकिम के कान क्यों भरे? मेरे साथ आएँ! ऐं? बुरी बात कही?

सन्तोष पुजारी का लड़का और भाई दोनों ही जितेन माहिती से जिद करने लगे–उन्हें भी आना होगा, रहना पड़ेगा। पढ़े-लिखे लोगों के हाथ में रिलीफ न जाने से लोगों का नुकसान है। इस बड़े गाँव में बहुत सुविधाएँ हैं। हाकिम की नजर नहीं पड़ती। बीच-बीच में कोई छोकरा आई.ए.एस. अफसर बन जाता है। वह कौन अच्छा है, कौन बुरा, कुछ भी नहीं समझता और अपने हाथों रिलीफ बाँटने का भार लेकर अपना ही नुकसान करता। यह गाँव उनके हद के बाहर है।

जितेन माहिती बोले, ''देखो, सन्तोष बाबू! काम तुमने बुरा किया है। मैंने

सभा की, गाँव को बचाया, बयालीस में जेल काटी, कांग्रेस में काम किया, ग्राम-सेवा की, कभी भी चार पैसे चोरी नहीं किए।''

सन्तोष पुजारी बोले, ''फिर डोमपाड़ा के धूरे को क्यों नचा रहे हैं? लौंडा बिसखोपड़ा है?''

''अच्छा कहा, सन्तोष बाबू। इस बार डोमपाड़ा में कुआँ क्यों नहीं बना?''

''वह आप नहीं समझेंगे।''

''क्या होगा?''

''सो क्या बताया जाएगा? आप उन्हें नचा क्यों रहे हैं? गाँव में क्या कम कुएँ हैं?''

''उन लोगों को पानी नहीं मिलता?''

''खूब मिलता है। वह हम-आप नहीं देख पाते। रात में वे लोग पानी चुराते हैं।''

जितेन माहिती ने हाकिम को अर्जी लिखी, ''यह आन्ध्र या दूसरा कोई राज्य नहीं है, इसी से यह नहीं कहा जा सकता कि हरिजनों पर अत्याचार हो रहा है। लेकिन हो वही रहा है। आपकी निष्क्रियता सन्तोष पुजारी के लिए सहायक हो रही है।

''यह सन्तोष पुजारी 'शिक्षित सज्जन' है। इसका परिचय क्या है? वह ब्लॉक का सबसे अधिक प्रभावशाली व्यक्ति है। उसकी निजी जायदाद की आमदनी बरस में आठ हजार रुपए है। उसकी बहुत-सी बेनामी जमीन है। उसकी सम्पत्ति का जरिया वंशानुक्रम से प्राप्त रिलीफ है।

''चरसा स्टेशन गाँव से तीन मील दूर है। वहाँ बिना लाइसेंस के चुआई शराब बेचने के लिए एक बार, एक कुली लड़की के बेचने के लिए दूसरी बार वह पकड़ा गया और दोनों बार छूट गया।

''सत्तर-इकहत्तर में गाँव में धान-कटाई को लेकर जब गड़बड़ हुई तो दोनों ही बार जाँच के लिए आया हुआ इंस्पेक्टर सन्तोष के घर पर ठहरा, यद्यपि सन्तोष दंगा करनेवालों के एक दल का सरगना था। उसके पास गैरकानूनी बन्दूक थी। दारोगा को यह मालूम था।

''यह आदमी किस तरह ब्लॉक के रिलीफ-मनी...?''

एम.डी.ओ. ने चिट्ठी नोट की और फौरन जितेन माहिती के बारे में तथ्य जमा किए। रिपोर्ट देखकर लगा कि देखने में यह जितना सीधा लगता है उतना सीधा है नहीं। हालत बदलने की तिकड़म, बयालीस में जेल काटने की प्रमाणित सूचना रहने पर भी यहाँ कारगुजारी करने की क्या जरूरत है? सन्देहजनक बात

है। खद्दर नहीं पहनता। और भी सन्देहजनक है। डोमपाड़ा से इतना घुलना-मिलना क्यों है? औरतों और शराब से निरासक्त क्यों है? सन्देहजनक है।

एस.डी.ओ. ने जितेन माहिती का नाम नोट कर रखा, उनका जिला अच्छा है। सूखे में और बाढ़ आने पर रिलीफ मिलती है। कर्जदार कर्ज लेता है, महाजन कर्ज देता है। रिलीफ के रुपयों से किसी-किसी ब्लॉक में मन्दिर जरूर बन रहा है, लेकिन मन्दिर-मस्जिद अच्छी चीजें हैं। धर्म आदमी को अपनी ओर खींचे रहता है।

इस समय अवांछित शिड्यूल कास्ट बेल्ट में कोई गड़बड, कोई चिंगारी उड़ी तो कहाँ आग लगेगी, कौन कह सकता है!

जितेन माहिती सन्देहजनक है। वह ऐसा कुछ शुरू कर सकता है कि जिसको काबू करने में एस.डी.ओ. की जान निकल जाएगी। इमरजेंसी के दिन गए।

· [4]

"अच्छे दिन च–ले गए मास्टर! लो, रस पियो।"

वर्षा-शरत्-हेमन्त बीत गए। शीत में ताजा खजूर का रस बर्तन में उँड़ेलकर मघई ने जितेन माहिती से यह बात कही।

एस.डी.ओ., सन्तोष पुजारी–सब उसका पीछा करते रहे, वह पीछा किया हुआ हिरन था। यह न जानते हुए जितेन माहिती भोले हिरन की तरह आनन्दित था।

खजूर का रस पीकर और चोंगा हाथ में लिये दोनों जाड़े से सिकडे चरसा के किनारे-किनारे चल रहे थे। धूप की गर्मी अब अच्छी लग रही थी। खिले फूल की तरह मघई को भी जानु-भानु-कृशानु शीत से मुक्ति देनेवाले थे। चलते-चलते मघई बोला, "साली छिनाल! सारा पानी खींच रखा है। आः! असाढ़ में जितनी बाढ़ थी उतना पानी अगर बाँध रखना आता!"

जितेन माहिती के मन में बात चुभ गई। क्यों चुभी रह गई, किस जरूरी काम से–यह उन्होंने नहीं समझा।

स्कूल की छुट्टी थी। बिना दूध की चाय बना और पीकर जितेन माहिती गुड़ की तलाश में परान् के घर जाएँ कि सहसा उनके दिमाग में विस्फोट हुआ। वे उसी समय मघई के घर गए।

"मघई हो? धूरा हो? सुनो, सुनो! बड़ा जरूरी काम है, जल्दी करो।"

"क्या हुआ?"

“चलो न।”

उन्हें लेकर जितेन माहिती चरसा का किनारा पकड़कर बालू को ठेलते हुए बहाव से उलटे चलने लगे। नदी में जहाँ पानी था, वहाँ यायावर पक्षियों का कलरव था। धूरा बोला, “धनुक ठीक कर लूँ, आपको पक्षियों का मांस खिलाऊँगा। ओः, कितनी चरबी रहती है! भूनकर खाया, फिर भी हाथों में चर्बी लग गई। जाड़ा और बढ़े तो पाखी आएँगे। तब अंडे खाऊँगा, मांस खाऊँगा।”

जितेन माहिती ने कुछ न सुना। जैसे कि सामने एलडोरेडो[1] देखा हो। खोए हुए से बढ़ते रहे।

मघई को ताज्जुब हुआ।

चरसा गाँव से डेढ़ मील चलकर नदी पतली हो गई थी। आधा मील पर उसके दोनों ओर तट ऊँचा था, जलकर झाँवा, मिनी गिरिमाला की तरह था। उस पर्वतमाला की कन्दराओं से केवड़े के गुच्छे नदी की ओर जड़ें लटकाए हुए झुके थे।

धूरा बोला, “यहाँ सूखे के दिनों में बहुत-से साँप रहते हैं और बरसात में यहाँ पानी कैसा टकराता है! गम-गम-गम आवाज होती है। ओः! पानी टकराता है, लेकिन किनारों पर नहीं फैल पाता। इसी से यहाँ सन्तोष ने जमीन ली है।”

जितेन माहिती बोले, “ठहरो।”

उत्तेजना में साँस खींचकर हाँफते हुए वह बोले, “मघई, इन्तजाम कर लिया?”

“किसका?”

“पानी का। बारहो मास जल मिलेगा।”

धूरा खुशी से उछल पड़ा। बोला, “बाबा! कहा था न कि तुम्हारा मास्टर पागल हो जाएगा? पागल हो गया। अरे ब्बाप रे, अब पानी देगा!”

जितेन माहिती बोले, “मघई ने अकल दी, तो सुनो! उसने कहा था, इतना पानी बाँधकर रखना अगर आता!”

“तो उससे क्या हुआ?”

“सुनो, इधर देखो। हजारीबाग जेल में अघोरीलाल ने बताया था कि इसी तरह तारा नदी से पानी लेते हैं। ठहरो, बालू में बनाकर दिखाता हूँ। य—ह समझ लो कि यह चरसा की जगह है। य—ह दोनों ओर किनारे ऊँचे हैं। इसी से जमीन नहीं डूबती। य—ह आधा मील है।”

“सो समझा, पर उससे क्या?”

---

1. काल्पनिक सोने की खान

"य–ह दोनों किनारे हैं। देखो, झाँवा पत्थर के ढेर हैं। उन्हें लाकर एक के ऊपर एक पाँत में दोनों ओर पाड़ की तरह ऊँचा कर रखें।"

मघई जल-शिकारी, जल-व्याध था। वह समझ गया। हाथ की बीड़ी रेत में फेंक दी। साँप देखकर जैसे नेवला एकाग्र हो जाता है, उसी तरह एकाग्र हो गया। बोला, "उसके बाद?"

"वहाँ पानी है।"

"उसमें सूखेगा न।"

"पहले बरस में भी सारा नहीं सूखेगा। अगर पत्थर के टुकड़ों से नदी की तली को पार्टी, बाद में बालू आएगी, कीचड़ आएगी। पत्थरों के बीच कीचड़ से दरार करेगी। बाँध हमारे हिसाब से सात फीट ऊँचा होगा। तीन फीट पानी सूख जाने पर भी चार फीट पानी तो रहेगा। उसे बाद में सरकार से लिखा-पढ़ी कर अगर सीमेण्ट से पक्का कर सके, तब?"

"कौन करेगा?"

"तुम लोग करोगे, जिन लोगों को पानी नहीं मिलता है। सब बेगार दो, सबको पानी मिलेगा। अभी से लग जाओ। चैत में गर्मी हो जाएगी।"

मघई बोला, "अभी लगते हैं।"

दोनों हाथ जोड़कर मघई भागा। किनारे पर चढ़ झुककर नदी से बोला, "अब तेरा छिनालपन ठीक हुआ। पानी देने में कितना छिनालपन था! यह देखो मास्टर, कुदाल से छाती फाड़कर सुसरी के नीचे से पानी खींच लूँगा। देखो, कैसे!"

धूरा बोला, "धान काटने के समय।"

"धान काटेंगे, बाँध भी बनाएँगे। धूरा, तू मुझे धान मत दिखा। अबकी पानी बाँधूँगा। उसके बाद रेत में कंकड़ बिछाऊँगा, मास्टर, कंकड़ बिछाऊँगा।"

जितेन माहिती बोले, "चलो, सबसे बताएँ। सबको खींचना होगा।"

धूरा बोला, "जो साला नहीं आएगा, उसे सूअर की तरह पीटूँगा।"

मघई बोला, "लेकिन माँ की पूजा करेंगे।"

सन्तोष पुजारी को यह सब अच्छा न लगा। बोला, "बड़म-माँ की पूजा? असमय क्यों? कुछ मिल गया है क्या? लॉटरी?"

मघई बोला, "तुम्हें उससे क्या? बड़म-माँ की पूजा तुम जब-तब नहीं किया करते हो?"

"कुआँ खोदने पर करता हूँ।"

"हम पानी लाएँगे।"

"कहाँ?"

“देख लेना।”

“अच्छा! चलो, गुड़, बताशे, चावल—सब ले आएँ। तो चलो।”

सन्तोष ने खुद आकर देखा। बोला, “वाह-वाह मास्टर! यह इंजीनियरिंग अकल आपकी है, ऐं? वाह-वा, ऐसे चार बाँध बँध जाएँ तो ब्लॉक की तकलीफ दूर हो जाए। फिर रिलीफ न लेनी पड़ेगी।”

“तुम्हारा तो पेशा है न?”

“ओ-हो-हो, वह मजाक की बात कह रहे हैं? वह क्या बात है, मास्टर? बाँध बनने से तो सबके लिए अच्छा है।”

मघई बोला, “अपनी जमीन में पानी लोगे न?”

“क्यों? यह बात क्यों पूछ रहे हो?”

“तुम न पानी दोगे, न पानी लोगे, साफ बात है।”

“पानी नहीं दिया। तुम लोगों को? तुम्हारा भला हो।”

धूरा बोला, “धान काटने के लिए आदमी बुलाते हो या नहीं?”

“नहीं रे, तू काटेगा? तेरे रहते मैं आदमी बुलाऊँ?”

मघई बोला, “यह रामराज हुआ, भाई मास्टर। सन्तोष अच्छी बात क्यों करता?”

“गुस्से में सब बुराई ही मत देखो, मघई।”

शीत की हलकी गर्मी में डोम-चमार-चण्डाल-दुसाध स्त्री-पुरुष बड़े-बड़े पत्थर उठाकर लाए और जमा किए।

वे गा रहे थे :

हेइ लंका। जेइ लंका!
मारे ढिबा, भारे ढिबा!

उनके उस गाने की इकट्ठी तान शीत की हवा में सूखे पत्तों के साथ बहुत दूर तक गई। सन्तोष पुजारी के दोमंजिले घर में। वहाँ से स्टेशन पर, स्टेशन से सदर, सदर में एस.डी.ओ. के घर पहुँची।

जवाब में एस.डी.ओ. के घर मीटिंग हुई। वहाँ से निर्देश आया। सन्तोष पुजारी गाँव में है। इसीलिए लोअर कास्ट स्त्री-पुरुष जितेन माहिती के नेतृत्व में चरसा की छाती पर क्या कर रहे हैं, यह जानने के लिए जाँच के लिए आदमी तैनात करने की जरूरत न हुई।

मतलब का निर्देश पाकर सन्तोष को बहुत ही अफसोस हुआ। अहा, हा, फन्दे में मघई भी फँसेगा। आदमी गुणी था। ‘था’ क्यों सोचते हो, सन्तोष? मघई अभी भी तो है। वर्तमान को अतीत सोचना क्या उचित है? अहा-हा, गुणी आदमी! सन्तोष के बाप की उमर का। उसके हाथों के बने बाँस के झूले में

सन्तोष बड़ा हुआ है।

सारी बुराई की जड़ जितेन मास्टर है। पढ़ा-लिखा आदमी, माहिष्य जाति का, अजात-कुजात का भला क्यों करेगा? उससे क्या भला हुआ? जहाँ जिसकी जगह है वह वहीं रहे, तभी ठीक है। उसका भी अनिष्ट करना पड़ेगा, सन्तोष महापापी है!

मघई के न रहने पर पानी कौन दिखाएगा? सरकारी जिओलॉजिस्ट[1] बाबू लोग? इलम आती है, इलम आती है, इलम आती है। तुम सैकड़ों यन्त्र आदि लेकर, मिट्टी पत्थर ब्लास्ट[2] कर जो करोगे, उसे मघई खेल-खेल में कर देता है। मघई और जितेन मास्टर—दोनों दो तरह के भले आदमी हैं।

उनका बुरा करने चला है सन्तोष। पछतावा! पछतावा!

आन्तरिक दुःख से सन्तोष ने गाँव लौटते ही माता के स्थान पर प्रसाद चढ़ाया और असंगत मात्रा में प्रसाद का जल-पान जितेन और मघई को भेजा। मानसिक पीड़ा से स्कूल फण्ड में रुपए दिए और दो ताड़ की बल्लियों के दाम मघई को माफ कर दिए।

बाँध चैत के अन्त में पूरा हुआ।

इस बार सूखा और तेज था। बड़ी दूर तक धूप की किरणें थीं। लेकिन इस बार कम वर्षा में पानी बहुत अधिक जमा हुआ। मघई बोला, "सुसरी ने समझ लिया है कि इस बार वह हार गई। इस बार उसे बाँध-बूँधकर पानी ले लेंगे। नदी में और गिरी औरत में फरक नहीं है। देखो, सारी नदियाँ गिरी औरते हैं, माँ गंगा पिथमी में माँ गंगा हैं, पाताल में पाताल-गंगा है, उसके बाद सारी नदी छिनाल औरत।"

बाँध के पत्थर पर बैठकर सूर्यास्त के समय जितेन माहिती और मघई की आश्चर्यजनक यारी चलती। दोनों ही चैत का अवसान, आषाढ़ का आगमन चाहते थे। मघई के प्रश्न और बातें—सबका केन्द्र जल था।

"माँ पाताल-गंगा से माफी माँग ली है। उन्हें पता है कि मैं उनका दास हूँ।"

"बाँध में पानी होने से क्या करेंगे?"

"कितने दिन तक देखेंगे!"

"बाँध में मछलियाँ छोड़नी होंगी।"

"मछली के बच्चे कौन लाएगा?"

"मैं और धूरा जाएँगे।"

"तुम्हारे देश में बहुत पानी है न?"

"बहुत पानी?"

---

१. भूगर्भवेत्ता

2. विस्फोट

"जल का हिस्सा-बाँट भगवान ने ठीक नहीं किया।"

"इस बार जल मिलेगा।"

"लड़के शराब पीकर हुल्लड़ मचा देंगे।"

"उसी आदत से तो मारे गए।"

"तुम्हें क्या पता? जिन्दगी में कभी पी है?"

"छीः, छीः!"

"मुझे वह बरदाश्त नहीं होती।"

"वह तो देख रहा हूँ।"

"तुम्हारा हाल क्या है?"

"क्यों?"

"कुछ नहीं। गृहस्थी नहीं की?"

"हुई ही नहीं।"

"आदमी जात। इस उमर में ब्याह हो जाना चाहिए।"

"धुत्, मघई!"

"यहाँ रहो, ब्याह करो।"

"क्या हो सकता है?"

"रहो, खेती करो, घर बनाओ। साइकिल खरीदो। रेडियो खरीदो। टॉर्च की बत्ती खरीदो।"

"ना भाई मघई, यह सब करने के लिए फिर से जन्म लेना पड़ेगा।"

"तब मरो। लो, बीड़ी पियो, माचिस दो।"

दोनों बीड़ी पीने लगे। चैत का जलता दिन जलते-जलते पश्चिम दिगन्त मर रहा था। धरती और हवा में गर्मी थी। फिर भी जितेन माहिती को मन में शान्ति मिल रही थी। बरसात की-सी शीतल करनेवाली शान्ति। रात में नींद में पानी देखा था, मानो कहीं जलता हुआ निःशब्द स्थान हो! मघई मानो हाथ उठाकर क्षितिज से आकाश होते चला आ रहा है। उसके पीछे एक निःशब्द जल की दीवार चली आ रही है। पृथ्वी का सत्तर भाग जल है।

वैशाख आया।

वैशाख गया।

ज्येष्ठ आया।

ज्येष्ठ गया।

आषाढ़ आया।

वर्षा आई। पानी।

आषाढ़ में सघन आकाश। सावन में वर्षा के बाद बाढ़ आई। मघई और जितेन माहिती भागकर पहाड़ी पर चढ़े।

ना। अब गलती नहीं है। गेरुआ बादलों के गरजने से चरसा बढ़ी आ रही है। फेनिल जल। मटियाले जल में बराबर भँवर और बहाव है।

मघई बोला, "चलो मास्टर, चलकर बाँध के पास देखें।"

बाँध की ओर देखकर मघई बोला, "इससे सुसरी की गरमी दूर नहीं हुई। देखो, देखो, टीला डूब रहा है। ओह, तुझे अक्कल नहीं है? टीला डुबा दिया?"

जितेन माहिती बोले, "देखो मघई, टीला डूबेगा, चला जाएगा? पहले ही समझ लो। इससे कोई नुकसान नहीं। वर्षा की बाढ़ में डूबेगा नहीं? टीला डूब जाए।"

"फिर?"

"भादों आए। बाढ़ मर जाएगी, वर्षा बीत जाएगी, तभी समझोगे कितना पानी रहा, कितना नहीं रहा?"

मघई बोला, "भँवर देखो, फेन देखो। इस्! कहाँ से बाँस-गाछ उखाड़कर ले आई राक्षसी? जाकर धूरा से कहूँ। आगे का मोड़ देखे। वहाँ बाँस रुके तो निकाल ले। ओः, बाँस का खूँटा, ताड़ का खूँटा, वह भी सोना से माँगना पड़ा।"

उसके बाद बोला, "इस भादों में पूजा—मनसा देवी की पूजा इस बार सार्थक होगी। तुम देखना, इस चैत में नदी में एक और बाँध बना लेंगे। बाँध-बूँधकर उसे काबू में करेंगे।"

आषाढ़ में बाढ़, सावन में बाढ़, भादों में बाढ़। घर-घर मनसा की पूजा हुई। मनसा माने वास्तु। वास्तु-पूजा के दिन तरह-तरह के पकवानों का आयोजन होता। दूसरे दिन चूल्हा नहीं जलता।

सन्तोष की कारगुजारी देखकर सबको ताज्जुब था। पूजा के दिन उसने मनसा की डाल और वास्तु देव को सिर पर लेकर बाँध के जल से उन्हें स्नान कराया। उसके बाद ढिंढोरा पीटकर अरन्धन[1] के दिन ठण्डा भात, पाँच तरकारियाँ, पाँच साग, कुम्हड़ा-पोस्त की चटनी मघई के पाड़े में बँटवाई।

जितेन से बोला, "सोचता हूँ कि आपके स्कूल का छप्पर बड़ा बनवा दूँगा। गाँव में स्कूल रहते लड़कों को तेनूखाली भेजता हूँ, यह ठीक नहीं है। आपने कॉलेज में दो दर्जे पास किए हैं, वह मास्टर तो मैट्रिक फेल है।"

धूरा बोला, "ठाकुर, ऐसे अच्छे कैसे हो गए—ऐं? किसी बार इतना प्रसाद नहीं दिया?"

मघई बोला, "तो बेटे, तुमको इससे क्या? हरामजादे, मिला है, तो खा ले।"

---

1. अरन्धन के दिन घर में कुछ पकाया नहीं जाता है, बासी खाते हैं।

मघई की मनसा-पूजा दूसरे तरह से थी। मघई ने पहले मनसा-पूजा की। उसके बाद चेहरे पर रंग मल, शराब पीकर, जुलूस बना, गीत गाते-गाते पहाड़ी के ऊपर कतार बाँधकर बाँध के ऊपर गया।

आज हलकी बौछार पड़ रही थी। हवा में वर्षा के झोंके थे। वे लोग गा रहे थे :

शंकिनी चित्राणी लगती माँ की कंचुकी
चितिबोड़ा साँप लगे माता की अंचली
कजरारा लगता माँ के नयनों में काजल
पतुरिया लागे माता पाँवों में ले पायल...।

जितेन माहिती ने उनका जुलूस देखा था। पहाड़ी पर खड़े होकर चरसा के पानी को देखना आजकल उनका सबसे जरूरी काम था। नाचते-नाचते मघई आदि ने चरसा के किनारे जाकर घड़ा डुबाया। उसके बाद घर लौटकर अभ्यस्त उपसंहार के रूप में खूब शराब पी।

एक और आदमी ने छप्पर के दोमंजिले की ऊपरी मंजिल से डोमों का जुलूस देखा। वह था सन्तोष पुजारी। ओह! शराब पीना जानते हैं ये। खुद ही बना लेते हैं। सन्तोष समझता है कि इसके बाद गाँव में रोब रखने के लिए उसे आस-पास के अर्थनीति के व्यापार पर कब्जा करना पड़ेगा। इस बार शराब का लाइसेंस लेगा। पुलिस लगाकर घर-घर शराब चुआना बन्द करना पड़ेगा। साले शराब के मामले में आत्म-निर्भर हैं।

वर्षा दिन-भर टप-टप बरसती रही। गेरुआ चरसा पर धूसर बरसात की झालर थी। केवड़े के झुण्ड से तीखी शराब की गन्ध निकल रही थी। सन्ध्या के बाद सन्तोष हाथ में टॉर्च और लाठी लेकर निकला। मघई के बाँध की ओर गया। बाँध उसे दिन-भर मद-भरी युवती की तरह आकर्षित करता रहा। सन्तोष भर-आँख देखेगा। संसार में मन को मतवाला बना देनेवाला रूप बहुत जल्दी गायब हो जाता है।

उसने रोशनी डाली। मनोहर, मनोहर! बाँध के दोनों ओर चरसा का पानी घुटनों तक था। बाँध में पानी छप-छप कर रहा था। सालों ने बाँध बाँधा है!

सन्तोष ने बड़ी सावधानी से बाँस की लाठी डुबाई। चेहरे पर धूर्तों-सी सावधानी थी, जैसे दूसरे की पत्नी के शरीर को हाथ लगा रहा हो। बहुत पानी है। बड़े दुःख के साथ सिर हिलाया। बाँध रहने से उसका ही भला है। दोनों किनारों पर उसकी जमीन है। बाँध को मोल ले लेगा, मछलियाँ डालेगा! सन्तोष ने मन की आँखों से देखा कि उसके बाँध में उसकी छोड़ी मछलियाँ किलोलें कर रही हैं। आहा! कम्पनी ने क्या होशियारी की है, जंगल, नदी, पहाड़। रेल, पोस्टापिस,

थाना—इनसे सन्तोष की मिल्कियत नहीं चलती। बड़े दुःख के साथ सन्तोष ने 'साले' कहा और बाँस को पानी में फेंककर चला आया।

मनसा-पूजा बीत गई। भादों बीता। क्वार के लगभग बीच में बाजे बजने लगे। पूजा के पहले बोधन पर्व के नहीं। उत्सव के बाजे। क्वार के अन्त में पूजा होती है। सन्तोष के मण्डप में प्रतिमा पर मिट्टी लगती है। सन्तोष की जिद है कि इस बार पूजा में एस.डी.ओ. को बुलाना होगा। दारोगा और बी.डी.ओ. तो बहुत बार आ चुके हैं। बाजा सुनकर सन्तोष ने अपने महिन्दर गौर से कहा, "यह बाजा कैसा सुनाई दे रहा है?"

"डोमपाड़ा में है।"

"परब है?"

"नहीं, नहीं।"

बाबू की अज्ञता पर गौर हँसा और बोला, "बाँध से जल बाँधा है। इसलिए वे लोग वहाँ जाकर धान की शराब पिएँगे, नाच-गाना करेंगे, मास्टर को माला पहनाएँगे। बड़ा जोश है।"

"मास्टर जाएगा?"

"हाँ, बाबू।"

"और कौन-कौन गया है?"

"डोम-चमार-चण्डाल—कोई भी घर में नहीं है। जल कैसा सुन्दर है, बाबू! देख आया, मिट्टी बैठकर साफ हुआ है। और भी बहुतेरे लोग आ रहे हैं। तेनूखाली के सन्थाल देखने आ रहे हैं। बड़ी चहल-पहल है।"

सन्तोष बोला, "तू यहीं रह। कुमार को जो जरूरत हो दे देना। मैं सदर चला। साइकिल दे।" साइकिल लेकर सन्तोष निकल गया।

सवेरे से बाँध पर उत्सव है।

तीसरे पहर के करीब खाना-पीना खत्म हुआ। उसके बाद धूरा बोला, "दिन-भर मस्ती नहीं हुई, मास्टर बाबू। अब पानी में डुबकी लगाना है।"

तीसरे पहर हवा शीतल थी। फिर भी जितेन माहिती पानी में उतर पड़े।

मघई किनारे बैठा देख रहा था—हँसता, कभी पानी में डुबकी लगाता।

तब सब लोग उतरे और ऐसी छपाछप करने लगे कि किसी ने नहीं देखा कि पहाड़ के उस पार जीपें आकर रुक रही हैं। एक के बाद एक।

औरतें बाल-बच्चों को लेकर गाँव लौट आई थीं। मघई की पत्नी पुलिस की रुद्रमूर्ति देखकर डर गई और 'मघई डोम? कहाँ है?' सुनकर दोनों हाथ उठाकर चिल्लाते-चिल्लाते पहाड़ी की ओर भागी।

सात जीपें आई थीं, उनमें पुलिस के चालीस आदमी थे। यह इसलिए कि जितेन माहिती, एक 'फार लाँग सस्पिशस कैरेक्टर'[1] बुनियादी प्राइमरी स्कूल के शिक्षक का कर्तव्य छोड़कर चरसा गाँव के 'डिसेंटिंग एलिमेण्ट्स'[2] के साथ मिलकर समाज-विरोधी कामों के लिए उनको भड़काकर गाँव में आतंक फैलाने में लगा था।

वस्तुतः चरसा ब्लॉक में काम लेकर आने के पीछे भी जितेन माहिती का गुप्त अभिप्राय प्रकट होता था। पानी तो एक 'इशू-भर' था। इस गाँव में उन्होंने मघई डोम के साथ जिस मुस्तैदी से मेलजोल बढ़ाया उससे समझ में आता है कि मुलाकात पहले से सोची हुई थी।

मघई डोम और धूरा डोम 'कानून की नजरों में संदिग्ध व्यक्ति' हैं, क्योंकि पता लगा है कि इकहत्तर के वर्ष में उन्होंने तीन फरार आतंकवादी उग्रपन्थियों को सहायता दी थी और सबूत न रहने से उन्हें शामिल नहीं किया गया।

जितेन माहिती पानी के बहाने मघई और धूरा को साथ लेकर आतंकवादी प्रयत्नों में जुटे हैं।

पुलिस के सूत्रों को पता है। चरसा गाँव की हालत विस्फोटक है। 'पानी तो एक इशू-भर है।' जल को केन्द्र बनाकर किसी भी दिन गाँव का संरक्षित अनुसूचित जनसमूह विस्फोट में पड़ सकता है। यथार्थ में इस वर्षा-सिंचन में रारसा-श्यामला चरसा एक लाक्षागृह है। किसी भी समय...।

''कानून तोड़ने के सब आतंकवादी प्रयत्नों के अंकुरों का नाश करना पड़ेगा। इसलिए काम का सब...।''

इसी से जीपें और पुलिस ऐसी मुस्तैदी से चली आईं। चरसा स्टेशन और चरसा गाँव के बीच से जाता कच्चा रास्ता सत्तर-इकहत्तर से ही इमरजेन्सी जीप-मोबिलिटी[3] के लिए बनाया गया है। अब वह काम आया, और क्या हुआ, यह देखने के लिए जीप से फौरन उतरकर सन्तोष पहाड़ी पर चढ़ा।

पानी में छपाछपी में लगे आदमियों की आँखों के आगे सहसा पुलिस, जीप—मघई को सब समझ के बाहर लगा। पुलिस क्यों है, पुलिस क्या कर सकती है? यह किसी की समझ में आने के पहले ही बाँध के पिछवाड़े और अगवाड़े के पत्थर पुलिस फेंकने लगी। 'तुम यह नहीं कर सकते' कहकर पानी में से हाथ बढ़ा पुलिस का पैर पकड़कर जितेन माहिती ने खींचा। नतीजा यह हुआ कि सिर में गूमड़ा पड़ गया और उनको बगल से खींच किनारे पर उठाकर पुलिस ने एक लाठी और मारी।

---

1. बहुत दिनों से संदिग्ध व्यक्ति
2. असहमत तत्त्वों
3. चलाने योग्य

धूरा आदि पानी से निकलने को तैयार हुए और असम्भव आधुनिकता में पुलिस ने उन लोगों से "निकलो साले! हरामी के बच्चो!" कहकर पानी से निकलने को कहा और लाठी मारकर उन्हें पानी में गिरा दिया। 'प्रॉसेस'[1] आधुनिकता की प्राचीन प्रतिमा थी, क्योंकि इसमें पुलिस का व्यक्तित्व दिखाई पड़ता था और यह भी कि एक्शन में किस प्रकार 'डुअलिटी[2]-स्कि-द्वि' इत्यादि काम करते हैं। यह पुलिस सचमुच 'द्वि सत्वा' भोगी है। जॉर्ज स्टेनर ने कहा है कि नात्सियों की भयानकता में 'छि' गायब हो गया था। एक नात्सी जनरल बीथोवेन ने सुना था कि वे गेटे पढ़ा रहे हैं—एक और यहूदी शिशु के चमड़े से टेबुल-लैम्प बना रहे हैं—लेकिन बात ऐसी नहीं थी। बीथोबेन ने सुना—शिशु-हत्या—गेटे-पाठ—नारी-हत्या एक ही आदमी कर रहा है।

यह जर्मनी में सम्भव था। उस देश की जलवायु अलग है। हमारा देश दूसरी तरह का है। हमारी पुलिस आधुनिक मानसिकता की पुरानी मूर्ति है। इसी से उन्होंने धूरा आदि से पानी से निकलने को कहा और निकलते ही धक्का मारकर गिरा दिया।

उसके बाद कभी पुलिस दो से एक हो जाती है और धूरा आदि को पानी से निकाल फेंकती। मघई तब भागकर किनारे से मनसा के झण्डे का बाँस उठा लेता है। वह उन्होंने ही पूजा के बाद फेंक दिया था। बाँस उठाकर पुलिस की ओर दौड़ा। चिल्ला रहा था, "बाँध नहीं तोड़ने दूँगा, हम बाँध नहीं तोड़ने देंगे, अपना बाँध! हमने बाँधा है।"

जितेन माहिती उसे पकड़ने जा रहा था कि धड़ाम से गिर पड़ा। उनकी पीठ पर लाठी पड़ी और गिरे हुए भी उन्होंने उठने की कोशिश की। तभी उन्होंने गोलियों की आवाज सुनी और गरदन घुमाते ही मघई को देखकर बड़ा आश्चर्य हुआ। मघई शून्य में देह को मोड़ मेहराब बना पानी में गिर रहा था। उसका शरीर शून्य में था, पीछे सूर्य, रक्ताक्त आइकेरस[3] के समान, उसके बाद 'आह-आह-आह' आर्तनाद और पानी में गिरने की छपाक् आवाज हुई।

वह आवाज एक दूसरी आवाज में दब गई। इस वक्त बाँध के अगले भाग के पत्थरों का गिराना समाप्त हो गया था और स्वैरिणी चरसा ने छिनालपन भूलकर नंगी, प्रेमातुरा वेश्या की व्याकुलता में मघई को आलिंगन में लेकर बाँध खाली कर दिया—जल का संचय बालू की तरह कर सारा पानी लेकर बहने लगी।

---

1. प्रक्रिया
2. दुहरापन
3. पौराणिक चरित्र, जो सूर्य की ओर चला था।

जितेन माहिती और धूरा जेल भेज दिए गए। अपराध था—आई.पी.सी. 146/147/151 धारा।

मघई की लाश दो पत्थरों से अटक गई। उसे पुलिस ले गई।

चरसा नदी अब पहले की तरह बिना जल, शीर्ण, प्राचीन बन्ध्या की तरह अभिशप्त थी। उसकी छाती में डोम, चमार, चण्डाल आदमी रात को गड्ढे खोदते। उन गड्ढों में पानी जमा होता। औरतें तड़के उस पानी को लेने आतीं। पहाड़ पर उजाड़ ताड़-खजूर के नीचे बकरियाँ चरतीं।

चरसा का बुनियादी स्कूल बन्द हो गया था। चरसा में अभी भी रोजाना के काम—वार्षिक-गति अवश्यम्भावी होने से सूखा-बाढ़, सूखा-बाढ़, सूखा होते रहते। सन्तोष पुजारी हर बरस रिलीफ लेने जाता। चरसा ग्राम में ज्यादा पानी होने के परिणामस्वरूप रिलीफ से कुएँ खोदने की सरकारी सैंकशन नहीं थी। रिलीफ के रुपयों से मन्दिर बनेगा—'नेसेसरी पब्लिक बिल्डिंग' की श्रेणी जैसा।

सरकारी नोट : चरसा ब्लॉक में हरिजन-समस्या की तरह की कोई समस्या नहीं है। पानी की समस्या भी नहीं है। पानी शरारती आन्दोलनकारियों का बनाया एक 'इशू'-भर है।

एम.डब्लू. बनाम लखिन्द

'एट प्रेजेण्ट देयर इज नो स्टेच्युएरी मिनिमम वेज फॉर एग्री-कल्चरल लेबरर्ज इन वेस्ट बंगाल।'*

[1]

सपने में लखिन्द को संग्राम के अन्त में एम.डब्लू. मिला था। स्वप्न में गौर लस्कर ने उसे और सारे खेतमजूरों को एम.डब्लू. दिया था। सपना देखने के लिए उसे सोने की जरूरत होती। लखिन्द[1] दब्बू और डरपोक आदमी था। वास्तव में उसे जो भी नहीं मिल पाता, या जिन सारी परिस्थितियों का सामना वह नहीं कर सकता–तो चलते-फिरते सपना देखता और वह सब पा जाता और लाचार परिस्थितियों में जनरल रोमेल बन जाता। स्वप्न में। वॉल्टर मिटी की कहानी पढ़े बिना और डैनी के की फिल्म बिना देखे भी उसका पलायन का आचरण वॉल्टर मिटी की ही तरह था। इसी से समझा जा सकता है कि हर देश में आदमी एक ही होता है।

सपने में उसे एक असली रैपर मिला।

गौर लस्कर से नाक रगड़वाई थी। सामान्यतः वह चौथाई पेट खाना खाता था। परिणाम होता कि भूखे शरीर में 'स्वप्नदर्शन जीवन-विषयक' हुआ और यूफोरिया[2]

---

* '...आजकल पश्चिमी बंगाल में, कृषि-मजदूरों के लिए कोई न्यायिक न्यूनतम मजदूरी नहीं है।'–(कृषि मजदूरों के लिए न्यूनतम मजदूरी : मैत्रेय घटक : द इकोनॉमिक टाइम्स, 20-6-77)

1. लखिन्द–लक्ष्मीन्द्र–मनसा जंगल में बेहुला के पति। यहाँ एक पात्र का नाम
2. भ्रमित मति

हो गया और वह अनजाने ठी-ठी-ठी हँसता रहता।

यहाँ हँसने में उसने सिचरण की कोहनी का सिरा काट लिया और चौंककर सुना कि बसाई टूरा कह रहा है–न तो खुद काटूँगा, न मजदूरों को काटने दूँगा।

सिचरण ने हाथ उठाया। बोला, "वह नाम याद नहीं रहेगा, बसाई। इनजिरी नाम दे रहे हो। क्या कहा तुमने? वह इनजिरी नाम समझाओ तो, नहीं तो झगड़ा हो जाएगा।"

"क्या नाम?"

"वही एम.डब्लू.। तुम तो लिखे-पढ़े हो, मिशन में गए थे।"

"वह नाम दिया था सरकार ने। मिनिमम वेज, जिन्दा रहने लायक मजूरी–एम.डब्लू. देगा।"

"समझ गया, जी। अब पूरी तरह बताओ।"

"तुम्हारे माथे में तो कुछ रहता नहीं, जी। कित्ती बेर बताया, सो भूल गए।"

"पहले लखिन्दर सोचे।"

लखिंन्द चौंक उठा। बोला, "क्यों? तुम्हारा बैल मैंने नहीं मारा।"

बसाई टूरा बोला, "तुमको मार दूँगा। खेतमजूरों को एम.डब्लू. पहले नहीं मिलता था। जलपाईगुड़ी, दार्जिलिंग, सिलीगुड़ी में मिला था। और किसी को नहीं मिला।"

सिचरण बोला, "तुमने जो कहा था कि वह नक्सलबाड़ी दार्जिलिंग था?"

"था तो।"

"अगर वहाँ मजूर को मजूरी मिली थी तो वहाँ नक्सलबाड़ी क्यों हुआ?"

"वह और बात है। अब लखिन्दर से पूछता हूँ। अड़सठ के साल में हमारे जिला में एम.डब्लू. हुआ?"

लखिन्द बोला, "खू–ब हुआ था। तब हम नित्त रेडियो सुनते थे। ब्बाप रे, रेडियो में तब बड़ा एम.डब्लू. हुआ था।"

"हाँ-हाँ, रेडियो में हुआ था, अखबार में हुआ था। सरकारी रेकॉर्ड में मरदों-बच्चों को रुपए कितने मिले थे? तीन रुपया चौवन पैसा, तीन रुपया सत्ताईस पैसा, दो रुपया दो पैसा। रेकॉर्ड में हम राजा बन गए थे।"

"आँ? इतने रुपए?"

"हाथों में कितना आया था?"

"छह आना। लड़कों को वह भी नहीं।"

"तब साले बिड्डी[1] बाबू से जाकर क्यों कह आए कि सब रेकॉर्ड की मजूरी मिल गई? मिली थी कि–सी दिन? देखा था तीन रुपया चौवन पैसा?"

1. बी.डी.ओ.–ब्लॉक डेवलपमेण्ट अफसर

"नाः! लस्कर ने दिया था छ–आ–ना, कहाँ से देखता? कि–सी दिन नहीं देखा।"

"तब साले झूठ क्यों कबूल किया?"

अब लखिन्द हँसा। बोला, "लस्कर ने मुझसे कहा था न? कहा–कह आ लखिन्द, कह आ, तुझे धान नहीं, चावल दूँगा। पाँच रेक[1] भरकर।"

"उसी से कह आया?"

बसाई टूरा ने बहुत ही दुखित होकर लखिन्दर की ओर देखा और अब वह फ़ादर सैमुअल के फ्रस्टेशन को समझा। फादर बसाई आदि की आत्मा को हीथन्स[2] के अन्धकार से निकालते।

बसाई आदि उनकी बातें मन लगाकर सुनते। किन्तु करम, सोतराइ, धरम-पूजा या काली-पूजा में फिर गिरजा से खिसक जाते। उसके बाद बड़े दिन पर फिर गिरजा जाते और कहते, 'हम फिर आ गए हैं–रुपए, कम्बल, दवा दे दो।"

फादर सैमुअल निराश नजरों से उनकी ओर ताकते रहते।

बसाई ने निराशा से लखिन्दर की ओर देखा। बोला, "लखिन्द! खेतमजूर की मौत खेतमजूर के ही हाथों होती है। तुम जो कह आए, उससे हमारी मौत हुई। पाँच रेक चावल पर लस्कर ने मूत दिया। देगा तीन रुपया चौवन पैसा? हम खेतमजूर दो सौ हैं, उससे हर दिन सात सौ रुपए होता है। वह न देकर दिए छह आना। उससे चौहत्तर रुपए गए। तो छह सौ छब्बीस रुपए हर दिन बचे। उससे कितने रेक चावल होते हैं, समझता है?"

"नाः! मुझे हिसाब कहाँ आता है?"

"तब?"

"और हाँ, बैंगन दिया था, मछली, आलू।"

"तुम्हें समझाए कौन?"

"क्यों? तुम! तुम लीडर हो।"

बसाई बोला, "ठहरो जी, अभी आया।"

बसाई पेशाब करने गया। सोनाल और गयेश्वरी गाँव के सारे खेतमजूर आए थे, लखिन्द ने देखा। दोनों गाँव गयेश्वरी नदी के किनारे सबसे भरे-पूरे गाँव थे। लैण्ड-सीलिंग को ठेंगा दिखाकर गौर लस्कर अकेला ईश्वर, बहु-देवता बन गया था। अपने नाम से और तमाम नामों से गौर गयेश्वरी नदी सहित इस थाने का उपभोग करता था। उसका मकान दोमंजिला और पक्का था, उसकी लॉरियाँ पक्की सड़क

---

1. एक माप
2. मूर्तिपूजक, अधर्मी

पकड़ चावल लेकर शहर को जातीं। उसके घर दोल[1], दुर्गोत्सव, रटती[2] काली-पूजा और पन्द्रह अगस्त मनाए जाते। उसकी बैठक के कमरे में दो अफसर, तीन मन्त्री, सिद्धेश्वर बाबा, देहश्री, शान्तनु मित्र और एक एम.एल.ए. की—कुल मिलाकर आठ तसवीरें टँगी थीं। हर-एक के साथ ही गौर लस्कर की तसवीर थी। गौर के घर में सोने के कमरे में कच्ची सीमेण्ट की पटिया पर सिद्धेश्वर बाबा के पैरों की छाप थी और दो गैरकानूनी बन्दूकें दीवार पर लटक रही थी।

उसके धान के बीस बखार थे और धान छाँटने की मशीन भी थी उसकी। उसकी ससागरा धरती का पहरा देने के लिए छह बिहारी पियादे थे। इतना कुछ होने पर भी गौर के भीतर का अन्तःस्तल खोखला था। उसके लड़का न था। तीन-तीन पत्नियों से पाँच लड़कियाँ थीं। जो डोम, कुर्मी, चमार, सन्थाल उसके खेतों में मजूरी करते थे, उनके घर-घर में पुत्र-सन्तानों की बहुतायत देखकर उसके मन में हर साल विजातियों के प्रति गुस्सा पैदा होता। जिस घर में 'हाय अन्न, हाय अन्न' हो, उन घरों में लड़के क्यों पैदा होते हैं?

कहना पड़ेगा कि दिन बहुत खराब चल रहे हैं। अब सपने में शिव भी नहीं आते। गौरव के बाप के, बरस भर से अधिक, तीर्थयात्रा के समय गौर की माँ के स्वप्न में शिव आए थे। उसके परिणामस्वरूप गौर का जन्म हुआ। जन्म पर अलौकिक प्रभा विराजमान थी। इस रहस्यमय अलौकिकता को हटाकर गौर ही पश्चिम बंग हुआ, अर्थात् गौर जो कुछ था, पश्चिमी-बंगाल के सारे जमींदार वही थे। हाँ, उत्साही रिसर्च-स्कॉलर लोगों ने अभी तक रिसर्च-फेलोशिप की ओर ध्यान नहीं दिया है। इसीलिए यह पता नहीं चला है कि पश्चिमी बंगाल के जमींदार सब शक्ति हथियाए हुए हैं—कानून, अदालत, पुलिस टेंट में रखते हैं।

उसके पीछे आर्य और लोकायत देवी-देवताओं की कीर्ति भी बहुत कुछ है।

शिव भी असुर-उसुर को वरदान देकर मुसीबत में पड़ते थे। गौर आजकल बसाई टूरा को लेकर परेशान रहता है। आज बसाई टूरा मीटिंग कर रहा है, यह जानकर वह परेशान हो रहा है। आज बसाई टूरा मीटिंग कर रहा है, यह जानकर गौर कल रात लखिन्दर के घर गया। बोला, "मिटिन है, बसाई क्या कहे—सब बता जाना।"

"सब बता जाऊँगा।"

"मुझे मालूम होना चाहिए।"

"कह जाऊँगा। मुझे एक टाचबत्ती देना।"

---

1. कृष्ण का झूला, होली
2. माघ कृष्णपक्ष चतुर्दशी

"दूँगा।"

"छाइकेल।"

"अभी नहीं।"

"क्यों?"

"सब कहेंगे कि तू चुगलखोर है, इसी से मैंने छाइकेल दी। तुझसे पूछने पर तू सब बता देगा...।"

"क्यों? कहूँगा, तुम लोग मिटिन में जो कहोगे, स–ब जाकर लस्कर से कहूँगा, इसीलिए उसने टाचबत्ती दी? छाइकेल दी?"

"दूर हट।"

उसको बकझक कर गौर चला गया। तभी लखिन्दर की पत्नी बोली, "अब चुगली खाओगे?"

"ना, ना, वह कहाँ खाता हूँ?"

अब लखिन्दर को सब याद आया। उसने कान खड़े किए। बसाई टूरा उसे बहुत अच्छा लगता था। बसाई किसी से नहीं डरता। लखिन्दर है, दुनिया-भर से डरता था। उसकी पत्नी ने कह दिया था, "दादा हैं, निताई एक भी बात लस्कर के कान में बताई तो घर में आग लगाकर गयेश्वरी चली जाऊँगी, हाँ! मैं उद्धव की बेटी हूँ।"

सिचरण, निताई, लखिन्दर के साले थे। लखिन्द बोला, "लस्कर ने कहा जो है?"

"उसे कुछ न बताएँगे।"

"अच्छा भाई, तुम घर में आग न लगाना।"

"लस्कर न तो तुम्हारी जात-पाँत का है, न समाज का?"

"कुछ नहीं।"

"तो उसके डर से मरता क्यों है?"

"ब्बाप रे, उसके राज में रहते हैं!"

लखिन्दर की दृढ़ धारणा थी कि भारत के स्वतन्त्र होने पर भी सुनहरी गयेश्वरी गौर लस्कर के अधीन है। स्वाधीनता के मामले में भी गौर का हाथ है, ऐंसी उसकी धारणा थी। नहीं तो गौर पन्द्रह अगस्त क्यों मनाता है?

लखिन्द इस इलाके में सबसे अधिक बुद्धू है।

सिचरण ने उसको टहोका दिया, "क्या सोच रहे हो?"

"नाः, सोच नहीं रहा हूँ।"

"तो सुनो।"

बसाई बोला, "जिस तरह सबको एम.डब्लू. मिले, यह देखने के लिए सरकार ने निसपेट्टर लगाए हैं। हम कितने खेतमजूर हैं, यह तुम लोगों को मालूम है?"

"दो सौ," निताई बोला।

"दो सौ यहाँ हैं। पूरे जिले में सैंतीस लाख हैं—समझे?"

"सैंतीस लाख?"

लखिन्द हँसने लगा।

"हँस क्यों रहे हो—ऐं?"

"नाः! उसने बताया ना, सैं—ती—स लाख! इतने आदमी कहाँ से आए? मैंने तो अपनी आँखों देखा है कि एक गाँव से दूसरे गाँव में तीन खेतों की दूरी है। गाँव-गिराँव में बहुत होगा तो हजार मनुख हो जाएँगे। इत्ते मनुख नहीं हैं, बसाई। ओ सब रेडियो की बात है। हमें पता है।"

बसाई बोला, "लखिन्द, यह नक्शेबाजी और तमाशे का मौका नहीं है। चुपचाप बैठो। जो कहूँ, ध्यान से सुनो। तुम लोगों को पता है कि मैं सदर गया था, यूनियन आपिस गया था। आपिस ने मुझे सारे रेकड दिए। कहा कि तुम लोग यूनियन बनाओ। खेतमजूरों की यूनियन न होने से सरकार-जमींदारों का गठबन्धन नहीं खुलेगा।"

सिचरण चिढ़कर बोला, "बहुत दिनों तक भूखे रहने पर भी लरकर ने धान का ओसार नहीं दिया। यह चमचा गड़बड़ करता है। लखिन्द, फिर बात कहेगा तो बहन की बात भुलाकर तुम्हारी हड्डी-पसली एक कर दूँगा। मैं उद्धव का बेटा हूँ, समझा? ज्यादा बात नहीं।"

उधर से कन्हई बंसी बोला, "लखिन्द, चुप भी रहो! घर में उद्धव की बेटी है, बाहर उद्धव का बेटा।"

"मैं उनका दामाद हूँ जी..." लखिन्द फिर मजाक करने जा रहा था। चुप रह गया। उसने तो ससुर को देखा भी नहीं था। धान की कटाई में गौर के बाप के साथ लड़ाई में वह धान के खेत में गोली खाकर गिर गया था, अस्पताल में मर गया। वह बहुत ही गुस्सेवर था।

बसाई बोला, "जो कह रहा हूँ, ध्यान से सुनो। सरकार ने एम.डब्लू. बनाया, उसके लिए सोलह जिलों में सोलह निसपेट्टर रखे, पर उससे काम हुआ ठेंगा! अड़सठ साल के बाद चौहत्तर साल में फिर एम.डब्लू. बढ़ा दिया। औरत-मरद बराबर-बराबर—पाँच रुपए साठ पैसे रोज। चौदह साल के ऊपर उमरवाले को गड्ढा की खुदाई चार रुपए रोज। दिन बीतने पर खेतमजूरों को जमीन का मालिक

लाई-भात देने पर सवा रुपया काट लेगा। बाकी पैसे देगा। रुपयों में लो, धान लो, दाल लो। पाँच रुपए साठ पैसे पूरे कर देगा। नहीं दे तो वह गैर-कानूनी होगा। मरद-औरत साढ़े आठ घण्टा मजूरी करेंगे, खोदनेवाले छह घण्टा। आधा घण्टा जलपान की छुट्टी। सब लोग समझ गए?"

सोमरा टूडू बोला, "कब से?"

"चौहत्तर साल से।"

"आजकल छिहत्तर साल है।"

सोमरा बुड्ढा, गयेश्वरी गाँव में सन्थाल खेतमजूरों का मुखिया था। उसकी हालत बहुतों से अच्छी थी, क्योंकि उसे साँप-काटे का इलाज आता था। गाँव में साँपों के साथ रहना-सहना था। सोमरा के चाहने पर गर्मी में खूब बरसता।

सोमरा ने निराश आश्चर्य के साथ सिर हिलाया और सफेद भौंहें उठाकर बोला, "अड़सठ का हिसाब नहीं मिला। चौहत्तर का हिसाब नहीं मिला। छिहत्तर खतम हो रहा है। लस्कर आज भी दस आना देता है।"

बसाई बोला, "लस्कर का बित्तान्त यहीं खतम नहीं है जी! उसका बित्तान्त और भी है।"

लखिन्द मुग्ध होकर विस्मय के साथ सुन रहा था। उसने निताई के टहोका देते हुए कहा, "ओः, लस्कर की अकल कितनी है, देख रहे हो? कितने रुपए हमें दिए, समझो तो, ओ निताई भाई! हिसाब सोचने पर सिर चकरा जाता है, कि–तना रुपया!"

बसाई ने सिर खुजाते हुए सोचकर कहा, "आपिस ने जितनी बातें बताईं, सुनकर सदर में मेरा सिर चकरा गया। यह पहली बार एम.डब्लू. कृषि-सरम दफ्तर में रिकड हो गया। नोटिस चला गया। अब से एम.डब्लू. हो गया है। दफ्तर जाकर बीच-बीच में बेबस्था करने की राह हो गई। उससे पचहत्तर के असाढ़ में एम.डब्लू. के साथ महँगाई-भत्ता मिलाकर लेबर डिपाट ने बताया कि औरतों का रेट छह रुपए तिरेसठ पैसे है।"

"हाय रे, हम लोगों को कुछ नहीं मालूम–जिसे जानता था सो जानता था। लेकिन दिया नहीं।"

"ना–आ, दिया नहीं। अब और सुनो। लस्कर का और भी बित्तान्त सुनो। छिहत्तर साल के चैत में लेबर डिपाट ने लोटिस जारी किया–मरद-औरत की मजूरी पाँच रुपया साठ पैसा। महँगाई-भत्ता अढ़ाई रुपया।"

"उससे कितना हुआ?"

"आठ रुपया दस पैसा।"

"ब्बाप रे!"

"जमीन खोदने की मजूरी चार रुपए, भत्ता एक रुपया बियासी पैसा, उससे हुआ पाँच रुपया बियासी पैसा।"

"कुछ दिया नहीं जी, बसाई।"

"तुम जब तक दस आने में मजूरी करोगे, लस्कर के जूते की धूल चाटोगे, इसकी-उसकी गाय-बकरी खतम करते रहोगे, भात न मिलने से भात देखकर टूट पड़ोगे, तब तक वह कुछ न देगा। और सुनो।"

"कहो जी। कहने में अच्छा लगता है। जो कह रहे हो कि हम मिट्टी चाटने का काम करते हैं, वह बताया। अब कहो।"

"महीने के हिसाब में हमारा एक सौ पैंतालीस रुपया सत्तर पैसा होता है। खोदने का सतहत्तर रुपया सत्ताईस पैसा होता है। लोटिस में और भी बातें हैं। जमीन का मालिक खाते में रेकड रखेगा। उस रेकड में लिखा रहेगा—कितना दिया, कितना फाइन हुआ, ओवरटाइम कितना दिया?"

"और बताओ, भाई बसाई।"

"ब—सा—ई!"

सोमरा टूडू ने हाथ उठाया। जरा काँपती आवाज में बोला, "खेतमजूरों के हक के लिए कमनिस बाबू लड़े थे। देखा था। सरकार ने उन्हें मदत नहीं दी। पुलिस ने उन्हें गिरफ्तार किया। हमें तुमने बहुत गालियाँ दी थीं। लहू में अग्नि होती है, बयस की अगिन। ऐसी गाली। ऐसी गाली सिचरण के बाप ने भी दी थी। उसने... ।"

"गोली से जाहान दी थी।"

"हाँ। जा—हा—न दी थी। खेतमजूरों की लड़ाई जैसी मैंने देखी। वह बताता हूँ।"

"हाँ, तुम बताओ।"

"तुममें-हममें पुराना झगड़ा नहीं है, बसाई। तुम्हारे बुलाने पर जब आया, तो पुराना झगड़ा भूलकर आया। मैंने जो देखा वह सुनो। खेतमजूरों को बरस में दो बार काम मिलता है। दूसरे समय लस्कर माँगने पर सूद पर धान, रुपए करज देता है।"

"लस्कर ही मेरा महाजन है। जब खेती नहीं होती तो वह महाजन बनकर हमें एक मुँह से खिलाता है। जब खेती होती है तो दूसरे मुँह से।"

"दोमुँहा साँप है।"

"हाँ, इस साँप का मुँह बड़ा है। खेती के समय मजूरी देने की बात पर हिसाब दिखाता है। इतना दिया, इतना लिया, इतना मिलेगा। हथेली पर रख देता है कानी कौड़ी।"

"तुम वह ले लेते हो?"

"न लें तो खाएँ क्या? न लेकर देखा था–यहीं क्यों, कटैयों के काम में बीरभूम, बर्धमान, मुर्शिदाबाद घूमकर देखा है–तब मुझे भगाकर जमींदार ने बाहर के कटैए मजूर लिए थे। मैंने खुद वह काम किया है।"

"छोड़ो उस बात को।"

"क्यों तुम भी थे। आगे-आगे तुम भी साथ में फिर रहे थे। याद नहीं है, बसाई? बीरभूम में गुलबदनसिंह का जड़हन काटने मुझे ले गए थे? उसके खेतमजूर हमारे पास आए थे! हमने कह दिया, गुलबदन के खेतों पर से पुलुस हटाओ तो हम और वे धान काटें। धान काटे। मजूरी बाँट ली। याद है? पुलुस आई। हमें मारा, उनको भी। याद नहीं?"

"है। मेरी पीठ पर चीन्ह है।"

"मैं देख रहा हूँ, सरकार मालिकों को मदत देती है। इस बार क्यों सरकार खेतमजूरों को मदत दे रही है? सरकारी लोटिस–यूनियन आपिस बैठ रहा है–अच्छी बात है। यूनियन ने तो हमसे धोखा किया। सरकारी लोटिस में काम नहीं हुआ, यह तो मालूम था। यूनियन का भरोसा नहीं है। इस जिले की यूनियन कहती है कि सदर में तीन चश्मेवाले बाबू हैं। वे सदर कलकत्ता का चक्कर लगाते रहते हैं। लोटिस का काम लस्कर से कौन कराएगा? ऐं? उनके 'ना' करने से हम कहाँ जाएँगे?"

बसाई को बेचैनी हुई। वह बेचैनी दूर कर बोला, "यह हमारी भी बात है। सो, सरकार ने जो बेबस्था की वह पहले बताऊँ!"

"मैं कुछ और बोलूँ?"

"कहो।"

"मैं पागल नहीं हूँ। मैं जानता हूँ कि बसाई हमें लड़ाई में उतारेगा। तुम्हारी बात मैं नहीं जानता। मैं उतरूँगा। किन्तु किधर से मार पड़ेगी, वह जानकर बढ़ूँगा, सिचरण, बुरा न मानना, तुम्हारे माँ-बाप नहीं सोचते। सोच-विचार जो न करे, वह बसाई का सोचना है। दिन बड़े खराब हैं। लस्कर-पुलुस अब बहुरिया-भतार हैं। नहीं तो गाँव के मास्टर का लड़का लस्कर की लॉरी के नीचे मरता। नालिश करने जाने पर पुलुस ने मास्टर को मीसा कर दिया। ऐं? सतीश मण्डल भी मीसा है। मीसा क्या है, पता नहीं। यह देखा है कि लस्कर के साथ जिसकी लगती है उसे मीसा हो जाता है। बसाई, तुम जानते हो मैं क्या कह रहा हूँ?"

"हाँ सोमरा टूडू, जानता हूँ।"

सोनाल का गोविन्द बाउरी बोला, "मीसा में जेहल होनेवालों में मैं नहीं हूँ।"

लखिन्द फटाक-से बोला, "मीसा होने से क्या होता है?"

गोविन्द बोला, "पुलुस संख बजाकर ले जाती है। दामाद की तरह खातिर के साथ रखती है। तू जाएगा, लखिन्द?"

"मेरी बहू के पास लाइलन नहीं है।"

"क्या कहा?"

"लस्कर ने कहा है, सतीस की बहू ने लाइलान पहनकर, छाइकिल-रिक्सा पर बैठकर सदर जेहल में जाकर लेंचा[1] पिया था। मैंने भी लेंचा पिए थे। तीन।"

बसाई बोला, "चुप करो, लखिन्द!"

"हो गए।"

"सुनो!"

"सुन रहा हूँ।"

"सरकार ने बेबस्था की है कि एम.डब्लू. न मिलने पर हम अदालत जा सकते हैं।"

इस बात से जमा लोगों में विद्रूप की हँसी की लहर उठी। गोविन्द बाउरी क्षुब्ध आवाज में बोला, "बसाई, यह तुमने क्या कहा? कोट-कचहरी? लस्कर के नाम पर कोट-कचहरी कर गाँव में रहोगे? वैसा हो सकता है? हुआ है?"

बसाई बोला, "और बेबस्था है। मजूर कोट-कचहरी न करे। अब बहुत-से निसपेट्टर हैं। तीन सौ पैंतीस ब्लॉकों में दो सौ पैंतालीस निसपेट्टर दिए हैं। निसपेट्टर हमारे दावे-आवे लेकर लड़ेंगे।"

"निसपेट्टर कहाँ हैं?"

इस बीच बसाई हँसा। बोला, "मुड़ाइल के बँगले में हमारे भाग्य से अच्छा निसपेट्टर आया है। यूनियन आपिस ने कह दिया लियम नहीं, फिर भी निसपेट्टर ने जमींदार के घर से सब लिया। हमारे ब्लॉक में जो निसपेट्टर है, उसने जात की तफसील, लड़के-बच्चों ने लस्कर के पाँवों का झगड़ा ढहा दिया, फिर भी उसके घर नहीं ठहरा। लस्कर ने डिंग्ला मछली भेजी थी, वह नहीं ली।"

"रुपए लेता है, डिंग्ला मछली नहीं लेता, यह पुलुस निसपेट्टर के ध्यान में नहीं है? शराब नहीं ली, चावल-मुर्गी नहीं ली, हम समझे धर्मराज आ गए हैं—लेकिन रातभोर हरे ही रुपए लिए। हमें शाल देकर चला गया।"

"नाः! यह अच्छा सुना।"

"अब क्या करना है?"

"मैं बताऊँ? तुम लोग वह समझोगे तो तुम भी कहोगे।"

"कहो।"

---

1. लिम्का

"यह–धान–हम–काटेंगे।"

"हम काटेंगे।"

"बाहर के कटैयों को घुसने नहीं देंगे!"

"घुसने नहीं देंगे!"

"छिहत्तर की मजूरी देनी होगी।"

"देनी होगी!"

"अगर मजूरी काटे, तब?"

"तब?"

"जबानी हिसाब नहीं मानेंगे।"

"रजिस्टरी दिखाना होगा।"

"दिखाना होगा।"

"एम.डब्लू. हमारा जा–हा–न है।"

"जा–हान।"

"देगा तभी काटेंगे धा–न।"

"धा–न।"

"और क्या? हो गया? सोमरा ने ठीक कहा, यूनियन गड़बड़ है। फिर भी यूनियन मदत देगी। हम वह सब बात निसपेट्टर को बताएँगे, यूनियन को भी। सब बताकर तब सीधी राह लस्कर के पास जाएँगे।"

सिचरण बोला, "बसाई! सब बात लिखकर दोनों जगह दो कागज पर दे दो।"

"नाः! मुझे इलम नहीं है भाई, लिखने-पढ़ने की बात पर लाज आती है। लिखना-पढ़ना मेरा कहाँ हुआ? इसी से मीटिन की रिपोट लिख नहीं सकता।"

सोमरा बोला, "तुमने पढ़ा नहीं, बसाई। तुम पर हमें कितना भरोसा था। साँउताल में सिछित कितने लोग हैं? तुमने पढ़ा नहीं।"

"वह बात छोड़ो। मेरे बाल सफेद हो गए। अब उन बातों से लाभ? मैं निसपेट्टर के पास जा रहा हूँ। मेरे साथ गोविन्द, सिचरण और लखिन्द चलो।"

"नहीं, निसपेट्टर बन्दूक छोड़ता है।"

"यह पुलुस नहीं, एम.डब्लू. निसपेट्टर है।"

"नाः, डर लगता है।"

"तुम्हें जाना पड़ेगा, लखिन्द। नहीं तो तुम्हें मैं समझूँगा, तुम लस्कर से रिपोट करोगे।"

"नाः, बहू ने मना किया है। वह उद्धव की बेटी है। कह रही थी, घर में आग लगाकर गयेश्वरी चली जाएगी।"

"तब घर जाओ, हाँ।"

"तुमसे एक बात कहना है।"

"कहो।"

"नहीं, छिपाकर।"

बसाई उसके पास गया। दोनों जमाव से दूर चले गए। लखिन्द बोला, "यह जो कहा है, कटैयों को घुसने नहीं दोगे?"

"कहा, तो उससे क्या?"

"मैं बेकूफ हूँ, मेरे दिमाक नहीं है। इसी से लस्कर मेरे आगे सारी बातें कह देता है।"

"क्या कहा?"

"तुम इस बार लड़ाई करोगे, एम.डब्लू. लोगे, स–ब उसे मालूम है। इससे वह आदमी भेजकर कहीं रो कटैयों की खोज कर रहा है। ठहरो, कहाँ से कटैए आ रहे हैं, वह याद करूँ। व–ह पच्छिम से, इस बार–पूर्निया से कटैए आ रहे हैं–वहाँ नक्सलियों का जुलुम-उलुम बहुत है। उहाँ से सब भाग रहे हैं। वे कटैए पेट के भात और चौअन्नी मजूरी पर काम करेंगे।"

बसाई ने आँखें सिकोड़ीं। बोला, "अच्छी बात बताई।"

उसके बाद उसने कुछ सोचकर कहा, "लखिन्द, संझा को तुम मेरे घर आना। बात है।"

"लस्कर जब पूछे? मिटिन की बात!"

"बताना–बसाई आदि को कुछ नहीं मालूम। सब निसपेट्टर के पास जाएँगे।"

"सो जो कहोगे, सो होगा।"

"निसपेट्टर और लस्कर के साथ जैसे शामिल हो।"

"होने पर होगा। अभी सामन्त...बाद में बताऊँगा। मैं निसपेट्टर के पास जा रहा हूँ।"

[2]

मुड़ाइल के डाकबँगले के फूस के छप्पर से छाए बरामदे में ईजीचेयर पर बैठे एम.डब्लू. इंस्पेक्टर सुबोध रुइदास[1] सन्थालों के एम.डब्लू.आई. के त्राता और पालनकर्ता सामन्त को याद कर रहे थे।

1. रविदास, चमार

सामन्त थे—डिप्टी लेबर कमिश्नर इंचार्ज ऑफ इन्फोर्समेण्ट लॉ एण्ड एडमिनिसट्रेशन ऑफ मिनिमम वेजेज।

सुबोध रुइदास 'संख्यालघु' एम.डब्लू.आई. हैं और वह केवल इसलिए नहीं कि उनकी उपाधि रुइदास है। न्यूनतम वेतन इंस्पेक्टर नियुक्त होने के पहले कई शर्तों की विवेचना हुई और रहस्यमय कारणों से वे सारी शर्तें लिखित नहीं हुईं। मौखिक आलोचना में ठीक हुआ :

(क) निर्वाचित प्रार्थी जमीन के मालिकों के परिवार का सदस्य न होगा।

(ख) जहाँ तक सम्भव हो वे शिड्यूल्ड कास्ट और ट्राइब के आदमी होंगे।

(ग) निर्दिष्ट काम के बारे में उन्हें इंडियालॉजिकल मोटिवेशन रखना पड़ेगा।

कार्यकाल में देखा गया :

(क) अधिकांश इंस्पेक्टर जमीन के मालिकों के परिवार के आदमी हैं।

(ख) सामान्य कुछ लोग ही अनुसूचित जाति के आदमी थे।

(ग) अप्वॉयण्टमेण्ट राजनीतिक थे।

अधिकांश इंस्पेक्टर कांग्रेस और कांग्रेस की युवा-शाखा के लोग थे।

एम.डब्लू.आई. लोगों का वेतन-क्रम 300-600 और दूसरे भत्ते थे। पद स्टेट पब्लिक सर्विस कमीशन की नियन्त्रण-क्षमता के बाहर था।

इस विभाग के असिस्टेण्ट लेबर कमिश्नर का पद भी स्टेट पब्लिक सर्विस कमीशन की नियन्त्रण-क्षमता को ठेंगा दिखाकर बना था।

सुबोध रुइदास को पता था कि उनकी हालत क्या है? बचपन से ही मेधावी बालक होने के कारण उन्होंने निःशुल्क पढ़ना-लिखना किया। स्वाधीन भारतवर्ष के महामानव के समुद्र-तट पर संवैधानिक रूप से वर्ण-जातिभेद नहीं है। ऑफिशियली उन्हें यह बात उठाने नहीं दी गई कि वह किस जाति के लड़के हैं। सुबोध को भी जिद थी। एफिडेविट से वह 'राय' या 'दास' नहीं बने। उसका नतीजा यह हुआ कि सुबोध को यह जानने को लाचार होना पड़ा कि सब अन्याय उसे सहना होगा, उसके पीछे बहुत समय तक अन्याय करनेवालों के रक्त में पला जात्यभिमान रहता है। जाति का अभिमान होने से काम्यू और कमल मजूमदार से टें-टें करनेवाले जम जाते। लेकिन तृतीय पक्ष सोचने पर देखा गया कि उनके अविचार और अन्याय का कोई लॉजिकल[1] कारण न था। उनके आचरण की व्याख्या खून में मिले जाति के अभिमान में रहती है।

यह नौकरी पाने पर उन्होंने वर्गभीमा माँ के मन्दिर में प्रसाद जरूर चढ़ाया, पर नौकरी देकर सूक्ष्म बनाकर उसे छोड़ दिया गया था। शूल का तीखा फल उसने

1. तर्कसंगत

जीवन में सम्हाला, वह सम्हालना पड़ेगा।

वह गरीब था, कभी खेतमजूरों की सन्तान था। उसके परिणामस्वरूप यहाँ आने के पहले नेता के दफ्तर में उसकी पुकार पड़ी एक 'नाम का युवक, काम का चोर'। यह सारी पुकारं लगाते थे साधारणतः मसल[1] दिखानेवाले कलम बढ़ाए भारत के भविष्य-नेताओ के अंगरक्षक।

सुबोध को जिसने पुकारा, उसकी पुकार की उपेक्षा करना बाघ और सिंह के लिए भी सम्भव नहीं था, सुबोध तो छोटी मछली था।

युवानेता ने सुबोध से बैठने तक को नहीं कहा और हुमककर बोला, "नए वेज देने के लिए शोर-शराबा मत कीजिएगा। जमींदार-जमीन के मालिकों का नमक-रोटी उठ गया है। अभी लैण्ड-सीलिंग, यह कृषिऋण की माफी, यह बेगार बन्द। एम.डब्लू.! नए वेज देने की कोई जरूरत नहीं, पर खेतमजूरों को अभी जो मिल रहा है उससे कुछ अधिक मिले, यह देखिएगा।"

"हमें इन्स्ट्रक्शन...!"

"इडियसी[2] मत कीजिए। दूसरी जगहों पर एम.डब्लू.आई. लोग मिनिस्टरों से बात कर काम कर रहे हैं।"

"ऑफिशली...?"

"अकेले आप ऑफिशियली काम कर कितनी दूर जाएँगे? जब सबकुछ अनऑफिशियली हो रहा है, तो वही प्रासिजर[3] ऑफिशल होता है। जाइए, जाइए। कहाँ जा रहे हैं, यह जानकर ही इतनी बातें कहीं। लस्कर मेरी जान-पहचान का आदमी है।"

इस तरह युवानेता ने सुबोध रुइदास के जीवन में शूल भोंककर उसे छोड़ दिया। शूल से बिसूरते-बिसूरते सुबोध सामन्त के पास गया। बुजुर्ग आई.ए.एस. सामन्त ने सारी बातें सुनीं। उसके बाद बोले, "देखिए, सभी नौकरियाँ नौकरी हैं। आपकी-मेरी नौकरी आग पर चलने की-सी है। बस वेतन में ज्यादा-कम है। इन पोस्टों को क्रिएट करने का मामला देखिए। समझिए कि उनके आगे एम.डब्लू. क्या चीज है!

'एग्रीकल्चरल माने ही खेतमजूर। जब स्वतन्त्र देश है तो खेतमजूरों की बात भी सोचनी पड़ती है। फिफ्टी थ्री तक एम.डब्लू. था केवल दार्जिलिंग और जलपाईगुड़ी जिलों में। उसके बाद अड़सठ, चौहत्तर, करेंट[4] छिहत्तर के वेज-रिवीजन

---

1. मांसपेशियाँ, ताकत
2. बेवकूफी
3. तरीका
4. चालू।

की बात आपको मालूम है। मजे की बात है कि अड़सठ से सारे जिले एम.डब्लू. के अण्डर हैं। इसके सिवा, कहीं भी खेतमजूरों को एम.डब्लू. नहीं मिला। बाँकुड़ा में खेतमजूरों को मिले छह आने–सेवेंटी, सेवेंटी-वन, सेवेंटी-टू में क्या रहा, खेतमजूर पाते थे छह आने–लेबर कमिश्नर की रिपोर्ट है–दैट ही एग्जिस्ट्स इज ए मिरैकल!''[1]

सुबोध ने कहा, ''मुझे पता है।''

ये सब बातें सुबोध अपने खून से जानता है। वह खेतमजूर का बेटा है। सेवेंटी-सेवेंटी वन-सेवेंटी टू के परिणामस्वरूप गौड़-राढ़ में आर्मी उतर सकती है, लेकिन खेतमजूर की मजूरी कोई सरकार छह आने से अधिक नहीं कर सकती।

सामन्त ने कहा था, ''खेतमजूरों को एम.डब्लू. क्यों नहीं मिला? 1969 में नेशनल लेबर कमीशन ने देखा कि वेज एक्ट बन गया है। लेकिन खेतमजूरों को इसका पता नहीं। उस कानून को जोरदार बनाने की सरकारी इच्छा और इन्तजाम नहीं है। इसलिए कमीशन ने बहुत जोर लगाकर कहा कि एक्ट का प्रचार होना चाहिए। कानून को जोरदार बनाने के लिए मौके पर आदमी नियुक्त किए जाएँ, ग्राम-पंचायत को भी भार दिया जाए।

''प्रचार के नाम पर रेडियो और अखबार थे। आदमी के नाम से आप लोगों की पोस्ट हैं। इस बरस के शुरू से तो सैंतीस लाख खेतमजूरों के लिए सोलह पोस्ट बनीं। उससे कोई काम ही न हुआ। अब आप लोग आए हैं।

''आप लोग काम करेंगे। जमींदार और जमीन के मालिक बड़ी रुकावटें खड़ी करेंगे। जरूर करेंगे, क्योंकि किसी भी दिन उन्होंने खेतमजूरों को कुछ दिया नहीं। आज कानून बन गया, इसलिए वे रोज आठ रुपए दस पैसे देंगे? नहीं देंगे। खेतमजूर माँगेंगे। आप लोगों का काम कानून को जोरदार बनाना है।

''बहुत अधिक दबाव डाला जाएगा, डाला जा रहा है। डरिएगा मत। काम करने के लिए उतरने पर हिम्मत से काम लेंगे। किसी की तरफदारी मत कीजिएगा। गलती हो जाए तो मैं हूँ।''

''सर...।''

''कहिए?''

''ये बातें जो कानून में हैं–मालिक के कानूनन एम.डब्लू.ए. से कम पैसा देने पर खेतमजूर खुद या लिखित अधिकार-प्राप्त रजिस्टर्ड ट्रेड यूनियन कर्मचारी, अथवा एम.डब्लू.आई. जिला जज के पास राहत माँगे–इसके क्या कोई अर्थ हैं? खेतमजूर क्या मालिक के नाम कुछ कहने की हिम्मत कर सकता है? प्रोसीजर

---

1. वह जिन्दा है, यह आश्चर्य है!

खेतमजूर के पक्ष में समय-सापेक्ष, गोलमाल और कठिन है।"

"जानता हूँ। यहाँ आती है असली बात। देखिए, उनकी पीठ पर कोई सक्रिय संगठन नहीं है। आज हर जगह यूनियनें हैं। इसलिए यूनियनें लड़ती हैं। काम करनेवालों को न्याय मिलता है। उनकी पीठ पर अगर कोई यूनियन होती, तो हमारा काम आसान हो जाता। जमींदार डरते। नहीं डरते, इसका कारण है कि उस तरह की कोई यूनियन नहीं है, जो सरकार पर दबाव डालकर कानून को जोरदार बनवा सके। इसीलिए आपको काम करना पड़ेगा।"

"क्यों नहीं है?"

"कैसे रहे? गाँव में डॉक्टर क्यों नहीं जाते? गाँव में जाकर बाबू लोग यूनियन बनाएँगे? किसानों को लेकर?"

"तो लॉ क्या राहत दे रहा है? अगर अन्त में जिला जज के पास जाना पड़ा, तो जज खेतमजूर को हरजाना देगा। लेकिन उसका रुपया दावे के रुपयों के दस गुने से ज्यादा न होगा और मुद्दई के झूठा साबित होने पर खेतमजूर पर जुरमाना होगा पचास रुपए।"

"हाँ। तब दावा प्रमाणित होने पर जमींदार या जमीन के मालिक को भी पाँच सौ रुपए जुरमाना नहीं तो छह महीने तक की जेल होगी। आप क्या करेंगे? खेतमजूर आपसे कहेंगे तो आप मालिक को 'शो कॉज'[1] नोटिस देंगे। उस नोटिस से काम न होने पर आप केस ठोंक देंगे।"

"ठीक। मोहन राय ने कहा है कि लस्कर उसकी जान-पहचान का आदमी है।"

"ममिया ससुर। उसकी पत्नी का मामा।"

"ओह!"

"डरें नहीं। मैं हूँ।"

इस तरह से सामन्त ने युवा-नेता के शूल को बहुत-कुछ कम कर दिया और अभय देकर सुबोध रुइदास को शेर के मुँह में छोड़ दिया। उसके बाद बोले, "अनऑफिशियली कह रहा हूँ। वहाँ सदर में खेतमजूर यूनियन की शाखा है। लस्कर के साथ आपकी अगर कोई मुठभेड़ हो तो वह अदालत में होगी, युद्ध-क्षेत्र यानी धान के खेत में नहीं। वहाँ लस्कर को बसाई टूरा फाइट देगा।"

"वह कौन है?"

"एक सन्थाल खेतमजूर। काम का आदमी है। एक इशू पर बहुत दिनों तक लड़ा। लस्कर ने दो बार उसका घर भी जला दिया था, किसी तरह काबू में नहीं

1. कारण बताओ

कर सका। आप उसे कानून और लॉ-प्वॉइण्ट समझा देंगे। सदर जाना हुआ है न?"

"हाँ।"

"रहना सदर में, काम करना ब्लॉक में। फिर मेरा ऑर्डर है, महीने में पच्चीस दिन ब्लॉक में रहिएगा। लस्कर आपको मिलाने की कोशिश करेगा। मिलना मत।"

"न।"

बातों को सुबोध रुइदास ने फिर याद किया। मुड़ाइल में आने के बाद से उसे कदम-कदम पर याद आता कि शूल का अदृश्य फल बहुत नुकीला है। लस्कर बहुत ही ईश्वर-सा था।

सुबोध का गाँव बस-रूट पर दूसरे जिले में था।

यहाँ गाँव इतना अन्दर! ऐसा अलग-थलग था। पथरीली और कम पानी की गयेश्वरी का रूप बहुत ही निरानन्द था। गरीबी चारों ओर फैली हुई थी। केवल लस्कर के खेत में सुनहले धानों की सुगन्ध उठ रही थी, उसका घर डायनमो की बिजली से चमक रहा था। लस्कर ने सुबोध को एक मछली भेजी थी। उस तरह की मछली सुबोध ने अपने गाँव के जमींदार त्रिमोहन माहिती के घर निकट से देखी थी। बड़ी मछली सुबोध ने दूर से ही देखी थी। लस्कर एक ऑटोमेटिक ओमेगा सी-मास्टर घड़ी पहने था। इस बीहड़ गाँव में लस्कर गोल्डफ्लेक फिल्टर पीता था। लस्कर ने उससे पूछा था, "कितना वेतन मिलता है?"

"बेसिक तीन सौ।"

"मैं अपने ड्राइवर को चार सौ देता हूँ। लड़का लिखा-पढ़ा है। मेरे काम से कचहरी-अदालत भी करता है।"

सुबोध ने कोई जवाब नहीं दिया।

"बसाई टूरा बिसखोपरा है।"

सुबोध ने कोई जवाब नहीं दिया।

"आप रुइदास हैं?"

"आप अबकी आइए।"

"आपने मछली नहीं ली, लौटा दी—लड़के की उमर के आपिचर हैं, भले मन से दी थी। सो, काम-काज के लिए चौकीदार देख रहे हो? आदमी भेज दूँ?'"

"नहीं।"

तभी लस्कर ने सहसा चौकीदार को पुकारा, जैसे कि उसका बड़प्पन सुबोध की गरीबी के प्रमाण के लिए हो, जोरों से ललकारा, "राम? अच्छी तरह बाबू की

देखभाल करना। नहीं तो दारोगा से कहकर फँसा दूँगा। साले, सरकारी बँगले में बैठकर लोगों को लेकर गाँजा पी रहा है?''

सुबोध ने अब अकेले बैठे-बैठे सारी बातें याद कीं। सामन्त की शकल और नाम याद रखना जरूरी था। नहीं तो किसी भी असावधानी के क्षण में कहीं सुबोध लस्कर को सलाम कर बैठे।

जमींदार से डरना और खातिर करने का अभ्यास खून में था। उसे अस्वीकार करने से क्या फायदा!

सुबोध बहुत ही अनमना था। बसाई टूरा के उसके सामने आकर खड़ा होते ही उसका ध्यान टूटा। सहसा उसने देखा कि सामने, बहुत निकट, एक काला, छोटे कद का, प्रौढ़ व्यक्ति खड़ा है। सम्भवतः प्रौढ़ है, क्योंकि कनपटियों के बाल सफेद थे। आँखें छोटी-छोटी, ललछौंही और चमकदार। शरीर पर सस्ती-सी बुश्शर्ट, धोती पहने। नंगे पाँव। वह बरामदे में था, बरामदे के नीचे तीन आदमी थे।

''मैं बसाई टूरा हूँ।''

''बैठिए।''

''वे लोग साथ में हैं।''

''आप लोग भी आइए।''

सब ऊपर आ गए और जमीन पर बैठ गए। सुबोध बोला, ''कहिए। आप कल नहीं आए?''

''सदर गया था। आप बीड़ी पिएँगे?''

''नहीं, आप लोग पिएँ।''

''पीजिए न?''

''न। जो वेतन पाता हूँ...।''

''अब कहिए।''

''आप बताइए।''

''मैं क्या बताऊँ, आए हैं जड़हन कटाई के वक्त। देखिए नाम में और बेनामी लस्कर की जमीन—सोनाल, गयेश्वरी, मुड़ाइल, तिवरदिया—डेढ़ हजार बीघा है।''

सुबोध मन-ही-मन नोट लेता रहा।

''हम औरत-मरद मिलाकर दो सौ होंगे। हजार बीघा आमन धान की जड़हन खेती है। यह धान का काम साल-भर का है। आउस धान की बरसात की खेती उठवा दी। उसमें पिछले साल आठ आने दिया। इस बार दे रहा है दस आना। उसके लिए भी हमें लड़ना पड़ा था।''

"कहते चलिए।"

"उस जेठ में बीज-धान बोए। उसके बाद धान रोपे। अब धान कटेंगे। गट्ठे बाँधना, धान उठाना, ब—हुत काम है। यह रिलिप का माइलो खिलाकर काम कराता है। फिर भी हमने इस साल सूद पर धान कम लिया है।"

"किसने कितना लिया है, रेकॉर्ड है?"

"इसकी बात न करें। इसका रेकॉर्ड बसाई टूरा के माथे में है। फिर भी लिख रखा है। उसी से लस्कर को बहुत गुस्सा है। बसाई, तुम मेरे किसानों को बिगाड़ रहे हो। उनके साथ में चिरदिन का सम्बन्ध तुम बिगाड़ रहे हो। बाबू! यह छोटा-सा हिसाब रखे बिना लस्कर का खुला मुँह बन्द नहीं होता। मजूरी देने में वह खाता निकालता है, य—ह कायदा है। उसमें लिखा कहाँ है! यह, यह लिखा है। वह, वहाँ लिखा है। उसने इतना लिया, तो ले साले हिसाब जाँच। पास आ, यह काटा, लेः रुपए। हिसाब में वह पुलुस है। जब सूद देता है तो कम दर, काटेगा तो चढ़ी दर के हिसाब से। उन लोगों के साथ झगड़ा करना... ।"

"आप लोग क्या करेंगे, ठीक किया है?"

बसाई टूरा ने बीड़ी का कश लिया। उसके बाद बोला, "छिहत्तर का एम.डब्लू. लेंगे। अड़सठ में जो हिसाब होगा—वह लेंगे। नहीं तो, धान नहीं काटेंगे, किसी को धान काटने नहीं देंगे।"

"उससे कह दिया है?"

"कहेंगे। उसके पहले जानना चाहते हैं, आप क्या मदत देंगे? वह बताइए।"

"वह अगर राजी हो जाए तो अच्छा है।"

"सीधी उँगली से घी नहीं निकलेगा।"

"न होने पर आप मुझे बताएँगे। लिखकर। मैं उसे नोटिस दूँगा।"

"आप! हमें कोट नहीं जाना होगा?"

"कोर्ट आप सीधे जा सकते हैं।"

"नाः! फायदा नहीं।"

"वकील जा सकता है।"

"वकील माने कालीमूहन। लहू चूस लेगा।"

"किसी यूनियन के, ट्रेड यूनियन के अफ़सर को आपके भार देने से वे जा सकते हैं।"

"नाः! यूनियन नाम से खेतमजूर यूनियन है, दूसरा जिला नहीं जानता। वह गड़बड़ है।"

"मैं जा सकता हूँ।"

"आप?"

"हाँ, कानून में यही कहा है।"

"कहा है कानून में?"

"हाँ।"

"क्या कह रहे हैं? सुन, गोविन्द सुन, सुन ले सिचरन, आईन में कहा है निसपेट्टर जा सकता है।"

"कानून में कहा है, आप लस्कर के आगे माँग रखें। उसके न मानने पर मुझे बताएँ। मैं नोटिस देकर कहूँगा, माँग क्यों नहीं मानते, इसका कारण बताओ। अगर मान ले तो अच्छा है। पर अगर न माना, जवाब नहीं दिया, या न मानूँगा कहकर जवाब दिया, या कहे कि मुझे भी कुछ कहना है, तो मैं अदालत जाऊँगा।"

"वाह, वाह, वाह रे! उसके बाद?"

"वहाँ उसे रेकॉर्ड दिखाना पड़ेगा। बहुत दिन हुए, उसे नोटिस मिला था–किसने पेशगी रुपए का धान लिए, किस पर उराने जुरमाना किया, किसकी खुराकी के लिए रुपया काटा है–स-ब रेकॉर्ड चाहिए।"

"साला कुछ छोड़ा नहीं?"

"मेरी सलाह है, आप लोग अब किसी भी कारण से उसके किसी खाते पर अँगूठा न लगाएँ।"

"नहीं लगाएँगे।"

"उससे सब साफ-साफ कहिए। अगर वह राजी न हो, तो क्या करेंगे?"

"हम काम बन्द कर देंगे।"

"वह फिर क्या कर सकता है?"

"वह एक काम करेगा।"

"क्या काम?"

"बाहर से कटैया लेगा।"

"यह मालूम है।"

"मालूम है। यह भी मालूम है कि वैसा होने पर मार-पीट होगी। अपने खून से रोपा धान किसी को काटने न देंगे। जान की कसम खाकर लड़ेंगे।"

"वह जो खाता दिखाएगा वह भी गैरकानूनी है। कानून बन गया है, वह उधार दिया पैसा काट नहीं सकता है।"

"बाबू! आप सहारा हैं। जहाँ लस्कर हो, वहाँ आईन क्या है, बाबू? पुलुस उसके हाथ में, कलकत्ते में उसका खूँटा एमेले बाबू हैं, दारोगा, मन्त्री उसके घर ठहरते हैं, खाना-पीना करते हैं–कानून से उसको क्या?"

"हमें अधिकार है, दंगा-फसाद का डर रहने पर पुलिस लाकर खड़ा कर धान कटाएँगे।"

सुबोध ने बसाई टूरा के सामने ही बातें कहीं। टेक्निकल गलती। यह गलती क्यों हुई, सुबोध बाद में समझा।

गौर लस्कर उसके निकट, त्रिमोहन माहिती के निकट सुबोध का बाप, उत्सव रुइदास था।

उसके पिता ने यह सब अपमान सहा था। उधार धान, उधार रुपए, कागज में क्या लिखा है जानना न चाहो, अँगूठे की निशानी दो। हाँ, तुमको इस सीजन में काम के लिए ग्यारह रुपए ही मिलेंगे, हिसाब में है। तबीयत न हो, तो साले अदालत जाओ। अदालत कौन जाता है? फिर सूद पर धान, फिर रुपए।

हाँ, लस्कर सुबोध की आँखों में त्रिमोहन बन गया था। अत्याचार की इमेज। सुबोध ने वह इमेज खण्डित करना चाहा। इसीलिए बसाई टूरा के आगे बातें बता बैठा। बातें कैसी भयानक थीं! तुम धान काटो, दंगा होने पर पुलिस लाकर मदद देगा। इमेज खण्डित करने की उत्कट अभिलाषा थी।

सुबोध भूल गया था, इमेज या मूर्ति, वह जीवित जमींदार या मृत महापुरुष जो भी हो, मूर्ति तोड़ने का अपराध सरकार सहन नहीं करती और हवा में कर्डाइट[1] गन्ध फैलाकर धरती रक्त से भिगो देती है।

"तो सब बातें हो गईं?"

"हाँ।"

"तुम जाओ। मैं चला।"

वे लोग चले गए। बसाई टूरा बोला, "आज ही वहाँ जाऊँगा। कह आऊँगा।"

"कल जाकर यूनियन ऑफिस में भी कह देंगे।"

"हाँ, उसके पहले छाइकेल लेकर कह आऊँ, कोई लस्कर के कागज में छाप न दें।"

"उसके पास जाकर कह देखें, क्या कहता है?"

[3]

लस्कर बोला, "यह कैसी बात कह रहे हो, बसाई? तुमको वेज मिलेगा, सरकार ने कहा है, वेज दूँगा।"

1. कारतूस

“दोगे? तो सबको बुलाऊँ।”

“देख लूँ, भाई। खाता देख लूँ।”

“तुम्हारा फिर खाता चला, लस्कर बाबू?”

“यह देखो। उधार लिया, हिसाब नहीं होगा?”

“नाः! आईन हो गया है, कृषि-ऋण नहीं रहा।”

“यह तो कृषि-ऋण नहीं है, बसाई।”

“फिर क्या है?”

“पेट भरने को दिया था।”

“किसान पेट भरने को ही कर्ज लेता है।”

“पर तुम तो किसान नहीं हो, बसाई। यह सभी का अपना-अपना ऋण है। यह ऋण महाजन छोड़ सकता है?”

“खाता कहाँ है? निसपेट्टर को दिखाओ।”

“ना, बसाई। देखना होगा तो खाता कोट देखेगी।”

“हमारी माँग सुनो।”

“कहो।”

“अपना बोया धान हम काटेंगे।”

“उसके बाद?”

“एम.डब्लू. लेंगे।”

“उसके बाद?”

“छिहत्तर के रेट से।”

“और?”

“बाहर के कटैए नहीं लेने देंगे।”

“बस, यही?”

“ठीक। लिख लाओ।”

“क्यों?”

“लिखोगे नहीं?”

“नाः।”

“अच्छा!”

“तुम जवाब दो।”

“मेरा जवाब! जवाब का कोई पथ रखा है? जो कहा, मान लिया। पर एक बात है!”

“क्या?”

"मैं उधार का हिसाब लूँगा। जिसने जो लिया है, टीप देगा। उसके बाद धान में हाथ लगाएगा।"

"लस्कर बाबू! कि–सी भी कागज पर कोई टीप नहीं देगा। टीप हमने बहुत दिनों तक दी। मेरे बाप ने तुम्हारे बाप को टीप दी थी। बहुत टीप दीं। उसी से यह दसा है।"

"तुमने माइलो चलाया, कोई धान न लेकर अगर भूखा रहे उसमें मेरा दोष है?"

"माइलो तुम्हीं ने पकड़ाया। तुम्हारे कर्ज के धान लेकर भात खाने में हमारा मरन था।"

"बात में बात बढ़ती है, बसाई।"

"तुम जवाब दे दो बात खतम हो जाए।"

"टीप दिए बिना मैं को–ई बात नहीं करूँगा। टीप दो। मैंने सब बातें मान लीं।"

"टीप को–ई नहीं देगा, लस्कर बाबू। धान भी तुम्हारे खेतों में सड़ाएँगे।"

बसाई चला गया।

लस्कर बोला, "लॉरी निकालो। मैं सदर जा रहा हूँ। इस बसाई को मैं बिन्दाबन दिखाऊँगा।"

बसाई पहले लखिन्दर के घर गया। बोला, "अभी चलो। कुछ बात है।"

"आ रहा हूँ। चलो।"

उसके बाद बसाई मुड़ाइल गया। दुकानदार से साइकिल ले ली। सुबोध से सारी बातें बताईं।

"हाँ, बात गड़बड़ है।"

"मैं अभी जा रहा हूँ। इन सालों का बिस्वास नहीं, इसी तरह जाकर टीप दे आएँगे। इस महीने हरिपाल में, हुगली जिला में क्या हुआ, वह आपको पता है? यह तो एक ही गड़बड़ है। फिर भी खेतमजूर लड़े थे। तब निसपेट्टर, पंचायत, सभी हाकिम आए थे। वहाँ मालिकों के यही इतने कागज थे–स–ब में टीपछाप, लगता है कि बैलगाड़ी पर लादकर ले गया था। उसमें मजूर भरे थे।"

"आप जाइए।"

"आप क्या करेंगे?"

"क्या होगा, यह मालूम कर एक बार सदर जाऊँगा। कलकत्ते से इंस्ट्रक्शन[1] मँगाऊँगा।"

1. निर्देश

बसाई पहले घर गया। लखिन्द आँगन में बैठे फलते हुए लौकी के पेड़ को देख रहा था। वह सपना देख रहा था कि बड़ी लौकी बसाई उसे काटकर दे रहा है।

बसाई बोला, "सुनो लखिन्द, तब नहीं कहा, अब कह रहा हूँ। सारा गाँव जानता है कि तुम लस्कर के चमचे हो। तुम चमचे हो, पर बुद्धू। तुमको लस्कर कुछ नहीं देता। फिर भी तुम चमचे का काम करते हो।"

"टाचबत्ती देगा।"

"हाँ, सब दिया, जमीन, जायदाद, गाय, बकरी—टाचबत्ती देना-भर रह गया है।"

"नाः, नहीं देगा। न लूँगा। बहू ने मना किया है। लेने से बहू खफा होगी।"

"कब तक तुमको चमचा का काम करना होगा?"

"क्यों?"

"लस्कर एम.डब्लू. के लिए दंगा करेगा। उससे अलग रह। कुछ करने को कहे तो जाकर कहना कि तुम्हारा चमचा कहकर बसाई मुझे मारने आता है। देख, अगर सदर जाए तो साथ जा सकोगे?"

"उसके बाद?"

"जो कहे, मुझे बता जाना।"

"वह कर सकूँगा। कान कटाने में मैं हुसियार हूँ।'

"जाओ।"

लखिन्द भागा-भागा गया। वह बहुत खुश था। बसाई टूरा ने उस पर विश्वास किया है, काम का भार दिया है। बसाई टूरा क्या मामूली आदमी है! उससे पुलिस भी डरती है।

लस्कर निकल रहा था। बोला, "ऐं? तू मेरा चमचा है? अच्छा! बन चमचा। चल मेरे साथ। जाते-जाते सुना जाना। ए, चमचा कहो। उसकी यूनियनबाजी खतम कर दूँगा। घर में पुलिस ढुका दूँगा।"

"मैं चलूँगा। गाँव में रहने पर बसाई मारेगा।"

"चल, बेटा। तुझे डर क्या है? मेरे घर रहेगा?"

"बहू है।'

"धत्। तेरी बहू तो बछरबियानी[1] है। उसका क्या होगा?"

लखिन्द लस्कर के साथ सदर गया। लॉरी चढ़कर जाने में क्या मजा है! लगता था, सारी दुनिया दोनों ओर भाग रही हो। एकदम बँधे जीवन में रहता था

1. हर साल बच्चों को जन्म देनेवाली

लखिन्द। इसी से लॉरी का चलना उसे बहुत अच्छा लग रहा था। जाते-जाते घर का सहारा छूटने पर दुःख हुआ। वे लोग कभी लॉरी नहीं चढ़े थे।

बड़ी रात को लखिन्द बसाई के घर गया। बोला, "चलो, बातें बताऊँ।"

वे घर की छाजन में आकर खड़े हुए। जाड़ा बहुत था। शुक्ल पक्ष की अस्पष्ट ज्योत्स्ना थी। सबकुछ कुहरे से धुँधला था। नदी कुहरे से छाई हुई थी। कुहरे से भरी हलकी-हलकी हवा में धान की गन्ध थी। धान के पौधों को लस्कर और खेतमजूरों की लड़ाई का पता न था। बसाई के हँसुए से प्राणदान के लिए वे रात को हवा में सिर हिला-हिलाकर बसाई को बुला रहे थे।

लखिन्द बोला, "सूअर धान खा जाएँगे, है न?"

"कितना खाएँगे, खाएँ। बीस पूले।"

"हाँ।"

"क्या हुआ, बता!"

लखिन्द बोला, "एस.डी.ओ. के पास गया था। क्या कहा, यह नहीं सुना। मुझे बाहर ही रखा। उसके बाद थाने से दारोगा वगैरह को लॉरी पर चढ़ाया। लॉरी घुमा-घुमाकर सारी बातें बताईं। सदर बड़ा गरम हो रहा है जी। सर्कस आया है। उसमें तीन बाघ हैं। हाथी हैं, ऊँट हैं।"

"दारोगा से क्या कहा?"

"बोला, निसपेट्टर मोची का लड़का है। हाड़ी[1], डोम, बाउरी, सन्थालों को मदद दे रहा है। तुम उसकी मदद करोगे तो खेतमजूर भड़क उठेंगे। दंगा करेंगे।"

"दारोगा ने क्या कहा?"

"दंगा होने पर देखा जाएगा।"

"और क्या कहा?"

"तुमको मीसा कर दें।"

"उसके बाद?"

"दारोगा ने कहा—तुम्हारे कहने से मीसा नहीं होगा, लस्कर। होने लायक केस हो, तभी तो होगा। वह निसपेट्टर लापरवाह नहीं है। दारोगा का आडर है—जहाँ निसपेट्टर बुलाए, पुलुस मदत देगी। उसके बाद दोनों ने थाने के बरामदे में खड़े होकर क्या कहा, मैंने नहीं सुना। लॉरी पर बैठकर बोला—बेबस्था हो गई।"

"उसके बाद?"

---

1. हिन्दुओं में छोटी माने जानेवाली जातियाँ

"मुझे पगीलाई-लड्डू मोल ले दिए।"

"तुम जाओ। बाद में फिर बताऊँगा।"

"हाँ, मैं जा रहा हूँ।"

"जाओ।"

"बसाई!"

"कहो!"

"मैंने अच्छा काम किया?"

"हाँ, लखिन्द। तुमने जो कुछ किया, वह कोई कर सकता था? गाँववाले गुस्सा होंगे। तुम बुद्धू बने रहना।"

"अच्छा।"

लखिन्द ने सिर हिलाया। उसके बाद बोला, "अच्छा काम किया, फिर भी बुद्धू बनकर क्यों रहूँ?"

"बुद्धू बने रहने से सभी समझेंगे, तुम उसके चमचा हो। सब तुमको बुरा सोचेंगे, यह लस्कर को मालूम होगा। तुम पर बिस्वास करेगा। इससे वह क्या करना चाहता है, मुझे मालूम हो जाएगा। वह और किसी का बिस्वास न करे, तुम्हारा ही बिस्वास करे। उसे जैसे ही पता चलेगा कि तुम असल में हम लोगों के साथ हो, तो तुम पर उसका बिस्वास चला जाएगा। उससे हम लोगों का नुकसान है। अब लड़ाई का वक्त है, लखिन्द! इस तरह से तुम हमारा उपकार कर सकते हो।"

"बसाई, लड़ाई? ल—ड़ा—ई?"

"हाँ, लखिन्द। लड़ाई।"

"तुम्हारे पास कुछ नहीं है। उसके पास बन्दूक है।"

"हमारे पास भी हैं। हथियार निकाले नहीं हैं। मैं उसे मथुरा दिखा दूँगा। उसका धान है न?"

[4]

ताज्जुब है, बसाई जब कह रहा था, "उसका धान है न?" तब गौर लस्कर टॉर्च हाथ में ले ड्राइवर मदन को लेकर धान के पौधों को देख रहा था। धान के खेतों की हद कुहासे में अस्पष्ट थी। उससे लगता कि लस्कर के धान के खेतों की हद ही धरती की सीमा है। लगता कि सारी पृथ्वी ही लस्कर के धानों का खेत हो।

लस्कर की खत्तियों में भरे जाने की पृथ्वी अपेक्षा कर रही थी। करभोग्या।

"यह स—ब मेरा है।" लस्कर मन-ही-मन कह रहा था। छाती के भीतर बड़ी उत्तेजना थी। यही धान के पौधे उसका अस्तित्व निश्चित करने की क्षमता रखते हैं। लस्कर क्या करे? हार माने? जीतेगा? बसाई की रूखी बातें। "लेकिन बसाई, तुम क्या करोगे? क्या कर सकते हो? तुम्हारी सामर्थ्य कितनी है? सन्थाल हो, खेतमजूर! हर साल भड़काया करते हो। मैं खेतमजूरों का खूब पीता हूँ? फिर उन्हें साल में जिन्दा कौन रखता है? तुम? तुम्हारी सामर्थ्य है? उनके जन्म, मरन, बियाह, सराध, तीज-त्यौहार मेरे सिवा कौन देखता है?

"तुमने बड़ा बुरा समय चुना। इमरजेंसी का जमाना। कहीं के खेतमजूर जीते नहीं बसाई, मुझे रिपोट मिली है। उस वक्त के पौष से इस साल के सावन तक, एक बरस आठ महीनों से तेरह केस हुए। ग्यारह केसों में फाइन हुआ। फाइन देने में जमींदार डरते नहीं, बसाई। कैसा ऋण माफ करने का कानून? आईन मेरा क्या करेगा? धान दूँगा, सूद लूँगा, रेकड नहीं, खाता किसी को नहीं दिखाऊँगा। असल नहीं लूँगा, सूद लूँगा, नाः! बसाई, तुमने गलती की।

"तुम सरकार को नहीं चीन्हते, मैं चीन्हता हूँ। पब्लिक को दिखाया एम.डब्लू. दे रहे हैं। निसपेक्टर भेजा। निसपेक्टर किसका है? वे हमारे, जमींदारों के जमीन के मालिकों के लड़के हैं। वे देंगे खेतमजूरों का हक? नाः! नहीं देंगे! वह मोची का लड़का कितनी दूर जाएगा, बसाई? उसका आपिसर सामन्त है। सामन्त के दिन खतम हो गए हैं। मेरी बहिन का जमाई लीडर है। जमींदारों का बेटा। नमक, चीनी, किरासिन के सिवा कुछ नहीं खरीदता। वह है, मन्त्री है, सामन्त के हटने पर वह निसपेक्टर मर जाएगा। तुम ऐसे बेवकूफ हो बसाई, कि पता नहीं कि इमरजेंसी है? तुम लोगों को दुःख-सुख में पहुँचाने में मेरा कलेजा फटता है। जमीन बाप की नहीं, दाप की होती है। एम.डब्लू. तुम लोगों को बहकाने, पब्लिक को बहकाने की बातें हैं। दंगा होने पर तुम निश्चय ही मरोगे। उस पर सरकार नजर नहीं डालती है। हमारे मरने पर सरकार के हाथ-पाँव चले जाएँगे। हम लोगों के रहते एम.डब्लू. है। नक्सल हंगामे की बात नहीं सुनी? एक-एक जमींदार के मरने के बदले सरकार कितनी जानें ले रही है?

"मैं धान काटूँगा।

ढेर लगाऊँगा।

तुमको मारूँगा। भात मारूँगा।"

...बातें सोचते-साचते लस्कर के चेहरे और आँखों में स्वप्निल तन्मयता उतर आई। "और भी बहुत कुछ कर सकता हूँ, बसाई। एम.डब्लू. तुम्हारे अधिकार की

लड़ाई है। एम.डब्लू. नहीं दूँगा, यह मेरे अधिकार की लड़ाई है।''

गौर लस्कर ठिठककर खड़ा हो गया। बोला, ''कल से घर के नौकर मचान पर बैठेंगे। धान तैयार है।'' उसने घर की ओर की राह पकड़ी।

तीन दिन बाद से शुरू हुई खेतमजूरों की लगातार हड़ताल।

सुबोध सदर चला गया। ट्रंककाल पर सामन्त बोले, ''अच्छा है, मैं देख रहा हूँ कि मामले को कितनी पब्लिसिटी दी जाती है। रेडियो और अखबार के कवरेज की बड़ी जरूरत है। आज आप सदर ठहरिए।''

''मैं गाँव नहीं जाऊँ?''

''अभी ठहरिए। और इमरजेंसी में जात्रा का ब्लॉक कॉण्टैक्ट करेंगे। वहाँ रणजित पात्र एम.डब्लू.आई. है। हाँ, हाँ, विश्वासी लड़का है। दोनों जाएँगे। रिटन नोटिस जा रहा है। इस समय पब्लिसिटी की बहुत जरूरत है। आपका हीरो एक्टिव है?''

''बहुत। गाँव छोड़कर हिलता नहीं।''

''गुड। वह रिपोर्टरों से मिल ले।''

पब्लिसिटी। सदर से जीप और टैक्सी गाँव की ओर चली। रिपोर्ट बहुत मूविंग और फेथफुल हुई।

''टु विलेजेज! मार्च टु मॉडर्न टाइम्स...!''

''न्यूनतम वेतन की माँग के लिए खेतमजूरों की हड़ताल...''

''खेतमजूर कार्यकर्ता बसाई टूरा ने कहा...''

खेतों के किनारे-किनारे मचान।

पहरे में लगे खेतमजूरों का दल।

''मिस्टर टूरा, आपने मचान क्यों खड़े किए?''

''नहीं तो बाहर के कटैयों को घुसा देगा।''

''कब तक हड़ताल खीचेंगे?''

''जब तक लस्कर गरदन न झुकाए।''

''आप लोगों ने अभी तक किस रेट पर वेज पाया है?''

''अकबर बादसाह के टाइम के रेट से।''

''माने?''

''आठ आना मिले, दस आने मिले, यह कोई रेट हुआ? इसी से कहता हूँ, बादसाह के टाइम के रेट।''

''सारी जमीन लस्कर की है?

''सारी जमीन का चकला उसका है।

"लैंड-सीलिंग?

"बाबू हो। सीलिंग जानते हो। हिसाब करो। सीलिंग किसके लिए? किस जिले में जमींदार-महाजन के हजार-हजार बीघे नहीं हैं? कहाँ सीलिंग नहीं है? आईन बनाते हो जमींदार को पालने को। उसके लिए ताज्जुब करने से क्या होगा?"

"हड़ताल का कारण?"

"वह कृषिऋण की माफी का आईन नहीं मानता। छिहत्तर का वेज दूँगा, मुँह से मानता है, लेकिन किसने क्या ऋण लिया है, उसके छिपे खाते पर टीप लगाना होगा। हम देते नहीं। इसलिए..."

"कानून के बाद भी?"

"कानून तो हमारे मारने के लिए है, उन्हें जिन्दा रखेगा। कैसा ऋण माफी का कानून? सीधे-सादे खाते में लिखा ऋण माफ हो सकता है, किन्तु सीधे-सादे खाते में रहती है एक रुपए की बात। छिपे नौ रुपए जो खाते में लिखे हैं? रेकड रहता नहीं क्या? सरकार को क्या मालूम नहीं कि कितने करोड़ रुपए सूद में जाते हैं?"

इमली के पेड़ के नीचे बसाई की प्रेस-कॉन्फरेंस हुई और बसाई उनके बीच खड़ा होकर स्लोगन लगाने लगा—

"ये धान—हम काटेंगे।"

"हम काटेंगे।"

"बाहर के कटैयों को घुसने नहीं देंगे।"

"ना, ना, ना।"

"अड़सठ और चौहत्तर का रुपया कहाँ है?"

"रुपया कहाँ है?"

"छिहत्तर की मजूरी देना होगा।"

"देना होगा।"

"जबानी हिसाब न मानेंगे। टीप-सही देंगे नहीं।"

"मानेंगे नहीं, देंगे नहीं।"

"एम.डब्लू. हमारी जा—न है।"

"जाऽऽऽऽन!"

"दोगे, तभी काटेंगे धान।"

"तभी काटेंगे धान।"

एक छोकरे रिपोर्टर ने उसी समय स्लोगन टेप कर लिए और स्लोगन के बीच में बकरी का बाँ-बाँ भी आ गया। उसने साथी से कहा, "दिस इज रियल। कसम

से। जिस तरह पोन्तिकार्वो की तसवीर है। टेप में स्लोगन के साथ म्यूजिक पंच कर लेने से बढ़िया हो जाएगी। सचमुच।''

साथी ने रक्त-दशक के आदि से अन्त तक मारिजुआना खाकर क्रान्ति की थी। बहुत ही हाल में उसने गेंदे के फूल से भी पीले रंग के रुपयों से पुष्ट कई-कई लोगों ने लाल-पीले कुर्ते पहने अतिक्रान्तिकारी को देखा था और वे लोग क्रान्ति में दीक्षित हो गए लोग थे। इससे उसका मन हिलकोरे लेने लगा और वह रोकर बोला, ''बसाई मानो चे-ग्येआरा है।''

बसाई इस समय कठोरता से काम कर रहा था। हर मचान पर पहरा बदलकर उसने धान के खेतों को निगरानी में रखा। लस्कर अपने कमरे में दरवाजा बन्द कर विपत्तारिणी माँ—इमरजेंसी को पुकारता। कहता, ''माँ—इमरजेंसी! बचाओ माँ तुम्हारे नाम पर बकरा दूँगा।''

जिस कारण से लस्कर देवताओं का सहारा लिए था, उसके सपने में शिव आए, उसी कारण से सामन्त, बसाई और रिपोर्टर माँ इमरजेंसी के ब्रह्मास्त्र से घायल हुए। समाचारों को कोई पब्लिसिटी नहीं मिली, न किसी को मालूम हुआ कि क्या हो रहा है? राइटर्स[1] से 'नॉट टु बी पब्लिश्ड' नोट के साथ सेंसर की चुभन आई।

जिन्होंने एम.डब्लू.ए. की सफल रूपायन कामना की थी, सामन्त उन्हीं मुट्ठी-भर अफसरों में एक था। एम.डब्लू. के काम को जरूरी पब्लिसिटी देना होगा, यह 'ओ.के'[2] उन्हें ऊपर से मिला था, इसी से आगे बढ़े थे। वह पक्के अफसर थे, किसी चाल में गलती नहीं करते थे।

उसके बाद भी सेंसर का यह इस तरह का आचरण देखकर उनका मिजाज बिगड़ गया और वह इस मामले को लेकर भाग-दौड़ करने लगे। तब ऊपरवालों ने उन्हें यथोचित सान्त्वना देकर कहा, ''जिसे लड़ाई कह रहे हैं, यह सारे पश्चिमी बंगाल के खेतमजूरों के हिसाब के रेशियो[3] में नहीं आता! प्रत्येक बेल्ट में जमींदार जो दे रहा है, खेतमजूर वही ले रहे हैं। वह देखिए कि पर्सनल फीडेड गँवई गाँव का मामला है। अड़ोस-पड़ोस के ब्लॉक में झगड़ा क्यों नहीं हो रहा है? देखिए, देखिए नतीजा क्या होता है? अच्छा! बात रही। आउटकम अच्छी होने पर पब्लिसिटी से टुकड़े-टुकड़े कर देंगे। अभी इस मामले को हाइलाइट कराने में असुविधा है।''

सामन्त सब समझते हैं और अपने कमरे में चले आते हैं। 'असुविधा है'—

1. राइटर्स बिल्डिंग—बंगाल सरकार का केन्द्रीय कार्यालय
2. 'ठीक है' का आदेश
3. अनुपात

निश्चय ही अनऑफिशियली ऑफिशलों पर दबाव डाल रहे हैं, मन्त्री अथवा उपमन्त्री अथवा कोई युवराज। 'एम.डब्लू.ए. के लिए झगड़ा चल रहा है'—समाचार उनके लिए अशुभ है।

तमाम जगह झगड़े नहीं हो रहे हैं, एक जगह हो रहा है, इसीलए वह समाचार है। सामन्त ने अपनी जान-पहचान के संवाददाताओं से कहा, "सेंसर से पास हुए बिना आप समाचार कैसे छाप देते हैं?"

"घुमा-फिराकर लिख देते हैं।"

"वही कीजिए।"

वही किया गया। उसके परिणामस्वरूप हड़ताल के सातवें-आठवें दिन अखबारों के कोने-कोने में, नीचे की ओर संक्षिप्त समाचार में खबर छपी और सबकी नजरें अटक गईं। इस खबर के 'ऐट ऑल' निकलने के मामले को अधिकारियों ने अच्छी नजरों से नहीं देखा और सम्बन्धित मन्त्री के पास भागे-भागे पहुँचे।

सरकार की गाड़ी चढ़ने पर भी सामन्त ने वापसी की राह का खर्च दिया। इस तरह से उग्र अच्छे अफसरों का छल पकड़ना मुश्किल हो जाता था। इस क्षेत्र में दूसरे एम.डब्लू.आई. वाले मदद के लिए आए। उनकी नौकरी गाँव के ब्लॉकों में रहती और वे रहते कलकत्ते में, मन्त्री के बरामदे में। वे कहते, "उनके पास न जाकर हम सीधे यहाँ आते हैं इसलिए उन लोगों ने बकझक की थी।"

प्रसाद-पुष्ट मर्कट की यह राय ही प्रवीण, भली, कर्मनिष्ठ ऑफिसर को लँगड़ी देने में काफी हुई और लँगड़ी देने का आयोजन इलैबोरेटली[1] चलने लगा।

नौ दिन हड़ताल चलते ही लस्कर की हालत पतली हो गई। धान काटे बिना अब न चलेगा। उसने लखिन्द से कहा, "निसपेट्टर के पास जा, कहना—मैं बात करने को तैयार हूँ।"

सुबोध इस बात से खुश हुआ। बसाई पर खेतमजूरों का विश्वास अटल था। इसी से वे निश्चय के साथ हड़ताल चला रहे थे। यूनियन के बाबू लोगों ने इस समय चावल और खेसारी की पतली खिचड़ी का इन्तजाम कर सहायता की। लेकिन बसाई भी समझ रहा था कि इस तरह ज्यादा दिनों तक नहीं चलेगा।

लखिन्द ने बसाई से कहा, "इस बार समझौता कर लो जी। वह नरम पड़ गया है।"

सुबोध बोला, "देखिए, दिस इज गुड।[2] लस्कर ही समझौते की राह पर आगे बढ़ रहा है।"

---

1. बड़े पैमाने पर
2. यह अच्छा है।

गाँव के इमली के पेड़ के नीचे तीनों पक्षों की मीटिंग हुई। लस्कर—के.एम. यूनियन के कर्मचारी और बसाई—सुबोध।

बसाई बोला, "तुमने मुझे बिन्दाबन दिखाना चाहा था, लस्कर। मैंने कहा था कि मैं तुमको मथुरा दिखा दूँगा। धान किसके नष्ट हो रहे हैं?"

"बसाई, काम की बातें किया करो।"

सुबोध बोला, "आप इन लोगों की माँगों की बात जानते हैं।"

"वही धान काटेंगे—नम्बर एक।"

"बाहर के कटैये नहीं आएँगे—नम्बर दो।"

"अड़सठ और चौहत्तर के रेट पूरे देंगे—नम्बर तीन और चार।"

"इस बार की मजूरी लेबर डिपार्टमेण्ट के नोटिफिकेशन में अप्रैल 1976 के डिक्लेयर्ड रेट पर। पाँच नम्बर।"

"इन पाँचों माँगों के सम्बन्ध में बताइए, आप क्या कहना चाहते हैं?"

लस्कर बोला, "क्या कहूँ? सरकार ने बाँस कर दिया। आप कानून दिखा रहे हैं। अच्छा, ठीक बात है। लेकिन कोई भी जमींदार नहीं दे रहा है, मैं क्यों दूँ? क्या सारे ब्लॉकों में एम.डब्लू. नहीं आई है या खेतमजूर नहीं हैं?"

"दूसरे लोग गैर-कानूनी काम करें तो आप भी करेंगे? आपको जो कहना हो, कहिए।"

यूनियन के कमल घोड़ई बोले, "यह बहुत जरूरी फैसला है। इस ब्लॉक का नतीजा देखने के लिए भी आसपास के कम-से-कम चार ब्लॉकों में अनडिक्लेयर्ड हड़ताल चल रही है।"

लस्कर बोला, "सब न कर सकूँगा। एक बीच के रास्ते पर आइए।"

बसाई बोला, "कौन-सा न कर सकेंगे, लस्कर बाबू?"

आलोचना जल्दी ही बहस और झगड़े में पहुँच गई। अन्त में सुबोध और यूनियन के बाबू लोगों के बीच-बचाव से फायदा न हुआ और लस्कर खफा हो उठकर चला गया।

दो दिन बाद फिर बैठक हुई। इस बार लस्कर क्यों नरम हो गया, यह पहले समझ में न आया। बाद में समझ में आया कि चिड़ियाँ धान खा रही हैं, यह देखकर रात बीते वह रो पड़ा और गुस्से से बोला, "हटाओ, आज ही फैसला करूँगा।"

सुबोध ने भी बसाई को समझा-बुझाकर झुकाया। इस बार कागज पर लिखकर शर्तें हुईं।

"बाहर के काटनेवाले नहीं आएँगे।"

"ये ही लोग धान काटेंगे।"

"अड़सठ और चौहत्तर के रेट के हिसाब से जो होगा, उसका आधा हाथ में लेकर तभी ये लोग धान काटेंगे। आधा अगली फसल में दिया जाएगा। इस बार छिहत्तर के रेट पर ये लोग मजदूरी पाएँगे। हिसाब बसाई, लस्कर, सुबोध–एक साथ तैयार करेंगे।

"कर्ज माफ करने का कानून होगा।"

कागज पर सुबोध, लस्कर, बसाई और यूनियन के बाबू ने दस्तखत किए। सुबोध ने कहा, "कल ही आप रुपया दें, काम शुरू हो।"

लस्कर बोला, "वह परसों के पहले न होगा। कल बैंक से रुपए लूँगा, तभी तो।"

लस्कर घर चला गया। सुबोध के मन में बहुत खुशी हुई। वह बोला, "हटाओ। तो हो गया–ऐं? जाइए, आप लोग खुशी मनाइए।"

यूनियन के बाबू लोग भी खुश हुए और कमल घोड़ुई भूल गया कि उसकी यूनियन कितनी कमजोर और छोटी है। वह बोला, "देखना बसाई, तुम्हारी इस जीत की खबर चारों ओर फैल जाएगी।"

बसाई खुश हो गया। लेकिन औरों के साथ क्यों मन खुलकर खुशी नहीं मना सका?

सुबोध यूनियन के लोगों के साथ सदर गया। सदर से सामन्त को समाचार भेजेगा। बसाई से कह गया, "जाइए, आज आराम कीजिए। कल आकर हिसाब बनाऊँगा। परसों तो रुपए मिलेंगे, काम शुरू हो रहा है।"

बसाई चिन्तातुर चेहरे से उदास हँसी हँसकर बोला, "आप देखिए। उसका बिस्वास नहीं है। किसी को पता नहीं, क्या करेगा? ऐसा भला लड़का बनकर सब मान लिया।"

सुबोध बोला, "मेरे सही हैं सरकार की ओर से। कागज भी मेरे पास है। इतनी फिकर मत कीजिए।"

बस में सदर जाते-जाते सुबोध ने कमल घोड़ुई से कहा, "यह बड़े ताज्जुब की बात है। कृषक-आन्दोलन इनको छोड़कर हो सकता है? अधिकतर जमीनों पर तो प्राइवेट मिल्कियत है, भूमिहीन खेतमजूर खेती करते हैं। संगठन क्यों नहीं है?"

कमल घोड़ुई ज्ञानियों की हँसी हँसकर बोला, "होगा, होगा।"

सदर जाकर सुबोध ने इस सिग्नल विक्टरी का समाचार सामन्त को भेजा। उसके बाद जिन सरकारी कर्मचारियों के ज्वॉइण्ट मेस में ठहराया था, वहाँ जाकर दोपहर को सोया, शाम को सिनेमा देखने गया।

दूसरे दिन दस बजे के वक्त वह बस से आएगा। लेकिन सवेरे ही उसके पास

एक रोगी-सा, भाँड़ लगनेवाला आदमी आया। बोला, ''मुड़ाइल की लॉरी पकड़कर आ रहा हूँ, बाबू। आप चलिए। सर्वनाश हो गया है।''

''क्या हुआ? तुम कौन हो?''

''मैं लखिन्द हूँ। कहाँ इतने काटनेवाले छिपा रखे थे? सवेरा होते ही लस्कर ने दूसरे गाँव के कटैए घुसा दिए। वे धान काटने लगे। उससे बसाई सबको लेकर खेत में उतरा। बहुत दंगा हुआ। लस्कर बन्दूक ले आया।''

सुबोध उसी समय थाने भागा। थाने के अफसर बोले, ''एस.डी.ओ. का ऑर्डर चाहिए।''

एस.डी.ओ. बोले, ''ऑर्डर लेकर पुलिस जा रही है। आप गाँव जाइए। यहाँ एम.डब्लू.आई. क्या कर रहे हैं?''

सुबोध लखिन्द को लेकर गाँव पहुँचा और जो दृश्य देखा, वह आश्चर्यजनक था। मार खानेवाले खेतमजूरों के लड़कों से सुबोध को लगा कि यह लिलीपुट है। सामने जो हो रहा है वह विस्तृत कोटि की घटना थी। सहसा पिरामिड, या अदीना की मसजिद, या इलोरा देखकर भवनों की विशालता जिस प्रकार आश्चर्यान्वित करती हो, सुबोध उसी आश्चर्य में पड़ गया। अन्तर इतना था कि उसके सामने कोई मृत विशाल भवन नहीं था, कुछ आदमी लड़ रहे थे। इस लड़ाई का चित्र आकाश के कैन्वस पर अमिट रंगों में अंकित कर सारे मनुष्यों को चिरकाल देखने के लिए विवश करना उचित था।

धान के खेत में काले-काले आदमी थे। उनके दो सौ, उनके शायद चार सौ। हँसुओं से लड़ाई हो रही थी। लाठी ऊपर-नीचे हो रही थी। लस्कर मचान पर खड़ा था। उसके हाथ में बन्दूक थी। वह गरज रहा था, ''निकलो सालो सन्थालों, मेरे खेत से, नहीं तो बन्दूक मार दूँगा।''

सुबोध भागा, साथ में लखिन्द था। सुबोध बोला, ''लस्कर बाबू, क्या कर रहे हैं?''

''तुम हट जाओ।''

''उतर आइए।''

''इन सन्थालों को मैं देख लूँगा। ओ रे भजन! तुम लाठियों से औरतों को भगा दो।''

लस्कर अश्लील गालियाँ देता हुआ बोला, ''तुम्हारे एम.डब्लू. की मैं...! हट जाओ।''

तभी लखिन्द को सहसा नेवले की अकल आ गई। बन्दूक देखकर उसका कलेजा काँपने लगता था, फिर भी वह मचान के नीचे घुसकर लस्कर का पैर

पकड़कर लटक गया। झटके को सँभालने में लस्कर की बन्दूक सामने गिर पड़ी। उसके बाद गिरा लस्कर।

सुबोध ने बन्दूक उठा ली। लस्कर जमीन से उठकर खड़ा हुआ और बड़े उजड्ड गुस्से में लखिन्द से बोला, "तू? तू जाकर उस साले मोची के बच्चे को ले आया? ऐं?" उसने लखिन्द को लाठी मारी।

सुबोध उसका बाप-दादा बन गया। सामने त्रिमोहन माहिती था। उसने लस्कर के कान पर थप्पड़ मारा। लस्कर और सुबोध आमने-सामने थे। लस्कर बन्दूक की ओर झपटा। तभी पुलिस न आ जाती तो कहा नहीं जा सकता कि क्या हो जाता!

पुलिस, पुलिस। पके धान, कटैये, खेतमजूर, पुलिस। पुलिस ने हंगामा रोकने के लिए हवा में गोलियाँ छोड़ीं और धान के खेत में उतर गई।

कटैये, खेतमजूर—सभी एक-एक कर धान के खेत से निकल गए। पुलिस के साथ रणजीत पात्र को देखकर सुबोध को सहारा मिला। लस्कर ने अफसर को देखकर आँखें सिकोड़ीं और लखिन्द कमर पर लगी लाठी को भूलकर चिल्ला उठा, "साथी दारोगा नहीं आया है। पुराना दुस्मन आया, इससे लस्कर बाबू डर गए।"

अफसर ने लस्कर के घर पर बैठने के बुलावे की उपेक्षा कर दी। उसने गैरकानूनी बन्दूक ले ली। लखिन्द बोला, "यह बन्दूक मेहरिया है! बड़ी बन्दूक, मेहरिया का भतार, घर में है।"

अफसर ने यह बात न सुनी। उखड़ी आवाज में बोला, "एम.डब्लू.आई. कौन है?"

"मैं।"

"मारपीट की थी?"

"उन्होंने मुझे 'मोची' कहकर गाली दी, इस लखिन्द को लाठी मारी। मेरा अपराध है कि उनकी बन्दूक छिटककर गिर गई थी, उठा ली। उन्हें नहीं दी।"

"एग्रीमेण्ट-पेपर कहाँ है?"

यह बात सुनकर सुबोध समझा, कागज की बात सामन्त ने बता दी होगी। वह बोला, "मेरे पास।"

"देखें।"

"सदर के मेस में है।"

"क्या बात हुई थी?"

सुबोध ने सब बता दिया।

ऑफिसर बोले, "आज धान-कटाई न होगी। पुलिस रहेगी।"

"कल पुलिस खड़ी कर धान काटे जाएँगे।"

"आप सदर चलिए। एग्रीमेण्ट देखूँगा।"

बसाई बढ़कर आया। सुबोध से बोला, "इसी सबव से कल मैंने खुशी नहीं मनाई। देख रहे हो। काटनेवालों को ले रहा है। नदी किनारे के गोठ में ठहराया। खाना-पानी दिया, रुपया रोज मजूरी तय हुई है।"

"तुम कौन हो?"

लस्कर दबी आवाज में बोला, "दल का सरदार। बसाई टूरा। सन्थालों का बच्चा है।"

"चुप रह हरामी! तुम्हारी पैदाइश की बात सब जानते हैं। मैं सन्थाल हूँ। अपने बाप से पैदा।"

लस्कर इस पर गरज पड़ा और उसे और बसाई को चौंकाते हुए नाटे अफसर तोप-सी गरज में जल-थल कँपाते हुए बोले, "स्टॉप!"

गाँव, धान के खेत, नदी, आदमी उदास थे। अफसर सुबोध को लेकर सदर लौट गए। एग्रीमेण्ट देखकर बोले, "यह तो परियों की कहानी है। स–ब मान लिया? कल पुलिस के पहरे में धान कटाइएगा।"

"जैसा कहें। इसके बाद आ रहे हैं जिले के अथॉरिटी! लस्कर के कलकत्ते के खूँटे को मूव करने से क्या होगा, पता नहीं।"

"एस.पी. आएँगे, मैं चला।"

"कल आइए।

"आप लौटेंगे?"

"हाँ।"

"कहाँ ठहरेंगे?"

"मुड़ाइल में।"

"ठहरिए, आपका स्टेटमेण्ट ले लूँ।"

सुबोध ने स्टेटमेण्ट दिया।

दूसरे दिन और उसके बाद के दिन, दो दिन पुलिस के पहरे में धान की कटाई हुई। अफसर की बात पर लस्कर ने रुपए देने की बात मान ली।

दो दिन बाद पुलिस का पहरा उठा लिया गया। बाहर से आए कटैये नदी-किनारे के गोठ को वापस चले गए। उनमें से एक बूढ़ा बसाई के पास आया और बोला, "तुम काटो, हम भी काटें। हम रुपया-रुपया ही लेंगे। हमारा घर बीरभूम है। सत्तर साल हुए, पुलुस के जुलुग से गाँव छोड़ दिया। जिले-जिले घूमते रहते हैं।"

"देखा जाएगा। धान काटने ही से तो काम खतम नहीं हो जाता।"

"हम झगड़ा नहीं चाहते।"

"तुम नहीं चाहते, हम नहीं चाहते, लस्कर चाहता है।"

पुलिस चली गई। टेलिग्राफिक मेसेज चलने लगे—'टाइमली इण्टर्वेशन ऑफ पी.ओ. ब्रिंग्स सिचुएशन अण्डर कण्ट्रोल।'[1]

'पीसफुल हार्वेस्टिंग गोइंग ऑन।'[2]

गोपनीय मेसेज—

'एम.डब्लू.आई. ओपेनली साइडिंग विद के.एम्स.।'[3]

उत्तर में निर्देश—

'कीप ए टैग ऑन हिम।'[4]

गोपन मेसेज—

'बसाई टूरा लीडर ऑफ द एजिटेटर्स।'[5]

जवाब में निर्देश—

'अरेस्ट हिम अण्डर मीसा एट द फर्स्ट चांस।'[6]

धान-कटाई कब की हो गई। खेत में, मैदान में भूसा पड़ा रहा। चारों ओर चराचर में जाड़े की शान्ति थी। जानवरों के गले में घंटे बजते थे।

किन्तु आकाश पवन, सारा परिवेश अग्निगर्भ थे। पत्नी को पुलिस के हाथों में देकर लस्कर मेहनत के साथ बन्दूक की नली साफ करने लगा।

उसके बाद एस.पी. ने रंगमंच पर प्रवेश किया। अफसर हँसते हुए रंगमंच से विदा हुए। पुलिस के पहरे में धान कटाने के लिए कलकत्ते में तलबी हुई। कलकत्ता जाकर वे फायरिंग स्क्वाड[7] के सामने आए। जो स्क्वाड में थे वे इतने सामर्थ्यवान थे कि उन्होंने बिना विरोध चार्जशीट मान ली।

जब लस्कर ने समझा कि फिर अभय का वरदान और आश्वासन है। 'जय माँ—इमरजेंसी' कहकर उसने गोठ के कटैयों को खबर दी। जिस रात उसने गोठ में खबर भेजी, उस रात को बसाई के घर मादल डिमडिम बज रही थी और ठण्डक

---

1. उचित समय पर रोकने से स्थिति काबू में आ गई।
2. कटाई शान्तिपूर्वक चल रही है।
3. न्यूनतम मजदूरी का इंस्पेक्टर खुल्लमखुल्ला खेतमजूरों का पक्ष ले रहा है।
4. उस पर नजर रखो।
5. बसाई टूरा आन्दोलनकर्ताओं का नेता है।
6. पहले ही अवसर पर उसे मीसा में गिरफ्तार कर लो।
7. गोली चलानेवाला दस्ता।

से बचने के लिए आग को घेरकर बैठे सन्थाल एकरस सुर में गाना गा रहे थे। दूर से वह सुर विलाप की तरह लग रहा था। उनके गाने के सुर में विचित्रता नहीं थी। लस्कर ने मदन से पूछा, 'लखिन्द कहाँ है?'

"भाग गया है।"

"भागकर कहाँ जाएगा? निमखहरामी करके भागेगा कहाँ? लखिन्द, तू जाएगा कहाँ?"

लखिन्द उस समय बरोसी[1] की आग से हाथ तपाते-तपाते तीन रिवीजन के एम.डब्लू. लिए, छप्पर में खड़ा, ओसारे में मिट्टी लगा रहा था, बीवी-बच्चों को सदर में सर्कस दिखा रहा था।

गयेश्वरी की चाँदी-सी बालू पार कर कटैये आ रहे थे। वे बहुत दुखी और हारे हुए थे। जहाँ जाते, वहीं उन्हें बँधे खेतमजूरों के अन्न पर बैठना पड़ता। उसके लिए मार-पीट और दंगा-फसाद होता। यह उनका अभ्यास हो गया था।

उस रात सदर से तीन जीपें आईं।

[5]

तीन जीपों पर चढ़कर जो आए थे, वे लस्कर की बहिन के दामाद के दल के लोग थे। आजकल उनके हाथों में रुपए, नाम में छाप थी। जीप में चढ़कर वे सदर को आतंकित किए रहते। यही युव-शक्ति और अधमरों को फिनिश करना ही इनका देश-प्रेम, मातृ-सेवा थी। माँ जो बन गईं, उससे इन सारे लेफ्टिनेंटों के बिना फील्ड में ऑपरेशन चलाना उनके लिए सम्भव नहीं है।

वे आए, लस्कर के घर पर ठहरे। लस्कर से कहा, "साले, पाइंट और बकरा रखकर तुम चले जाओ। हम सामना कर लेंगे।"

तड़के लखिन्द मैदान में बैठने के लिए निकला और लस्कर के बखार के आगे आग के चारों ओर सैकड़ों कटैयों को बैठा देखकर बसाई के घर की ओर भागा।

भोर होते-न-होते बसाई मुड़ाइल चला गया था और सुबोध को खबर देकर चला आया।

सुबोध के आते-न-आते लस्कर के बखार के सामने दो गाँव के खेत मजूर जमा होकर नारे लगा रहे थे। वे धान के पहाड़ को घेरकर खड़े थे।

"बाहरी कटैये हटाओ!"

---

1. मिट्टी का बर्तन, जिसमें राख से दबाकर आग रखी जाती है।

"हिसाब से एम.डब्लू. दो!"

जल्दी-जल्दी नारे लगने लगे। सुबोध ने चलते-चलते बसाई से कहा, "आपको बस नहीं मिलेगी। साइकिल से सदर जाइए। कुल चार मील है। अफसर को बताइएगा।"

"मैं यहाँ से नहीं जाऊँगा।"

सुबोध के बार-बार बुलाने से लस्कर निकला और आँखें लाल कर बोला, "क्या हुआ?"

"आप इन्हें फिर क्यों लाए?"

"काम नहीं है?"

"एग्रीमेण्ट पढ़िए।"

"एग्रीमेण्ट तुम पढ़ो। एग्रीमेण्ट है कि ये धान काटेंगे, सो धान काटें। धान पर पहरा देंगे, ढेरी लगाएँगे। धान साफ करेंगे, ये बातें लिखी हैं?"

तब बसाई ने देखा कि लस्कर के धान उन्हें लस्कर के बखार में कोई रखने न देगा। वह बोला, "उनसे धान साफ कराओगे, गट्ठे बँधवाओगे, पहरा दिलवाओगे? हमें हमारा हक न दोगे?"

बसाई भागा-भागा गया। चिल्लाते हुए गया, "तुम लोग आओ! लस्कर के कटैये उठा रहे हैं बखार में। तुम आओ। लाठियाँ लेकर निकलो। पीटो कटैयों को। इस बार हक छोड़ दिया तो फिर नहीं मिलेगा। चलो...।"

उसकी आवाज आर्त्त और विपन्न थी। खेतमजूर लाठी लेकर भागे-भागे आए और कटैयों को मारने लगे। "हमारा हक छीन लोगे? हमारा हक? रुपए-रुपया रोज लेकर हमारा एम.डब्लू. मारोगे?"

कटैये चीखते हुए बिखर गए और भागे। किसी-किसी ने लौटकर मारा। गाँव की औरतें चिल्लाती हुई और उन्हें जो भी मिला उसे लेकर भागी आवीं। कटैयों की औरतें रो रही थी। धक्कामुक्की में आग के कौड़े में धान गिरते रहे। वे भभक उठे! गुस्से और बेहोशी में पागल बसाई बोला, "जलने दो सारा।"

कहकर जलते हुए धान के पौधों का गुच्छा धान के ढेर में फेंककर मारा। धुआँ, कुहरे से भीगे धानों में धुआँ। फिर आग लग गई।

लखिन्द बोला, "सब जला दें! तुमने कहा, सब जल जाए, जला दूँ, बसाई!"

अब लस्कर के घर से पन्द्रह युवक निकल आए। सुबोध ने डरते हुए देखा। उनके हाथों में तीन बन्दूकें, छुरे और गुप्तियाँ थीं।

उन्होंने पहले लखिन्द को गोली मार दी और टाँग पकड़कर शून्य में उछालकर जलते हुए धान में फेंक दिया। उसके बाद खेतमजूरों के बीच आश्चर्य की शृंखला

और निर्दयता उतर पड़ी। बसाई चिल्ला रहा था, "साला गुण्डे ले आया है, रे!" और सुबोध ने देखा कि बसाई भागकर आते-आते दोनों हाथ फैलाकर लड़खड़ा रहा है, चक्कर खाकर गिर गया! बसाई के बेटे का आतंकित चेहरा, सिर पर गहरी चोट खाकर बेहोश होते सुबोध ने सुना कि लस्कर चिल्ला रहा है, "खतम कर दो उसकी जान, सन्थाल का सँपोला!"

किसी ने सूचना नहीं दी। टेलीपैथी से पुलिस आ गई। बसाई और लखिन्द की लाशें लेकर जो वैन गई उसी से सुबोध को अस्पताल ले जाया गया।

पुलिस की तैनाती से कटैयों ने निडर काम किया! दोनों गाँवों को तहस-नहस कर दिया गया, जिससे बहुत-से खेतमजूर गाँव छोड़कर भाग गए।

अब सुबोध का कोई स्टेटमेण्ट नहीं माना गया और कलकत्ते में फोन करना चाहने पर उसने सुना कि सामन्त मत्स्य-विभाग में चले गए हैं।

सुबोध का सस्पेंशन हुआ और वह चार्जशीट हुए।

लखिन्द और बसाई के घर, सिचरण और निताई के घर, सोमाई का गाझीपाड़ा— अब बिच्छबूटी के जंगल थे।

अब लस्कर बरस में तीन फसलें लेता। वह खरीफ और रबी के सिवा मोटा धान भी लेता। इस बार वह तीनों फसल, एक रुपया रोज पर कटैयों से कराएगा।

सोनाल और गयेश्वरी के खेतमजूरों ने गाँव छोड़ना शुरू कर दिया।

लस्कर ने सदर के पुलिस-क्लब को दस हजार रुपए दिये।

●●●